Was bewirkt Gender Mainstrea

Reihe »Politik der Geschlechterverhältnisse«
Band 25

herausgegeben von Cornelia Klinger, Eva Kreisky, Andrea Maihofer
und Birgit Sauer

Ute Behning ist Forschungsgruppenleiterin am Institut für Höhere Studien (IHS)
in Wien und zurzeit Gastwissenschaftlerin am Zentrum für Sozialpolitik der
Universität Bremen. *Birgit Sauer* ist Professorin am Institut für Politikwissenschaft der Universität Wien.

Ute Behning, Birgit Sauer (Hg.)

Was bewirkt Gender Mainstreaming?

Evaluierung durch Policy-Analysen

Campus Verlag
Frankfurt/New York

Gedruckt mit Unterstützung des Bundesministeriums für Bildung, Wissenschaft und Kultur in Wien.

Bibliografische Information der Deutschen Bibliothek
Die Deutsche Bibliothek verzeichnet diese Publikation in der Deutschen Nationalbibliografie.
Detaillierte bibliografische Daten sind im Internet über http://dnb.ddb.de abrufbar.
ISBN 3-593-37608-3

Besuchen Sie uns im Internet: www.campus.de

Inhalt

Einführung

Kontroversen und Notwendigkeiten

Ansätze der sozialwissenschaftlichen Begleitforschung

Empirische Befunde gendersensibler Begleitforschung

Danksagung

Der vorliegende Sammelband präsentiert die Ergebnisse der im März 2003 in Wien abgehaltenen Kooperationsveranstaltung »Institutionenwandel und Gender Mainstreaming« des Institutes für Politikwissenschaft und der Abteilung Politikwissenschaft des Institutes für Höhere Studien. Der Workshop bot deutschsprachigen Expertinnen die Möglichkeit, intensiv zu diskutieren, wie die drei bislang kaum verknüpften Forschungsfelder Gender Mainstreaming, Institutionenwandel und vergleichende Policy-Forschung miteinander verschränkt werden können. Schnell wurde allen Teilnehmenden bewusst, dass die angestrebte Verknüpfung der genannten Forschungsfelder einen Raum eröffnet, in dem noch außerordentlich viel Forschungsbedarf besteht, und dass weiterhin vielfältige theoretische Überlegungen erforderlich sind, um das empirische Feld bearbeiten zu können.

Wir möchten uns ganz herzlich bei den Kommentatorinnen der Arbeitspapiere und den Moderatorinnen der Tagung bedanken. Die angenehme, konstruktive und produktive Arbeitsatmosphäre hat uns inspiriert und motiviert! Das diskutierte Arbeitsprogramm wird uns alle sicherlich noch eine Weile beschäftigen.

Für die finanzielle und ideelle Unterstützung des Workshops möchten wir uns insbesondere bei Dr. Ilse König, Dr. Eva Knollmayer und Doz. Dr. Maria-Christina Lutter vom österreichischen Bundesministerium für Bildung, Wissenschaft und Kultur herzlichst bedanken.

Die Organisation der Veranstaltung erledigte Gertrud Hafner, Abteilung Politikwissenschaft des Institutes für Höhere Studien, wie immer souverän, professionell und gelassen: Unser allerherzlichster Dank für Deine Unterstützung!

Ein herzliches Dankeschön geht an die Hans-Böckler-Stiftung. Ihr verdanken wir die finanzielle Unterstützung, die uns ermöglichte, Petra Schäfter für die Endredaktion und das Layouten des vorliegenden Buches zu gewinnen. Petras Kompetenz, Zuverlässigkeit und Sorgfalt bei der Erstellung der Druckfahnen können wir nur jeder/m HerausgeberIn wünschen. Lieben Dank für die große Entlastung!

Einen Druckkostenzuschuss gewährte uns dankenswerter Weise ebenfalls das österreichische Bundesministerium für Bildung, Wissenschaft und Kultur. Für die freundliche Kooperation mit dem Campus Verlag möchten wir uns bei Dr. Judith Wilke-Primavesi bedanken.

Institutionelle Unterstützung bei der Erstellung des vorliegenden Bandes erhielten wir vom Zentrum für Sozialpolitik an der Universität Bremen und von der Florida Atlantic University, wo wir Gastaufenthalte verbringen dürfen.

Bremen und Wien, im August 2004

Ute Behning und Birgit Sauer

Einführung

Von der Kritik zur Analyse: das Problem der Bewertung von Gender Mainstreaming

Ute Behning und Birgit Sauer

1. Was ist Gender Mainstreaming? Debatten um ein politisches Instrument

»Gender Mainstreaming besteht in der (Re-)Organisation, Verbesserung, Entwicklung und Evaluierung politischer Prozesse mit dem Ziel, eine geschlechterbezogene Sichtweise in alle politischen Konzepte auf allen Ebenen und in allen Phasen durch alle an politischen Entscheidungen beteiligte Akteure und Akteurinnen einzubeziehen« (Europarat 1998).

Die Definition des Europarates, auf die sich nationale PolitikerInnen, Gender-Mainstreaming-Beauftragte wie auch -ExpertInnen immer wieder beziehen, liest sich wie eine Definition aus einem geschlechterpolitischen Lehrbuch: Nicht allein Frauen sollen die Zielgruppe von Gleichstellungspolitik sein, sondern eine geschlechtersensible Sichtweise, also auch Männer und das Verhältnis zwischen Frauen und Männern werden zum Gegenstand von Gleichstellungspolitik. Nicht in einem spezifischen Politikfeld soll die Gleichstellung der Geschlechter vorangetrieben werden, sondern alle Politikbereiche sollen Geschlechterfragen berücksichtigen. Nicht allein Frauen sollen Promotorinnen von Geschlechtergleichstellung sein, sondern auch Männer mögen aktiv gleichstellungspolitische Prozesse und Entscheidungen gestalten. Die Wende von der Frauen- zur Geschlechter*forschung* scheint mit einiger zeitlicher Verzögerung in der Geschlechter*politik* angekommen zu sein.

Dennoch weist die Definition des Europarats eine Leerstelle auf, nämlich die Zielbestimmung des neuen Politikinstruments: Wozu und weshalb soll eine »geschlechterbezogene Sichtweise« integriert werden? Diese substanzielle Ausgestaltung des neuen Politikinstruments überließen die EU-Expertinnen jenen, die auf supranationaler und nationalstaatlicher Ebene mit der Umsetzung befasst sind. Dies kann eine Chance, aber auch Ursache für Vagheit und Behinderung sein.

Darüber hinaus enthält die Definition aus geschlechterforscherischer Perspektive einen Denkfehler. Der Strategie der Europäischen Kommission liegt implizit die Annahme zugrunde, dass politische AkteurInnen bislang *keine* geschlechtsspezifischen Sichtweisen in politische Entscheidungen einbezogen haben, da ihnen die Sensibilisierung für Geschlechterfragen, das Geschlechterwissen fehlte.

Die sozialwissenschaftlichen Forschungsergebnisse im Bereich der Geschlechterforschung der vergangenen Jahre haben aber gezeigt, dass dies nicht der
Realität entspricht. Im Gegenteil: Politik war und ist stets »Geschlechterpolitik«
(Lovenduski 1992), auch wenn dieses permanente »doing gender« (West/Zim-
mermann 1991: 14) und die daraus resultierende Etablierung von geschlechtsspezifischen Strukturen und Institutionen in der Regel den AkteurInnen nicht
bewusst ist. Die impliziten Geschlechterleitbilder gründen in persönlichen Erfahrungen, aber auch in den kulturell dominanten Prägungen der Geschlechterverhältnisse sowie in deren politischen Institutionalisierungen (Behning 1999).[1]
    Die Konzeptbeschreibung des Europarates ist also zu präzisieren: Es geht bei
Gender Mainstreaming weniger um die schlichte Integration einer geschlechts-
bezogenen Sichtweise in alle Phasen und durch alle an politischen Prozessen
beteiligte AkteurInnen, sondern vielmehr um die kritische Reflexion und Evaluation von geschlechtsspezifischen Sichtweisen in politischen Prozessen, die
explizit und meist implizit von politischen AkteurInnen vertreten werden. Daran
muss sich freilich der Prozess der zielbestimmten, d.h. gleichstellungsorientier-
ten Evaluierung, Kritik und Auflösung dieser Leitbilder und Denkmuster sowie
die Transformation der darauf gegründeten Institutionen und Policy-Entschei-
dungen anschließen.
    Seitdem die Europäische Kommission das Konzept Gender Mainstreaming
zum zentralen Instrument für die Durchsetzung der Chancengleichheit von
Frauen und Männern in der EU erhob (Europäische Kommission 1996: 67),
entstanden zahlreiche Organisationen und Einrichtungen, die sich mit der Umsetzung und Implementierung des Instruments in staatlichen Institutionen und
politischen Organisationen beschäftigen. Die Anforderung der EU, das Instrument auf supranationaler, aber auch nationalstaatlicher bzw. politikfeldbezoge-
nen Ebene zu evaluieren, z.B. im Kontext der Europäischen Strukturfonds, hat
zur Herausbildung eines eigenen Berufsfeldes geführt, dem der Gender-Main-
streaming-Expertin und -Beraterin. Damit entwickelt sich Gender Mainstreaming
zu einem Arbeitsfeld für Sozialwissenschaftlerinnen; Mainstreaming-Expertin-
nen beraten Organisationen und Verwaltungen, evaluieren Policies und versuchen, den Gedanken der »Vergeschlechtlichung« bzw. der Bewusstmachung impliziter Geschlechterbilder und -strukturen zu popularisieren und zum Bestandteil
von Politik- oder Organisationsentscheidungen zu machen.
    Auch die sozialwissenschaftliche Literatur zum neuen Politikfeld Gender
Mainstreaming ist inzwischen recht umfangreich (u.a. Bothfeldt/Gronbacher/Ried-
müller 2002; Behning/Serrano Pascual 2001; Lang et al. 2004). Sowohl die
Entstehungsgeschichte des Konzepts (von Braunmühl 2001), seine Wanderung
von der internationalen Frauenbewegung in die supranationalen Organisationen
wie UNO und EU, seine Vermischung mit dem Management-Konzept »Diver-

sity« und seine Transformation durch gleichstellungspolitische Überlegungen in Organisationen und nationalstaatlichen Verwaltungen sind in der Frauen- und Geschlechterforschung heftig diskutiert und vor allem umstritten.

Die Kritik an Gender Mainstreaming entzündet sich *erstens* an der Lokalisierung des Instruments, nämlich seiner Implementierung von »oben«, von der EU – wobei, wie Regina Dackweiler in diesem Band feststellt, allzu häufig der frauenbewegte Entstehungskontext vergessen wird. Eine *zweite Quelle* skeptischer Einschätzung ist der Zeitpunkt der Einführung von Gender Mainstreaming, nämlich in einer Phase spürbaren frauenpolitischen Backlashs, sichtbar an Kürzungen finanzieller Ressourcen für frauenbewegte Projekte und der Auflösung gleichstellungspolitischer Institutionen wie kommunaler Frauenbüros in Deutschland oder des österreichischen Frauenministeriums. Schließlich wird *drittens* die inhaltliche Seite des Konzepts kritisiert: Gender Mainstreaming benennt keine konkreten Inhalte und Ziele, sondern indiziert einen Weg, eine Methode zur Erreichung des vergleichsweise vagen Zieles der Chancengleichheit. Ein *vierter Kontext* der negativen Bewertung von Gender Mainstreaming ist der neoliberale Fokus nationalstaatlicher, aber auch europäischer Regulierung: Der Rückbau von Sozialleistungen und gleichstellungspolitischer Umverteilung, die Entgrenzung von Marktmechanismen und die Ökonomisierung bzw. Effizienzorientierung von staatlichen Politiken und Verwaltungen (Stichwort: schlanker Staat und Verwaltungsreform) werfen ihre Schatten auf ein Gleichstellungsinstrument, das im Management-Diskurs verortbar ist (Wetterer 2002).

Die Vertikale, der Zeitpunkt, die inhaltliche Vagheit und der diskursive Politikkontext sind wohl abzuwägende Aspekte der Bewertung von Gender Mainstreaming: Ist das Konzept nicht eher ein Mechanismus neoliberalen Staatsumbaus oder zumindest funktionalisierbar für ein solches Politikprojekt? Ist Gender Mainstreaming also Ausdruck und Form derzeitigen neoliberalen politischen Wandels und des Abbaus sozial- und gleichstellungspolitischer Institutionen und bietet damit kaum eine Chance für Gleichstellung von Männern und Frauen (Pühl 2003; Schunter-Kleemann 2003)? Führt die Mainstreaming-Strategie also nicht eher zur Effizienzsteigerung von Politikprozessen, zur staatlichen Ressourceneinsparung und zu gleichstellungspolitischen »Ich-AGs« denn zu Geschlechtergerechtigkeit? Trotz vielfacher Beteuerungen von Gender-Mainstreaming-AkteurInnen, dass das Instrument Maßnahmen der gezielten Frauenförderung nicht ersetzt, ist die Befürchtung von Frauenforscherinnen, dass zwei Konzepte gegeneinander ausgespielt werden und dass die erkämpften Frauenrechte und -institutionen durch ein laues »Engendering« erodiert werden.

Vor allem im deutschsprachigen Kontext haben wir es also mit einer Art »Déjà vu« zu tun, denn wie bei der Debatte um institutionalisierte Gleichstellungspolitik auch, sind die Einschätzungen des neuen Politikinstruments gespal-

ten. Die Spaltung verläuft freilich nicht mehr haarscharf entlang der Linie »Autonomie« versus »Institution«, sondern bringt »traditionelle« gleichstellungspolitische Institutionen, Instrumente und Akteurinnen gegen das neue Instrument des
Gender Mainstreamings in Stellung.

Hier setzt der vorliegende Band mit seiner provokativen – weil derzeit noch
keineswegs eindeutig zu beantwortenden – Frage »Was bewirkt Gender Mainstreaming?« an. Noch stehen die Implementationen von Gender Mainstreaming
am Anfang, noch bewegen sich viele Überlegungen auf der Ebene des Sollens
und Wollens. Die Autorinnen des vorliegenden Bandes schlagen deshalb vor, die
obigen skeptischen Überlegungen zum Gegenstand von Analysen zu machen,
um sowohl problematische Effekte, aber auch die Chancen und Möglichkeiten
des neuen Politikinstruments auszuleuchten. In der Tat müssen sich Gender-
Mainstreaming-Befürwortende die Frage stellen lassen, ob das Konzept zählebige ungleiche Geschlechterverhältnisse verändern kann, ob es besser als die
»alte« Gleichstellungspolitik in der Lage ist, Ungleichheiten und Diskrimini-
rungen qua Geschlecht zu erkennen, auf die politische Agenda zu setzen und
schließlich zu beseitigen. Kann das Instrument einen Bewusstseinsprozess über
die impliziten, vorbewussten und deshalb umso hartnäckigeren und selbstver-
ständlichen Geschlechtermuster und -leitbilder, die politischen Entscheidungsprozessen, Problemdefinitionen und Problemlösungsstrategien zugrunde liegen,
initiieren? Ist Gender Mainstreaming geeignet, um einen Policy-Zyklus von der
Problemdefinition über das Agenda-Setting und bis hin zu den politischen
Auseinandersetzungsprozessen und schließlich dem Policy-Output so zu verge-
schlechtlichen, dass der maskulinistische Bias traditioneller Politikpfade ebenso
sichtbar wird wie die unhinterfragte Zweigeschlechtlichkeit und die Nicht-
Beachtung von weiblicher Lebensrealität, von Bedürfnissen und Interessenlagen
von Frauen?

2. Evaluierung von Gender Mainstreaming im EU-Kontext

Die Europäische Kommission hat mit der Einführung des Instruments auch Vor-
sorge für die begleitende Evaluation – insbesondere in den EU-Policies – getroffen. Derzeit empfiehlt sie für diese Evaluation die quantitativen Evaluationsmethoden des »Monitoring« und des »Benchmarking« (vgl. auch Bustelo 2003).
Mit dem Begriff »Monitoring« ist vor allem die statistische Beobachtung der
Entwicklung von Lebens- und Arbeitsbereichen sowie Einstellungen der Bevölkerung der Mitgliedstaaten verbunden. Hierbei nimmt Eurostat, das Statistische
Zentralamt der EU, eine maßgebliche Rolle ein. Im Kontext der Implementation

des Gender-Mainstreaming-Ansatzes wird mithin auf die Erhebung von geschlechtsspezifischen Daten und Indikatoren Wert gelegt. Diese Indikatoren sollen beispielsweise Hintergrundinformationen über die Entwicklung der Reorganisation und egalitären Verteilung von Erwerbs- und Familienarbeit zwischen den Geschlechtern sowie über geschlechtsspezifische Ungleichheiten liefern. Im Vordergrund dieser quantitativen Analysen steht die kontinuierliche Weiterentwicklung von Indikatoren zur Messung und Prognose von geschlechtsspezifischen Problembereichen. Um jedoch Problembereiche erkennen und Indikatoren entwickeln zu können, bedarf es qualitativer »Peer Reviews«, die vorab und später begleitend durchgeführt werden (Campbell 1999: 374ff.). Diese Beschreibungen von Problembereichen, die zumeist in Form von Fallstudien durchgeführt werden, sollen Messgrößen identifizieren und damit zur Indikatorenbildung beitragen. Diese Hintergrundinformationen sollen dann politischen AkteurInnen bei der Beurteilung und Neugestaltung von Politiken zur Verfügung gestellt werden.

»Benchmarking« hingegen bedeutet, dass die Evaluationsmethode des Monitorings aufgegriffen wird und in vergleichenden Analysen jene EU-Mitgliedsstaaten oder -Regionen identifiziert werden, die in spezifischen Bereichen »die Besten« sind.[2] Für den Gender-Mainstreaming-Ansatz bedeutet dies, dass durch quantitative Analysen jene Staaten oder Regionen herausgeschält werden, die im Bereich der Auflösung von geschlechtsspezifischen Ungleichheiten die größten Erfolge zu verbuchen haben (für den Bereich der Arbeitsmarktforschung z.B. Tronti 1997).

Dass diese beiden zentralen Methoden für die Evaluation von Gender Mainstreaming in völlig unterschiedlichen nationalstaatlichen Kontexten, mit divergierenden Geschlechterregimen, frauenbewegten und frauenpolitischen Erfahrungen und Traditionen nicht hinreichen, zeigen bisherige Erfahrungen (Bustelo 2003). Auch aus politikwissenschaftlicher Sicht ist die Frage der Bewertung, der Evaluation und der Analyse ein nach wie vor ungeklärtes Problem der Implementierung und Durchsetzung von Gender Mainstreaming. Hier nun will der vorliegende Band anknüpfen und neben den kontroversen Debatten um Gender Mainstreaming erste methodische Überlegungen der Evaluation und Analyse des Gender Mainstreamings anstellen sowie erste theoriegeleitete Untersuchungsergebnisse aus Deutschland vorstellen.

3. Zum Stand geschlechterforscherischer Politikberatung und feministischer Policy-Forschung

Seit der Herausbildung politikwissenschaftlicher Geschlechterforschung im deutschsprachigen Raum zu Beginn der 1990er Jahre lag ihr Schwerpunkt auf der Grundlagenforschung. Grundlegende Begriffe, Konzepte und Ansätze des Faches wurden einer Kritik unterzogen mit dem Ziel, diese geschlechtersensibel zu reformulieren und zur Grundlage von geschlechterkritischen empirischen Forschungen zu machen. Doch die Kategorie Geschlecht erwies sich in empirischen Analysen vielfach als spröde und schwer handhabbar. Vornehmlich »Frauen« werden im politischen Feld untersucht. Eine Diffusion der politikwissenschaftlichen Geschlechterforschung in den Bereich der anwendungsorientierten empirischen (Auftrags-)Forschung hat deshalb bis dato kaum stattgefunden. Angesichts einer bereits langen gleichstellungspolitischen Geschichte kann man von einem veritablen Defizit feministischer praxisbezogener Policy-Forschung bzw. geschlechterpolitischer Politikberatung im deutschsprachigen Raum sprechen.

Nicht zuletzt im Zuge der Evaluationserfordernisse von Gender Mainstreaming entstanden in den vergangenen Jahren in Deutschland und Österreich zahlreiche sozialwissenschaftliche Forschungs- und Beratungsinstitute mit expliziter geschlechterpolitischer bzw. feministischer Ausrichtung. Doch gibt es ein deutliches Hinterherhinken der politikwissenschaftlichen Geschlechterforschung. Gerade einmal ein Heft der politikwissenschaftlichen Zeitschrift »femina politica« (1997) beschäftigt sich mit dem Themenkomplex »feministische Politikberatung«. Die Autorinnen dieses Heftes – Wissenschaftlerinnen und Praktikerinnen – beklagen das Defizit an feministischer Politikberatung und deren theoretischer Fundierung (u.a. Abels/Leitner 1997; Esch 1997; Kirschbaum 1997), das auch sieben Jahre später keineswegs als behoben bezeichnet werden kann.

Diese Zurückhaltung politikwissenschaftlicher Geschlechterforschung gegenüber der Politikberatung und dem methodologischen Instrument der Policy-Forschung liegt nicht zuletzt daran, dass sich, insbesondere im deutschsprachigen Raum, politikwissenschaftliche Geschlechterforschung vor allem in einer Tradition der Politik*kritik* sah, der die Beratung staatlicher AkteurInnen fern lag. Die Staats- und Institutionenferne der Frauenforschung der 1970er und 1980er Jahre wurde in die Geschlechterforschung der 1990er Jahre hinein verlängert – sodass selbst politikbegleitende Analysen der Frauen- und Gleichstellungspolitik nach wie vor in den Kinderschuhen stecken (kritisch Holland-Cunz 1996). Ein angemessenes Verhältnis von (Geschlechter-)Forschung und (Gleichstellungs-) Politik scheint noch immer nicht gefunden (femina politica 2003).

Dennoch wäre es verfälschend, würden wir die geschlechtersensible Policy-Forschung als Leerstelle bezeichnen. Erste Ansätze geschlechtersensibler Politikfeldforschung im deutschsprachigen Raum sind im Band von Teresa Kulawik und Birgit Sauer (Kulawik/Sauer 1996) »Der halbierte Staat« versammelt. Auch im Bereich der Gleichstellungspolitik liegen inzwischen policy-orientierte Forschungen vor (Rudolph 1994; von Wahl 1999). Einer der wichtigsten und ergebnisreichsten Forschungsstränge der geschlechterkritischen Policy-Forschung ist die (vergleichende) Wohlfahrtsstaats- und Sozialpolitikanalyse. Hier konnten in den vergangenen Jahren nicht nur Methoden verfeinert und Ergebnisse präzisiert, sondern auch methodologische und theoretische Innovation geleistet werden (u.a. Behning 1999; Kulawik 1999; Dackweiler 2003).

Politikwissenschaftliche Geschlechterforschung ist im Bereich der Policy-Forschung insbesondere darum bemüht, den politischen Prozess im Zusammenhang mit institutionellem Wandel zu analysieren. Die derzeitigen Debatten um eine Veränderung von Staatlichkeit (u.a. Verwaltungsreform, schlanker Staat) legen eine solche komplexe Analyse von institutionellem Wandel und der Implementation von Politiken in einer Geschlechterperspektive nahe. Von besonderem theoretischem Gewinn erweisen sich hier vergleichende Studien, die die Unterschiede von Politikprozessen an länderspezifische Differenzen des politischen Institutionengefüges, sozialer Aushandlungsprozesse, aber auch an unterschiedliche Geschlechterregime rückbinden und mithin erklären können. Eine solche Perspektive ermöglicht den Blick auf AkteurInnen, aber auch auf institutionelle Settings sowie auf die Veränderungspotenziale für Geschlechterpolitiken.

Das international vergleichende »Research Network on Gender Politics and the State« (RNGS) hat in den vergangenen Jahren unterschiedliche Politikfelder – Berufsausbildung (Mazur 2001), Abtreibung (Stetson 2001), Prostitution (Outshoorn 2004), politische Repräsentation (Lovenduski [im Erscheinen]) und neoliberalen Staatsumbau (Hausman/Sauer [im Erscheinen]) – daraufhin analysiert, ob Frauenbewegungen erfolgreich ihre Politikziele in staatliche Politiken integrieren konnten und ob staatsfeministische Institutionen wie Gleichstellungsstellen und Frauenministerien dabei eine unterstützende Rolle spielten. Diese variablenorientierten vergleichenden Analysen einzelner Politikfelder führten zu methodologischen Verallgemeinerungen geschlechtersensibler Policy-Forschung (Mazur 2002), sind aber sehr wohl durch diskursorientierte Methodologien ergänzbar (Bacchi 1996).

Politikwissenschaftliche Geschlechterforschung kann also durchaus politischen AkteurInnen bei der Umsetzung von Gender Mainstreaming kurz- und langfristig dienlich sein. Die Länder vergleichende Evaluierung der Implementation von Gender Mainstreaming in der Europäischen Union mittels policy-orientierter Ansätze kann den je länderspezifischen Institutionenwandel herausarbeiten, unterschiedliche gleichstellungspolitische Entwicklungspfade aufdecken und die Präsentation der »best practices« fundierter bewerten. Darüber hinaus werden die unterschiedlichen geschlechtsspezifischen Ausprägungen nationaler Institutionen verständlicher, Verzögerungen, Rückschläge, aber auch Erfolge von Gender Mainstreaming und Gleichstellungspolitik werden analysierbar. Des Weiteren könnten Vergleichsstudien die Entstehungsbedingungen von länderspezifischen institutionellen Formationen und ihre kulturellen Wurzeln verdeutlichen und damit zu einem stärkeren Verständnis der kulturellen Differenzen im Bereich der Geschlechterregime in den EU-Mitgliedsstaaten beitragen.

4. Was bewirkt Gender Mainstreaming? Vorschläge zur Evaluation und Bewertung

Für die Analyse der Implementation ist Gender Mainstreaming selbst als Kräftefeld zu fassen. Dies macht eine kritisch-begleitende Ausleuchtung aller Kräfteverhältnisse im Feld erforderlich. Forschungsdesigns können Gender Mainstreaming entweder *im* politischen Feld fokussieren, d.h. als einen Aspekt von Policy-Prozessen, oder *als* politisches Feld analysieren. Zu fragen ist mithin, wie Gender Mainstreaming in einzelnen Politikfeldern wirkt, welche Unterschiede die jeweiligen Politikumfelder bewirken (z.B. sozialpartnerschaftliche, kooperative Entscheidungsformen), welche institutionellen Lösungen (Pfade) das Politikfeld traditionell bestimmen und welche Geschlechterbilder daran geknüpft sind. Darüber hinaus gilt zu fragen, ob es in dem jeweiligen Politikfeld gleichstellungspolitische Erfahrungen und AkteurInnen gibt und welche Akteursgruppen um die Ausgestaltung der Zielvorstellungen von Gender Mainstreaming und damit die Institutionalisierung von neuen (potenziell) geschlechtergerechten Strukturen ringen. Begleitforschung sollte beispielsweise Kriterien entwerfen für die Analyse erstens jener Prozeduren, die eingesetzt werden, um Gender durch den ganzen Policy-Prozess hindurch sichtbar zu machen bzw. kritisch zu integrieren, zweitens des operationalen Outputs in Form von Programmen, Projekten und drittens des tatsächlichen Outputs der Politiken (Hafner-Burton/Pollack 2002: 364). Wird Gender Mainstreaming als Politikfeld untersucht, dann rücken stärker Fragen des Agenda-Settings, des Framings von Problemen, des Organisations- bzw. Verwaltungswandels, aber auch der Implementationshürden und des Outcomes in den Vordergrund.

Für die Bearbeitung all dieser Forschungsfragen bieten sich analytische Ansätze an, die in der Policy-Forschung Anwendung finden wie beispielsweise der Regime-Ansatz, institutionalistische Rational-Choice-Ansätze, die Ansätze des historischen und soziologischen Institutionalismus, die Wissenspolitologie, diskurstheoretische Ansätze sowie das Konzept des Habitus und des politischen

Feldes, aber auch partizipationsorientierte Governance-Konzepte. Anders ausgedrückt: Es bedarf der genaueren Analyse des Gender Mainstreamings bzw. seines Erfolges als abhängiger Variable, aber auch und vor allem eines gründlichen Blicks auf unabhängige Variablen wie politische Möglichkeitsstrukturen, Mobilisierungsstrukturen von AkteurInnen, strategische Frames, also auch Geschlechterleitbilder, die den Erfolg oder Misserfolg von Gender Mainstreaming prägen (ebd.: 365).

Die in diesem Band versammelten Ansätze der Analyse von Gender Mainstreaming weisen auch auf die Notwendigkeit weiterer theoretischer Überlegungen hin: *Erstens* ist der Interessenbegriff zu relativieren. Denn dass Akteure die Wahrnehmung ihrer Interessen primär auf die Gleichstellung der Geschlechter ausrichten, erscheint wenig wahrscheinlich. Ansätze, die die analytische Verknüpfung von Interessen und Ideen bzw. Frames von politischen Akteuren suchen, sind für die Bearbeitung des Untersuchungsfeldes mithin eher geeignet. *Zweitens* ist die Dimension des sozialen Wandels, also die gesellschaftliche Dimension, aber auch die Rolle der Zivilgesellschaft analytisch zu berücksichtigen. Diese nicht zuletzt auch partizipatorische Dimension gilt es insbesondere deshalb stark zu machen, weil Gender Mainstreaming als Top-down-Strategie von der EU-Ebene an die Mitgliedsstaaten herangetragen wird und auch innerhalb nationalstaatlicher Verwaltungen top down implementiert wird. *Drittens* bieten traditionelle Ansätze der Policy-Forschung kaum Möglichkeiten, gesamtgesellschaftliche Veränderungen zu berücksichtigen, die z.B. durch die Neoliberalisierung von Politik erzeugt werden. Diese Lücke gilt es mit diskurs- und feldtheoretischen Ansätzen zu füllen.

Diese Art des Zugangs stellt nicht nur eine Erweiterung der Evaluationsmethoden des Gender Mainstreamings in der Europäischen Union dar, sondern fordert auch die politikwissenschaftliche Geschlechterforschung im Bereich der Policy-Forschung heraus. Damit eine solchermaßen orientierte Forschungsarbeit möglich wird, müssen die Methoden sozialwissenschaftlicher, geschlechterforscherischer Begleitanalyse von Politik sowie die geschlechterkritische politikwissenschaftliche Policy-Forschung geschärft werden. Der vorliegende Band schlägt vor, drei Stränge politikwissenschaftlicher Analyse geschlechterkritisch zusammenzuführen: die Policy-Analyse, die vergleichende (Wohlfahrts-)Staatsanalyse sowie institutionentheoretische Überlegungen. Um zu aussagekräftigen empirischen Ergebnissen zu gelangen, favorisierten die Autorinnen dieses Bandes vergleichende kommunale, regionale und Länder übergreifende Studien. Die europäische Dimension der Gender-Mainstreaming-Strategie verlangt zudem, den Ansatz des »multi-level governance« zur Konzeptionierung von Forschungsdesigns zu nutzen.

Der Band plädiert also für eine theoriebezogene Begleitforschung von Gender Mainstreaming, die zugleich wiederum theoriegenerierend ist. Die Beiträge des Bandes wollen sowohl die Notwendigkeit als auch die Potenziale einer solchen vergleichenden geschlechtertheoretischen Policy-Forschung am Beispiel der Analyse von Gender Mainstreaming aufzeigen. Sie wollen damit einen Anschub für eine geschlechterkritische vergleichende Policy-Forschung geben, mit der – nicht allein – das Instrument Gender Mainstreaming im Mehrebenensystem der Europäischen Union kritisch analysierbar und bewertbar wird. Der Band leistet somit neben theoriegesättigten Analysen von Gender Mainstreaming die aktive Aneignung bisher durch politikwissenschaftliche Geschlechterforschende wenig erschlossene Teilbereiche der Politikwissenschaft.

5. Zur Anlage des Bandes

Das vorliegende Buch nähert sich in drei Schritten der Frage nach der »Wirkung« bzw. der Evaluation der Wirkungsweise des Instruments Gender Mainstreaming. Im ersten Abschnitt werden Kontexte der Implementierung von Gender Mainstreaming und Debatten über das Instrument präsentiert. Der zweite Abschnitt macht Vorschläge, mit welchen Ansätzen eine gendersensible politikwissenschaftliche Begleitforschung des Mainstreaming-Instruments arbeiten könnte. Der dritte Abschnitt schließlich präsentiert erste Befunde einer solchen geschlechtssensiblen Begleitforschung.

Barbara Stiegler, eine ausgewiesene Expertin und Verfechterin des Gender-Mainstreaming-Instruments, stellt in ihrem Beitrag die Kontroversen und Auseinandersetzungen um das Instrument im deutschen Kontext vor. Sie versucht, den skeptisch-kritischen Argumenten empirische Erfolge und Chancen des Instruments entgegenzustellen. Der Beitrag von *Heike Kahlert* wägt die emanzipatorischen Potenziale von Gender Mainstreaming im Kontext des New Public Management ab. Der Schwerpunkt des Beitrages kreist um das Verhältnis von Wissen (über Geschlechterverhältnisse) zur sozialen Praxis in Organisationen und Institutionen. Für eine angemessene Evaluierung von Gender Mainstreaming gilt es, sich vor Augen zu führen, dass sich soziale Praxis längst von der Wissenschaft insofern emanzipiert hat, als ein didaktisches Aufklärungsverhältnis in einer Beratungssituation nicht angenommen werden kann. *Delia Schindlers* Beitrag stellt einen Vergleich zweier Politikkonzepte bzw. Leitbilder an: der Nachhaltigkeit auf der einen und des Gender Mainstreamings bzw. der Geschlechtergerechtigkeit auf der anderen Seite, die beide auf supranationaler Ebene propagiert und entwickelt wurden. Beide Konzepte haben ihre Entstehungsgeschichte in sozialen Bewegungen, die nun um ihre Implementation streiten. Der fluide Charakter beider Konzepte wird dabei als eine Chance gesehen, Policy-Prozesse zu transformieren.

Die im folgenden Abschnitt präsentierten Ansätze geschlechtersensibler sozialwissenschaftlicher Analysen versuchen, Herangehensweisen politik- bzw. sozialwissenschaftlicher Geschlechterforschung für die Evaluierung von Gender Mainstreaming fruchtbar zu machen. Der Beitrag von *Birgit Sauer* diskutiert institutionalistische Ansätze in der Politikwissenschaft und befragt sie nach Begrifflichkeiten und Dimensionen, in denen institutioneller und organisationeller Wandel analysiert werden kann. Dabei geht es um das Zusammenspiel von gesellschaftlichen Strukturen und Verhältnissen, also auch Geschlechterverhältnissen, politischen Prozessen und Institutionen sowie politischen Subjekten: Um die Frage zu beantworten, ob Gender Mainstreaming einen Wandel von Geschlechterregimen und -institutionen bewirken kann, müssen all diese Dimensionen und ihre Interdependenzen berücksichtigt werden.

Teresa Kulawiks Beitrag verbindet den Regime-Ansatz der vergleichenden Wohlfahrtsstaatsanalyse mit dem historischen Institutionalismus und diskurstheoretischen Überlegungen. Das Ziel der Autorin ist es, feministische Analysen von ihrem (historischen) Ballast des Determinismus und Funktionalismus zu befreien und gleichsam unvoreingenommen die Genese und Ausgestaltung von Policies – in diesem Fall von Gender Mainstreaming – systematisch und theoriegeleitet zu erklären. Insbesondere die vergleichende Perspektive zeigt, wie voraussetzungsvoll die nationalstaatliche Implementierung von Gender Mainstreaming ist – und wie sorgfältig sie zu analysieren ist. *Regina Dackweiler* entwickelt in ihrem Text ebenfalls den Ansatz der vergleichenden Wohlfahrtsstaatsregime zu einem Untersuchungsinstrument von Gender Mainstreaming. Der Schwerpunkt ihres Konzepts liegt auf je national differierenden makropolitischen Chancenstrukturen, deren differenzierte Analyse den Blick für das neue Instrument des Gender Mainstreamings öffnen kann und die Opportunitätskosten aber auch -gewinne abschätzen hilft. Im Zentrum dieses methodologischen Vorschlags steht die Untersuchung von wohlfahrtsstaatlichen Regulierungen, ideologischen Orientierungen von Parteien und Bewegungen, korporatistischen Mustern, des Demokratietypus, des Privat- und Familienrechts sowie der »strategischen Selektivität« des Staates.

Silke Bothfelds Beitrag präsentiert einen vergleichsweise neuen Ansatz der politikwissenschaftlichen Institutionen- bzw. Policy-Forschung, das Policy-Learning. Lernprozesse sind durch das Instrument Gender Mainstreaming intendiert, und doch hängt auf der anderen Seite der Erfolg bzw. der Misserfolg des Instruments vom Wissen und von der Lernfähigkeit und -willigkeit der beteiligten AkteurInnen ab. Der Beitrag entwickelt am Beispiel der Reform des deutschen und französischen Elternurlaubs die sozialen und politischen Grenzen und Möglichkeiten politischen (Institutionen-)Lernens. Die »Lehre« für die Analyse von Gender Mainstreaming ist, dass kognitive, aber auch emotionale Prozesse ganz zentral für Wissen und Diskurse und mithin für den Erfolg einer politischen Maßnahme sind. Der Text von *Ute Behning* greift diesen wissens- und diskurspolitologischen Strang der Policy-Debatte auf und verknüpft ihn mit der Analyse wohlfahrtsstaatlicher Geschlechterarrangements in europäischer Perspektive. Die vergleichende Untersuchung von Politikfeldern und Policy-Strategien braucht eine Sicht auf Prozesse der Europäisierung, wie gerade das Beispiel Gender Mainstreaming zeigt. Dieses, so weist die Autorin am Beispiel der EU-Politik zur Herstellung sozialer Gleichheit zwischen den Geschlechtern nach, ist am fruchtbarsten durch die Verbindung von institutionen- und diskurstheoretischen Ansätzen leistbar, da sie institutionellen Wandel im Kontext eines Mehrebenensystems in den Blick nehmen können.

Die letzten vier Beiträge präsentieren Ergebnisse der Analyse von Gender Mainstreaming auf unterschiedlichen Ebenen, der Ebene der städtischen Verwaltung (Andresen/Dölling), der kommunalen Ebene (Lang und Färber) und der Ebene der Europäischen Union (Mokre). *Sünne Andresens* und *Irene Döllings* empirische Studie über das Geschlechter-Wissen von AkteurInnen der Verwaltungsreform setzt sich mit einer der Grundlagen von Gender Mainstreaming auseinander, nämlich mit dem Wissen institutioneller AkteurInnen über Geschlechterverhältnisse. Ihre Befunde sind eher ernüchternd: Die Verpflichtung zu Gender Mainstreaming erreicht die kommunalen VerwaltungsakteurInnen just zu einem Zeitpunkt, an dem grundlegende Prozesse der Verwaltungsreform – vor allem auch der Ressourcen- und Personaleinsparung – auf der Tagesordnung stehen. Die »Feldlogiken« der AkteurInnen weisen deshalb insgesamt eher in eine Richtung, die für die Verankerung von Geschlechtersensibilität nicht gerade günstig ist.

Sabine Langs Beitrag analysiert Gender Mainstreaming auf der Ebene von Städten und Kommunen als zentralen Orten von Geschlechterpolitik und im Kontext von so genannten neuen Governance-Konzepten der BürgerInnenbeteiligung. Gender Mainstreaming gewinnt in dieser »kleinen Demokratie« Bedeutung in der quantitativen Repräsentation von Frauen in politischen Gremien, in Auseinandersetzung mit lokalen frauen- und gleichstellungspolitischen Institutionen, die in der Bundesrepublik Deutschland vergleichsweise stark sind, im Kontext des geförderten und geforderten »bürgerschaftlichen Engagements« sowie im Rahmen der kommunalen Verwaltungsmodernisierung. Die Ergebnisse der Studie geben immerhin Hoffnung, dass Gender Mainstreaming innerhalb der Kommunalverwaltung Veränderungen in Gang setzt, während Institutionenwandel im kommunalpolitischen Feld insgesamt eher skeptisch bewertet wird.

Christine Färber ist ebenfalls eine Expertin und Praktikerin im Feld von Gender Mainstreaming. Ihr Beitrag stellt die Erfordernisse und Ergebnisse von Gender Mainstreaming in der Städtebaupolitik vor. Erfolgreiches Mainstreaming in der Städtebaupolitik, d.h. eine angemessene Bearbeitung von Geschlechterfragen in Bau- und Planungsämtern, so das Ergebnis, erfordert erstens eine angemessene Repräsentanz von Frauen in politischen Entscheidungsprozessen. Sie verlangt zweitens die Erhöhung der Genderkompetenz in den beteiligten Verwaltungen durch Organisationsentwicklung und Schulung aller Akteure, vor allem aber durch Einbindung der Frauen- und Gleichstellungsbeauftragten der Kommunen. Schließlich zeigen erste Studien, dass erfolgreiches Mainstreaming in der Kommunalpolitik vor allem die Beteiligung der BürgerInnen braucht – und deren explizite oder auch implizite Genderkompetenz.

Monika Mokre setzt sich mit dem Gleichstellungspotenzial der neuen EU-Verfassung auseinander. Kann die neue EU-Verfassung einen Beitrag zur europäischen Geschlechterdemokratie leisten und fand im Prozess der Verfassungsgebung und Konstitutionalisierung das Prinzip Gender Mainstreaming Berücksichtigung? Gerade am Beispiel der EU-Erweiterung weist die Autorin eine gewisse Halbherzigkeit der EU bei der Realisierung von Geschlechterdemokratie nach, machte die Union doch das Prinzip des Gender Mainstreamings mit nur wenig Verve zur Verpflichtung der Beitrittsländer. Geschlechterungleichheit wird zum europäischen Nebenwiderspruch und Geschlechterpolitik und Gender Mainstreaming zum Bereich »niedriger« Politik degradiert.

Anmerkungen

1 Dass dieses nicht nur für Männer gilt, sondern auch für Frauen, und welche Konsequenzen diese implizit mitlaufenden Leitbilder in politischen Prozessen haben, hat Annette Henninger (2000) eindrucksvoll belegt.
2 Bei der Identifikation von »best practices« ist jedoch immer der »Sollwert« als normative Richtschnur zu hinterfragen.

Literatur

Abels, Gabriele/Leitner, Sigrid 1997: Feministische Politikberatung!? Einleitung, in: *femina politica*, Jg. 6, H. 2, S. 38-45.
Bacchi, Carol Lee 1996: *Women, Policy and Politics. The Construction of Policy Problems*, London et al.: Sage.

Behning, Ute 1999: *Zum Wandel der Geschlechterrepräsentation in der Sozialpolitik: ein policy-analytischer Vergleich der Politikprozesse zum österreichischen Bundespflegegesetz und zum bundesdeutschen Pflege-Versicherungsgesetz*, Opladen: Leske und Budrich.

Behning, Ute/Serrano Pascual, Amparo (Hg.) 2001: *Gender Mainstreaming in the European Employment Strategy*, Brüssel: ETUI-Press, S. 321-345.

Bothfeld, Silke/Gronbach, Sigrid/Riedmüller, Barbara (Hg.) 2002: *Gender Mainstreaming – eine Innovation in der Gleichstellungspolitik. Zwischenberichte aus der politischen Praxis*, Frankfurt/M., New York: Campus.

Braunmühl, Claudia von 2001: Gender Mainstreaming Worldwide – Rekonstruktion einer Reise um die Welt, in: *Österreichische Zeitschrift für Politikwissenschaft*, Jg. 30, H. 2, S. 183-201.

Bustelo, Maria 2003: Evaluation of Gender Mainstreaming. Ideas from Meta-evaluation Study, in: *Evaluation*, Jg. 9, H. 4, S. 383-403.

Campbell, David 1999: Evaluation universitärer Forschung. Entwicklungstrends und neue Strategiemuster für wissenschaftsbasierte Gesellschaften. In: *SWS Rundschau*, Jg. 39, H. 4, S. 363-383.

Dackweiler, Regina-Maria 2003: *Wohlfahrtsstaatliche Geschlechterpolitik am Beispiel Österreichs. Arena eines widersprüchlich modernisierten Geschlechter-Diskurses*, Opladen: Leske und Budrich.

Esch, Marion 1997: Zum Potential gleichstellungspolitischer wissenschaftlicher Politikberatung für eine geschlechterdemokratische Umgestaltung der Gesellschaft, in: *femina politica*, Jg. 6, H. 2, S. 58-75.

Europäische Kommission 1996: *Einbindung der Chancengleichheit in sämtliche politischen Konzepte und Maßnahmen der Gemeinschaft*, Brüssel.

Europarat 1998: *Gender Mainstreaming. Konzeptioneller Rahmen, Methodologie und Beschreibung bewährter Praktiken*, Straßburg: Europarat.

femina politica 1997: *Feministische Politikberatung!?*, Jg. 6, H. 2.

femina politica 2003: *Parteilichkeit? Distanzierung? Instrumentalisierung? Frauen-/Geschlechterforschung, Frauenbewegung, Politik*, Jg. 12, H. 2.

Hafner-Burton, Emilie/Pollack, Mark A. 2002: Mainstreaming Gender in Global Governance, in: *European Journal of International Relations*, Jg. 8, H. 3, S. 339-373.

Hausman, Melissa/Sauer, Birgit (Hg.) (im Erscheinen): Gendering the state in the age of Globalisation: women's movements and state feminism in post-industrial democracies.

Henninger, Annette 2000: *Frauenförderung in der Arbeitsmarktpolitik. Feministische Rückzugskonzepte oder Zukunftskonzepte?*, Opladen: Leske und Budrich.

Holland-Cunz, Barbara 1996: Komplexe Netze, konfliktreiche Prozesse. Gleichstellungspolitik aus policy-analytischer Sicht, in: Kulawik, Teresa/Sauer, Birgit (Hg.): *Der halbierte Staat. Grundlagen feministischer Politikwissenschaft*, Frankfurt/M., New York: Campus, S. 158-174.

Kirschbaum, Gaby 1997: Politikberatung – Anforderungen aus der Praxis, in: *femina politica*, Jg. 6, H. 2, S. 76-82.

Kulawik, Teresa 1999: *Wohlfahrtsstaat und Mutterschaft: Schweden und Deutschland 1870-1912*, Frankfurt/M., New York: Campus.

Kulawik, Teresa/Sauer, Birgit (Hg.) 1996: *Der halbierte Staat. Grundlagen feministischer Politikwissenschaft*, Frankfurt/M., New York: Campus .

Lang, Klaus et al. (Hg.) 2004: *Die kleine große Revolution. Gender Mainstreaming – Erfahrungen, Beispiele, Strategien aus Schweden und Deutschland*, Hamburg: VSA.

Lovenduski, Joni 1992: Gender and Politics, in: Hawkesworth, Mary/Kogan, Maurice (Hg.): *Encyclopedia of Government and Politics*, Bd. 1, London, New York: Routledge, S. 603-615.

Lovenduski, Joni (Hg.) (im Erscheinen): *Feminism and the Political Representation of Women in Europe and North America*, Cambridge: Cambridge University Press.

Mazur, Amy (Hg.) 2001: *State Feminism, Women's Movements, and Job Training: Making Democracies Work in the Global Economy*, London, New York: Routledge.

Mazur, Amy G. 2002: *Theorizing Feminist Policy*, Oxford: Oxford University Press.

Outshoorn, Joyce (Hg.) 2004: *The Politics of Prostitution. Women's Movements, Democratic States and the Globalisation of Sex Commerce*, Cambridge: Cambridge University Press.

Pühl, Katharina 2003: Geschlechterpolitik im Neoliberalismus, in: *Widerspruch, Beiträge zu sozialistischer Politik*, 23. Jg., H. 44, S. 61-72.

Rudolph, Clarissa 1994: Die Institutionalisierung von Frauenpolitik im Parteienstaat, in: Biester, Elke et al. (Hg.): *Gleichstellungspolitik – Totem und Tabus. Eine feministische Revision*, Frankfurt/M., New York: Campus, S. 62-81.

Schunter-Kleemann, Susanne 2003: Was ist neoliberal am Gender Mainstreaming?, in: *Widerspruch, Beiträge zu sozialistischer Politik*, 23. Jg., H. 44, S. 19-33.

Stetson, Dorothy McBride (Hg.) 2001: *Abortion Politics, Women's Movements and the Democratic State: A Comparative Study of State Feminism*, Oxford: Oxford University Press.

Tronti, Leonello 1997: *Benchmarking Employment Performance and Labour Market Policies. Final Report*, Employment Observatory, European Commission.

Wahl, Angelika von 1999: *Gleichstellungsregime. Berufliche Gleichstellung von Frauen in den USA und in der Bundesrepublik Deutschland*, Opladen: Leske und Budrich.

West, Candace/Zimmermann, Don H. 1991: Doing Gender, in: Lorber, Judith/Farell, Susan A. (Hg.): *The Social Construction of Gender*, Newbury Park, London, New Delhi: Sage Publ., S. 13-37.

Wetterer, Angelika 2002: Strategien rhetorischer Modernisierung. Gender Mainstreaming, Managing Diversity und die Professionalisierung der Gender-Expertinnen, in: *Zeitschrift für Frauenforschung und Geschlechterstudien*, Jg. 20, H. 3, S. 129-148.

Kontroversen
und Notwendigkeiten

Die Kontroversen um Gender Mainstreaming[1]

Barbara Stiegler

1. Einleitung

Gender Mainstreaming ist und bleibt eine Zumutung, stellt Rabe-Kleberg (2002: 8) fest. Diese Einschätzung resultiert nicht nur aus dem für viele unverständlichen Wort, sondern auch aus dem hohen Anspruch des Konzeptes. Entsprechend zahlreich sind die Diskussionen, die im Zusammenhang mit Gender Mainstreaming stattfinden. Allerdings scheinen diese Diskussionen nicht dort stattzufinden, wo das Konzept umgesetzt werden soll. In den meisten Organisationen, speziell in den öffentlichen Verwaltungen, für die dieses Konzept primär gedacht ist, herrscht eher ein »patriarchaler Sitzstreik« (von Braunmühl 2000: 143) denn eine lebendige Debatte um die Ausgestaltung von Gender Mainstreaming vor. Den wesentlichen Kritikpunkten zufolge ist Gender Mainstreaming entweder überflüssig, zu bürokratisch oder viel zu kostspielig. Rege ist dagegen der Diskurs in der politischen Öffentlichkeit. Gleichstellungsbeauftragte, Gender-TrainerInnen sowie frauenpolitisch engagierte Frauen in Verbänden und Lobbygruppen setzen sich aufgrund ihrer jeweils unterschiedlichen Interessenlage und ihres je unterschiedlichen Blickes auf das Konzept damit auseinander. Besonders kritisch ist die Diskussion im Bereich der feministischen Wissenschaften (Schunter-Kleemann 2000; Nohr/Veth 2002; Wetterer 2002). Einige sehen die Tendenz, dass frauenpolitische Aktivitäten durch Gender Mainstreaming unterdrückt werden. Andere misstrauen den Institutionen und halten sie nicht für fähig und bereit, Gender-Fragen in ihrer Alltagsarbeit zu berücksichtigen. Wieder andere warnen vor der Hoffnung, die Macht der Männer und des männlichen Denkens durch Gender-Mainstreaming-Prozesse brechen zu können. In der internationalen Diskussion um das Konzept Gender Mainstreaming geht es unter anderem um die Frage, ob Bürokratien und Institutionen überhaupt in der Lage sind, Geschlechterverhältnisse zugunsten von Frauen zu verändern, weil sie doch im Inneren die Geschlechterhierarchie widerspiegeln und von einer männlich geprägten Organisationskultur dominiert seien (Callenius 2002).

Um Klarheit in die Kontroversen zu bringen, werden die unterschiedlichen Stränge der Kritik nachfolgend systematisch erörtert und Argumente *gegen* die

Kritik formuliert. Dabei werden zunächst die kritischen Debatten um das Konzept selbst, anschließend jene um seine Umsetzung aufgegriffen. Die Darstellung verdeutlicht, wie notwendig eine dezidierte Erforschung der Interpretationsformen und Implementationen von Gender Mainstreaming ist.

2. Die Kontroversen um das Konzept Gender Mainstreaming

2.1 Gender Mainstreaming als »falsches« Konzept

Der konzeptionelle Rahmen von Gender Mainstreaming als Top-down-Ansatz hat in mehrfacher Hinsicht Kritik hervorgerufen. So wird Gender Mainstreaming als neoliberales Konzept charakterisiert und mit Managementstrategien wie Managing Diversity und Total E-Quality gleichgesetzt (Wetterer 2002: 129). Diese Strategie sei eher gegen Frauen und ihre Interessen als auf ihre Förderung gerichtet. Weiterhin wird das Konzept als Beginn der Selbstaufgabe der Frauenpolitik gesehen oder als Gegenschlag männlich geprägter Institutionenvertreter. Diese Sichtweise ist nicht nur problematisch, weil die potenziellen Stärken von Gender Mainstreaming aus dem Blick geraten, sie ist so auch nicht zutreffend. Denn Gender Mainstreaming ist kein Instrument oder eine Erfindung von wohlwollenden, männlich denkenden Personen in Machtpositionen, vielmehr entspringt das Konzept der Forderung von Frauen, die sich in den Politbürokratien und deren Output nicht wiederfinden. Diese Wurzeln des Konzeptes in der Frauenpolitik sind von entscheidender Bedeutung für dessen Einschätzung. Die grundlegende Frage in diesem Zusammenhang ist, ob Gender Mainstreaming aus der Stärke oder aus der Schwäche der Frauenbewegung abzuleiten ist.

Zurückzuführen ist das Konzept auf die internationalen frauenpolitischen Debatten um die Entwicklungspolitik. Erste Dokumente, in denen Gender Mainstreaming thematisiert wird, sind im Kontext der internationalen Frauenkonferenzen und auf der europäischen Ebene entstanden. Eine genauere Betrachtung der Entstehungsgeschichte des Konzeptes macht deutlich, dass es in gleichem Maße aus der Ohnmacht und aus der Ermächtigung von Frauen resultiert. Die weltweit vorhandene Erkenntnis, dass die bislang praktizierten Strategien des Agenda Settings auf internationaler Ebene nur zu marginalen strukturellen Verbesserungen für Frauen in den einzelnen Ländern geführt haben, signalisierte Ohnmacht. Das Aufnehmen der Strategie Gender Mainstreaming in die neue Agenda ist aber als Ermächtigung zu verstehen, diese strukturellen Benachteiligungen endlich zu beseitigen und an die männlich dominierten Organisationen den Anspruch zu stellen, die Interessen der Frauen ernst zu nehmen. Anders for-

muliert: Aus der Einsicht in die langsamen Veränderungen in den Geschlechterverhältnissen, beziehungsweise in Kenntnisnahme auch von Rückschritten, er-
mächtigen sich Frauen, die Männer endlich »zum Zuhören zu zwingen« (Hagemann-White 2001: 37).

Auch die Durchsetzung von Gender Mainstreaming innerhalb der europäi-
schen Gemeinschaft spiegelt diese Ambivalenz wider: Einerseits ist sie als Erfolg
der europäischen Frauenlobby zu werten, die sich mit der fortschrittlichen Poli-
tikstrategie der nordischen Länder verband, in denen das Prinzip schon längere
Zeit erfolgreich angewandt wurde, andererseits kann die Durchsetzung auch als
Reaktion der männlichen Kommissionsmitglieder auf die Europa-Distanz von
Frauen in den verschiedenen europäischen Ländern gedeutet werden (Schunter-
Kleemann 2000). Demzufolge lässt sie sich auch als Zeichen der Schwäche der
europäischen Frauenbewegung werten. Gestützt wird Letzteres durch die norwe-
gische Debatte zum EU-Beitritt. Es ist bekannt, dass insbesondere die Frauen
gegen den Beitritt Norwegens in die Europäische Gemeinschaft waren, weil sie
fürchteten, dass die von ihnen als egalitär wahrgenommenen Verhältnisse zwischen den Geschlechtern dadurch auf ein für sie nachteiligeres, mitteleuropäisches
Maß zurückgefahren werden. Beide Einschätzungen widersprechen sich nicht,
sondern machen deutlich, dass es letztendlich immer um die Frage geht, auf
welche Weise der Druck von Frauen wahrgenommen und beantwortet wird. Insofern kann festgehalten werden: Zwar erfolgt die Anwendung von Gender Mainstreaming in Organisationen »top down«, dieses Anwendungsprinzip darf jedoch
nicht mit der Herkunft des Konzeptes verwechselt werden. Der Ursprung dieses
Konzeptes ist auf die »Bottom-up«-Politik der Frauenbewegungen zurückzuführen.

Neben dem konzeptionellen Rahmen wird auch der Begriff Gender Mainstreaming selbst kritisiert. So wird häufig befürchtet, dass *Gender* als herrschafts-
kritischer Begriff im Prozess der Institutionalisierung in Bürokratien verflacht.
Die Geschlechterrollen als dekonstruierbar anzusehen, lasse sich mit Gender
Mainstreaming nicht vereinbaren (Weinbach 2001: 9). Hinter diesem Argument
steht die Annahme, dass Geschlechterpolitik immer nur herrschaftskritisch sein
kann und dass ein Instrument wie Gender Mainstreaming dies auch abzusichern
hat. Dieser Argumentation kann entgegengehalten werden, dass das Herrschafts-
kritische nicht im Begriff selbst liegen kann, sondern vielmehr erst sichtbar wird
in den konkreteren, formulierten Zielsetzungen, die sich auf die Geschlechterverhältnisse beziehen. Darüber hinaus erscheint die Verknüpfung einer einzigen
geschlechterpolitischen Zielorientierung mit dem Gender-Begriff problematisch,
insbesondere wenn man die kontroverse Debatte innerhalb der feministischen
Diskussion betrachtet. Gender ist eben nicht bereits an sich ein herrschaftskriti-
scher Begriff, sondern es bedarf der argumentativen Definitionsmacht, um ihn
als solchen durchzusetzen.

Allgemein dient Gender Mainstreaming der Herstellung von Chancengleichheit oder der Gleichstellung der Geschlechter. Allerdings ist mit dieser allgemeinen Zielsetzung noch wenig gesagt. Die Anwendung dieses Prinzips verlangt
vielmehr eine ganz genaue Zieldefinition für das jeweilige Arbeitsfeld. Gender
Mainstreaming ist also nicht schon die Definition des Zieles selbst, sondern
lediglich ein Verfahren, um ein bestimmtes Ziel zu erreichen. Da die Zielfindung
dem jeweiligen politischen Raum überlassen bleibt, zeigt sich das Konzept offen
für verschiedene geschlechterpolitische Optionen. Eine der schwierigsten Implikationen bei der Umsetzung dieses Konzeptes ist demzufolge die Operationalisierung von geschlechterpolitischen Zielsetzungen. Grundsätzlich ist die Anwendung von Gender Mainstreaming als fortdauernder Verhandlungsprozess zu sehen.
Im Rahmen dieses Prozesses garantiert der Gebrauch des Gender-Begriffes
jedoch, dass biologistische Erklärungsmuster bei der Bestimmung der angestrebten Geschlechterverhältnisse ausgeschlossen sind.

Ein anderer Einwand gegen Gender Mainstreaming ist das Argument, dass
Frauen im Gender-Begriff unsichtbar gemacht werden. Damit wird unterstellt,
dass im Rahmen dieses Konzeptes ein Wechsel von Frauenpolitik zu Gender
Mainstreaming stattfindet und dass dieser Wechsel die eigenständige Vertretung
von Fraueninteressen erübrigt. Diese Unterstellung ist aber eines der größten
Missverständnisse, die es in Zusammenhang mit diesem Konzept gibt. Denn
wenn Frauen nicht als einzige Trägerinnen der Gender-Mainstreaming-Prozesse
in den Blick geraten, so liegt dies daran, dass nicht sie in der Artikulierung ihrer
Interessen Trägerinnen dieses Prozesses sind, sondern die Akteure und Akteurinnen in Verwaltungen, die nach den vorgegebenen geschlechterpolitischen
Zielen ihre Routinearbeit und innovativen Maßnahmen gestalten. Ausgangspunkt
hierfür sind beide Geschlechter und die Verhältnisse zwischen ihnen. Unsichtbar
werden Frauen dadurch jedoch nicht, vielmehr führt gerade die Pflicht zur geschlechterpolitischen Zielsetzung und zur Gender-Analyse zu einer verbesserten
Wahrnehmung der Geschlechterdifferenzen auf allen Ebenen (Höyng 2002).

Christina Thürmer-Rohr (2001) kritisiert in diesem Zusammenhang, dass
Frauen gar nicht in den Mainstream hinein wollen bzw. dass nur Frauen der
Dominanzkultur in diesen Mainstream hinein können. Hier wird der Ausdruck
Mainstream als »Hauptstrom« zu konkret genommen. Denn mit dem Begriff ist
nicht gemeint, dass Frauen als Gruppe in einen Hauptstrom sollen, vielmehr
bezeichnet Mainstream eine Denkrichtung, bei der die bislang ausgeblendeten
Geschlechterverhältnisse sichtbar werden und die Beachtung geschlechterbezo-
gener Wirkungen obligatorisch wird.

Eine weitere Argumentationslinie bezieht sich auf den Charakter des Konzeptes. Im Rahmen dieser Argumentation wird Gender Mainstreaming als rheto-
rische Modernisierung bezeichnet (Wetterer 2002) und als Spielart des geschlech-

tersensiblen Populismus dargestellt (Metz-Göckel 2002). Zudem seien frauen-politische Zielsetzungen kaum noch in ihrem systemsprengenden und Paradigmen wechselnden Charakter erkennbar, wenn in der Sprache der Verwaltungsreform über Geschlechterverhältnisse geredet werde. Damit sei Gender Mainstreaming anschlussfähig an das Alltagsverständnis und ähnele dem Konzept des Managing Diversity. Gender werde mit Effizienz und Wirtschaftlichkeit als Kriterien bürokratischer Entscheidungen verbunden und gleichgesetzt. In den Organisatio-nen werde von den feministischen Forderungen nur so viel übrig bleiben, wie in das Denken nach Effizienzkriterien passe und unter ökonomischen Gesichts-punkten machbar sei (Pühl 2003: 62).

Dieser Argumentation kann entgegengehalten werden, dass Gender Main-streaming als Strategie ausschließlich für Organisationen geeignet ist. Umgesetzt werden soll das Konzept in Einrichtungen, die im weitesten Sinne Politik machen, seien es Ministerien, Behörden, kommunale Verwaltungseinheiten, Verbände, Vereine oder Gewerkschaften, sowie in Bildungsinstitutionen wie Schulen, Hochschulen oder Volkshochschulen. Alle diese Organisationen sind im weites-ten Sinne demokratisch legitimiert und gesteuert. Sie beeinflussen die Lebens-bedingungen des Demos und regeln direkt oder indirekt die Geschlechterverhält-nisse. Innerhalb dieser Organisation lässt sich klar beschreiben, wer handeln soll: die leitenden Personen an der Spitze, aber auch die MitarbeiterInnen in diesen Organisationen. Kritisch angemerkt werden kann auch, dass hier den Mitgliedern in Organisationen nur sehr enge Handlungsspielräume attestieren werden. Auch die Lernfähigkeit von Organisationen wird in äußerst engen Grenzen gesehen und weder »top« noch »down« für wandlungsfähig gehalten.

Angemessener scheint es, analog zu Alison Woodward (2001) Gender Mainstreaming als trojanisches Pferd zu sehen, das über Instrumente und Effekti-vitätsversprechen Gleichstellungsziele erreichen will. Woodward findet es gerade besonders klug, nach den Master-Instrumenten zu suchen, die den Master ent-blößen. Und in der bei der Implementierung von Gender Mainstreaming mög-lichen Anlehnung an Prozessvereinbarungen, also in der Integration von Gender-fragen in die Verwaltungsmodernisierung, sieht Jung (2003: 194) genau den Vorteil des Konzeptes. Gegenüber der bisherigen Situation, in der Gesetze die Gleichstellung festlegen, hält sie es für einen Fortschritt, wenn neben dem Ver-fahren der Rationalisierung von Entscheidungen auch die Vielfalt der Rahmen-bedingungen für Geschlechterverhältnisse analysiert und verändert werden sol-len. Das SMART-Prinzip, nach dem jedes Verfahren spezifisch (S), messbar (M), attraktiv (A), realistisch (R) und terminiert (T) sein soll, sei bestens geeignet, organisationspolitische Maßnahmen hinsichtlich ihrer Auswirkungen auf das Geschlechterverhältnis zu überprüfen.

Als ein weiteres konzeptuelles Defizit wird die Multiplizierung der Orte, an denen Geschlechterpolitik mit Gender Mainstreaming gemacht wird, angesehen. Dadurch, dass die Akteure und Akteurinnen unklar erscheinen, führe Gender Mainstreaming zu einer Geschlechterpolitik ohne die demokratische Kontrolle der Frauen. Darüber hinaus seien die Möglichkeiten der Kontrolle dessen, was innerhalb von Organisationen passiere, generell sehr beschränkt. Diese Bedenken sind nicht von der Hand zu weisen, allerdings kann auch hier darauf hingewiesen werden, dass Gender Mainstreaming vorrangig für Organisationen bestimmt ist, deren geschlechterpolitische Zielsetzungen demokratische Legitimationen haben und die in gewisser Weise einer öffentlichen Kontrolle unterliegen. Dieser Tatbestand darf zwar nicht zu dem Glauben verleiten, dass diese Zielsetzungen auch eins zu eins durch Verwaltungshandeln umgesetzt werden, insbesondere auch weil die Erfahrung zeigt, dass es ohne die innere Anwartschaft aktiver Frauenvertreterinnen gar nicht zu einer lebendigen Umsetzung des Konzeptes kommt. Daraus kann auch geschlossen werden, dass die Top-down-Einführung des Konzeptes nur dann gelingen wird, wenn die Praxis des Bottom-up ebenfalls aktiviert wird. Es bleibt also durchaus abzuwarten und zu überprüfen, ob es ohne Aktivierung und Politisierung von Frauen und Männern, die in Organisationen geschlechter-reflexiv arbeiten und denken, zur Anwendung des Gender-Mainstreaming-Verfahrens kommen kann.

In diesem Zusammenhang lässt sich auch die berechtigte Frage stellen, ob das Konzept Gender Mainstreaming in Organisationen umsetzbar ist, deren Mitglieder völlig unsensibel gegenüber der Problematik der Geschlechterverhältnisse sind, zumal die frauenpolitische Kontrolle in den meisten Organisationen bislang schwach ausgeprägt ist. Es bleibt abzuwarten, ob die Bestimmung geschlechterpolitischer Zielsetzungen in einzelnen Bereichen dazu führt, dass die Facharbeit insgesamt gendersensibel gestaltet wird, und ob die notwendigen Bildungsmaßnahmen auch in ausreichendem Umfang angeboten und genutzt werden. Festhalten lässt sich jedoch bereits an dieser Stelle, dass die befürchtete Ortlosigkeit nur entsteht, wenn gleichzeitig die bisherigen Orte der Frauenpolitik ausgeschaltet werden. Dies ist jedoch kein immanentes Element von Gender Mainstreaming.

Auch der Vorwurf der Technokratie wird gegen das Konzept vorgebracht. Gender Mainstreaming sei eine technokratische Herangehensweise und blende die Machtfrage in der Gesellschaft und in Organisationen aus. Statt dessen setze die Strategie auf Sensibilisierung, Beratung und Training (Weinbach 2001: 8). Dieses Argument stimmt, wenn nur das Konzept an sich betrachtet wird. Denn Gender Mainstreaming setzt in der Tat voraus, dass die »Machtfrage« entschieden ist, da die geschlechterpolitischen Ziele bereits vor der Anwendung genau bestimmt sein müssen: In der Definition der Ziele steckt das Ergebnis der Auseinandersetzung zwischen den geschlechterpolitischen »Lagern«. In der Praxis zeigt sich allerdings, dass die Dispute und Widerstände auch im Vollzug von Gender Mainstreaming auftreten. Zumindest führt die Umsetzung des Konzeptes innerhalb der Organisationen zu einem kontroversen Geschlechterdialog, wobei der Ausgang dieses Dialoges vorerst offen ist.

2.2 Gender Mainstreaming als widersprüchliches Konzept

Sigrid Metz-Göckel hält es für widersinnig, »mit dem Strom gegen den Strom zu schwimmen« (2002: 17). Aus ihrer Erfahrung als feministische Wissenschaftlerin verweist sie darauf, dass sich die feministische Wissenschaft nicht im Kontext der hegemonialen Wissenschaft entwickelt hat, sondern außerhalb. Es herrscht große Skepsis, ob der Malestream, also der männlich dominierte Hauptstrom, überhaupt von innen heraus verändert werden kann. Weinbach (2001: 10) sieht sogar den Bock zum Gärtner gemacht, den Patriarchen zum Akteur seiner eigenen Abschaffung. Eine solche Typisierung und Polarisierung führt jedoch auch dazu, dass Handlungsspielräume gar nicht erst gesucht oder wahrgenommen werden. Interventionen in Organisationen können nur dann gelingen, wenn das »Patriarchale« nicht als dominantes, formbestimmendes Merkmal von Organistionsstrukturen gesehen wird, sondern wenn man widersprüchliche Strömungen auch innerhalb der Organisationen wahrnimmt. Zunächst sind Normenkodex, Laufbahnpfade, Verfahrensweisen und Leistungsstandards eher männlich bestimmt. Ob typisch weiblich konnotierte Normen, Laufbahnen, Verfahrensweisen und Leistungsstandards eher als Abweichung oder als Trendsetter gesehen werden, bleibt der geschlechterpolitischen Debatte überlassen. Die Intervention durch Gender Mainstreaming wird plausibler, wenn auch der Unterschied zwischen Männern als Personen und männlich konnotierten Strukturen ernst genommen wird und nicht jeder männlichen Person unterstellt wird, sie vertrete die hegemoniale Männlichkeit und deren Denk- und Lebensweisen.

Des Weiteren soll Gender Mainstreaming geschlechtsspezifische Sichtweisen berücksichtigen, sie aber auch überwinden, was – so andere KritikerInnen – der Quadratur des Kreises gleich kommt. Das Auffinden der Differenzen zwischen den Geschlechtern könne nicht dazu dienen, diese Differenzen aufzuheben. Der notwendige Bezug zur Geschlechterforschung mache die Sache nicht einfacher: Die Geschlechterforschung stelle gerade die Eindeutigkeiten der Geschlechterzugehörigkeit in Frage, verwirre also den Genderblick, der die Auswirkungen auf die Geschlechter untersuchen soll. Gender Mainstreaming wird deshalb ein Potenzial der Stereotypisierung und Homogenisierung untergestellt.

Dieses Argument trifft nur dann zu, wenn sich Gender Mainstreaming darin erschöpft, alle Daten nach Männern und Frauen zu differenzieren oder die Auswirkungen bestimmter Regelungen auf Männer und Frauen abzuschätzen, wenn also eine Gruppenbildung nur über die Variable »sex«, also über körperliche Geschlechtsmerkmale, vorgenommen wird. Gender Mainstreaming erschöpft sich jedoch nicht in einer Bestandsaufnahme über die Geschlechtervariablen »Männer« »Frauen«. Vielmehr geht es um die Wirkungen von Regelungen auf »Gender«, also auf geschlechtlich bedingte Lebenslagen und Positionen und um die Analyse der Faktoren, die diese herstellen oder verstärken. Um dem Vorwurf der weiteren Stereotypisierung zu entgehen, muss man die Analyseebene ausweiten. Sinnvoll ist es in diesem Zusammenhang, in Gender-Analysen nicht mehr von männlichen oder weiblichen Verhaltensweisen zu sprechen, sondern sie als männlich konnotiert bzw. als weiblich konnotiert zu bezeichnen. Damit wird der Blick dafür geschärft, dass auf der Basis einer Einteilung nach »Sex« sowohl Männer als auch Frauen das gleiche Verhalten zeigen oder von denselben Auswirkungen bestimmter Regelungen betroffen sein können. Ebenso ist es genauer, nach Lebenssituationen zu fragen, die zwar als typisch männlich oder typisch weiblich bezeichnet werden können, die aber nicht implizieren, dass sie für jeden Mann oder für jede Frau auch zutreffen. So haben beispielsweise Väter, die Erziehungszeit in Anspruch nehmen, genauso wenig finanzielle Mittel wie Mütter.

Die erste grobe Erhebung einer Geschlechterdifferenz in Verhalten oder Lebenssituationen ist nicht mehr und nicht weniger als ein Hinweis darauf, dass sich die Männer insgesamt von den Frauen insgesamt unterscheiden. Eine weitere Analyse muss sich dann auf die geschlechtlich zugeordneten Normen, Erwartungen oder strukturellen Bedingungen beziehen, die diese Differenz hervorbringen oder stabilisieren. Erst eine solche Sichtweise, die Verhalten oder Betroffenheiten von der biologischen Geschlechtszugehörigkeit trennt, macht es möglich, den Stellenwert des jeweiligen Verhaltens selbst zu betrachten und seine Funktion und Berechtigung zu überprüfen. Die Legitimationen von Differenzen sind dann eben nicht in der Geschlechtszugehörigkeit zu suchen, sondern im einem sachlichen Kontext, der das jeweilige Problem in den Mittelpunkt stellt. Am Beispiel der niedrigen finanziellen Absicherung der Betreuungsperson während der Elternzeit wird deutlich, es sind zu 96% Frauen, die als Mütter diese Absicherung erhalten, aber es sind nicht die Frauen qua »sex«, die hier diskriminiert werden. Vielmehr handelt es sich um eine Diskriminierung der ihnen qua »sex« als natürlich zugeschriebenen und zugewiesenen Arbeit. Es geht um die gesellschaftliche Unterbewertung der Arbeit mit kleinen Kindern, die sich unter anderem hier zeigt. Diese Unterbewertung führt zu einer verstärkten Abhängigkeit derer, die diese Arbeit tun, und dies sind eben überwiegend Frauen.

2.3 Gender Mainstreaming als Rückschritt

Das Kernstück von Gender Mainstreaming ist die Gender-Analyse. Auch dies ruft Kritik hervor. Beanstandet wird in diesem Zusammenhang, dass Gender Mainstreaming zwar darauf abziele, Ungleichheiten zu beseitigen, dabei aber nur auf die Geschlechtervariable und nicht auf andere Determinanten von Ungleichheit wie Alter, ökonomischer Status, Ethnie oder Gesundheitszustand fokussiere.

Diese Kritik lässt unberücksichtigt, dass der Gender-Begriff Geschlechterverhältnisse impliziert, die kulturell und sozial bestimmt sind und immer wieder hergestellt werden. Eine Gender-Analyse bedeutet also nicht nur, nach der Differenz zwischen einer Gruppe von Männern und Frauen zu fragen, sondern auch danach, in welcher Weise diese Differenz hergestellt wird und welchen Beitrag die Strukturen und Mechanismen, deren Wirkungen man gerade vor Augen hat, dazu leisten. Eine Gender-Analyse fragt also nach dem »doing gender« der Organisation und nach deren Outputs.

Damit wird deutlich, dass in den Analysen der Geschlechterverhältnisse Geschlecht nicht als Abtraktum, sondern immer verbunden mit bestimmten anderen Merkmalen zum Gegenstand gemacht wird. Deshalb kann davon ausgegangen werden, dass Gender-Analysen auch für andere Dimensionen der Ungleichheit sensibilisieren werden. Wenn Migranten und Migrantinnen als Zielgruppe betrachtet werden, wird es sich zeigen, in welcher Weise Gender und Ethnie verschränkt sind und zur Privilegierung oder Diskriminierung beitragen. Wenn alte Menschen im Blickfeld stehen, wird sich zeigen, in welcher Weise das Geschlecht für ihre Lebenslage eine Rolle spielt. Gender-Analysen machen gerade darauf aufmerksam, dass die vorherrschende Orientierung am weißen, jungen, heterosexuellen und erwerbstätigen Mann der Mittelschicht nicht nur die meisten Frauen, sondern auch viele Männer ausschließt.

Ein weiterer Einwand gegen das Konzept ist, dass hierdurch potenziell emanzipatorische Kräfte gelähmt und eingebunden werden. Der Feminismus drohe assimiliert zu werden, Feministinnen würden verschwinden und ihre Kritik werde demontiert. Wenn es statt Feministinnen nur noch Femokratinnen gäbe, also Institutionenangehörige mit einem Gleichstellungsauftrag, dann habe sich die Frauenbewegung das eigene Grab gegraben (Woodward 2001: 4). Diese Argumentation setzt voraus, dass Feministinnen in den Gender-Mainstreaming-Prozessen aktiv sind, dass sich ihr Handlungsspielraum jedoch in und ihre Aktionsfelder auf Organisationen beziehen. Dies mutet als eine unnötige Begrenzung und falsche Verortung an. Denn Beiträge und Aktionen feministisch denkender Akteurinnen liegen eher auf der Ebene der geschlechterpolitischen Zielsetzungsdebatten und in ihren wissenschaftlichen Beiträgen als im Vollzug kleinteiliger Handlungsschritte in der Facharbeit von Organisationen. Gerade feministische

Frauenbeauftragte, für die die angenommene Gefahr der Einverleibung am realistischsten wäre, wissen in der Praxis sehr wohl zwischen Kompromissen, die ihnen stets abverlangt werden, und der Aufgabe von Überzeugungen zu unterscheiden. Welche Rolle in Zukunft die feministischen Bewegungen in Bezug auf Gender-Mainstreaming-Prozesse spielen werden, ist noch ungeklärt, ihre wie auch immer geartete Beteiligung jedoch unerlässlich (Kuhl 2003). Ein kritisches Argument bezieht sich auf die Frauenpolitik. Sie würde durch Gender Mainstreaming geschwächt, als alt und unmodern gekennzeichnet und letztlich ersetzt.

Dies ist, wenn es geschieht, konzeptionell ein Missverständnis, denn Gender Mainstreaming ist kein expertokratischer Ansatz, der Frauenpolitik ersetzen will, sondern ein Ergebnis von Frauenpolitik. Es kommt darüber hinaus einer verwegenen Überschätzung des Konzeptes gleich, wenn Gender Mainstreaming als neue Frauenpolitik bezeichnet wird. Wer, wie der Gewerkschaftssekretär Sauerborn (2003), beklagt, dass die Frauenstrukturen in der Gewerkschaft ver.di noch nicht verschwunden und in der Genderpolitik aufgegangen (»integriert«) sind, verfehlt Geschichte und Konzeption von Gender Mainstreaming in diesem Punkt. Die Diskussion um Gender Mainstreaming hat die Geschlechterpolitik aus der »Frauenecke« herausgeholt, die Personalisierung von Geschlechterpolitik und die ausschließliche Delegation an Frauen aufgehoben, weil auch Männer als andere Seite der Medaille, als Akteure und als Betroffene in den Blick kommen. Die so genannte »Frauenecke« ist das Ergebnis eines Mechanismus, der an vielen Stellen sichtbar ist: Frauen werden zunächst für die Geschlechterverhältnisse zuständig erklärt, dann werden sie aber institutionell nicht mit der notwendigen Macht ausgestattet, die Verhältnisse zu verändern. Die Einführung von Gender Mainstreaming kann hier Abhilfe schaffen und die Durchsetzung frauenpolitischer Forderungen beschleunigen. Sie macht Frauenpolitik aber in keiner Hinsicht überflüssig, vielmehr verweist sie auf den Mangel an »Männerpolitik«.

3. Kritik an der praktischen Umsetzung des Konzepts Gender Mainstreaming

Während sich die bisher diskutierten Einwände gegen Gender Mainstreaming auf die konzeptionelle Ebene bezogen, gibt es weitere kritische Stimmen, die die bisherigen Erfahrungen mit dem Konzept oder Befürchtungen hinsichtlich seiner Umsetzung betreffen.

Die Wirksamkeit von Gender Mainstreaming wird bezweifelt, weil es im Kontext eines allgemeinen geschlechterpolitischen Roll-Back umgesetzt werden muss. Mit diesem Argument werden die Zusammenhänge zwischen einer erfolgreichen, aktiven, lebendigen und öffentlichen Frauenpolitik, die ihre Erfolge erzielt, und Gender Mainstreaming angesprochen. Dass es diesen Zusammenhang gibt, zeigt auch der Vergleich mit anderen europäischen Staaten. Während Gender Mainstreaming in Polen, einem Staat mit einer extremen Geschlechterpolarisierung und -hierarchie, abgelehnt wird, wird das Konzept in Schweden, einem Staat, der relativ egalitäre Geschlechterverhältnisse hergestellt hat, seit zehn Jahren mit immer größerem Erfolg angewendet. In der Bundesrepublik zeigen sich dagegen sowohl Tendenzen zu einer Egalisierung (Bundesgleichstellungsgesetz) als auch Rückschritte (Niederlage um das Gleichstellungsgesetz für die private Wirtschaft). Damit wäre der Kontext hier zumindest doppeldeutig.

Bislang fehlt es an Evaluationsergebnissen aus den verschiedenen Feldern. Erste Analysen der Genderrelevanz der europäischen Sozialfonds zeigen, dass Gender Mainstreaming bislang in der Programmentwicklung stecken geblieben ist (Englert et al. 2002). Gleichzeitig präsentieren genauere Analysen aber durchaus Hinweise darauf, welche Implementationsschritte angemessen wären und wie geschlechterpolitische Zielsetzungen entwickelt und erreicht werden können.

Analysen aus dem Bereich der Entwicklungszusammenarbeit verweisen auf die Gefahr, dass »die lila Farbe verblasst« (Callenius 2002: 63), wenn Gender Mainstreaming zur Pflichtübung von Organisationen wird. In den Resümees von Berichten der EU (Reports), in denen es um die Einschätzung des Standes der Gleichstellung und des Instrumentes Gender Mainstreaming geht, finden sich immer wieder dieselben Erfahrungen: Es mangelt an Bewusstsein, an Kenntnissen und an Geld, um Gender Mainstreaming wirksam werden zu lassen. Demgegenüber zeigen Analysen der internationalen Erfahrungen mit Gender-Budget-Analysen, dass es durchaus zu einer Stärkung von Frauenposition kommen kann, wenn eindeutige Daten vorliegen, die eine finanzielle Benachteiligung von Frauen und frauendominierten Bereichen nachweisen (Madörin 2003). Zu solchen Daten muss die Regierung sich verhalten, sie werden zum Frühwarnsystem bei Einsparungen. Gleichzeitig betont die Ökonomin Mascha Madörin, dass auch eine Gender-Budget-Analyse auf kritische NGOs angewiesen ist.

Weiterhin wird befürchtet, dass Fraueninteressen im Gender-Mainstreaming-Prozess untergehen. Wenn Gender Mainstreaming implementiert wird, würden die wenigen Ressourcen sofort für marginalere Männerinteressen umgemünzt, und bei der Auswahl von Projekten werde mehr für die Zielgruppe Männer als für die Zielgruppe Frauen getan. Auch dies ist ein Argument, das auf die Notwendigkeit einer genauen geschlechterpolitischen Zielsetzung hinweist. Erst wenn genau bestimmt worden ist, wer an welcher Stelle unterstützt werden soll und warum, lassen sich die Prioritäten setzen. Insofern wird mit Recht darauf verwiesen, dass ohne demokratische Strukturen, in denen diese Auseinandersetzung erfolgen kann, Gender Mainstreaming auch gegen die Interessen von Frauen genutzt werden kann.

Bedenken werden auch hinsichtlich der bürokratischen Anwendung von Gender Mainstreaming geäußert. Dabei, so wird argumentiert, müsse es zu einer Verflachung von geschlechterpolitischen Problemanalysen kommen. Es wird befürchtet, dass es zu einer sozialen Datenheberei kommt, wenn überall geschlechtsdifferenzierende Statistiken erstellt werden (von Braunmühl 2000: 142). Andere prognostizieren eine formale, bürokratische Abarbeitung von Checklisten oder sehen Gender Mainstreaming als »Textbaustein« verankert (Nohr 2003: 54). Hierzu kann gesagt werden, Gender Mainstreaming steht wie alle innovativen Verfahren in Verwaltungen in der Gefahr, im bürokratischen Alltag unterzugehen und der Trägheit von Verwaltungshandeln zum Opfer zu fallen. Umso wichtiger ist es, diese Strategie in Verfahren der Qualitätssicherung zu integrieren. Bei der Definition der Qualitätskriterien, die bis hin zum Controlling benutzt werden, muss der Stand des Wissens um Geschlechterverhältnisse und die geschlechterpolitische Diskussion aufgegriffen werden. Damit das gelingt, sind Schulungen und Beratungsprozesse unabdingbar. Erste Erfahrungen zeigen, dass diejenigen in den Organisationen, die immer schon gendersensibel gearbeitet haben, die ersten sind, die zu dem systematischen Verfahren des Gender Mainstreamings greifen, und damit die Standards setzen.

Gender Mainstreaming erscheint als Alibiveranstaltung, wenn in der politischen Realität Marginalien ausführlich auf Gender-Aspekte hin untersucht und kleine Vorhaben zu Randthemen als Modellprojekte präsentiert werden, während große politische Konzepte unberührt bleiben und sich dadurch der Kritik entziehen (Weg 2003). Wie zutreffend diese Beobachtung ist, zeigt sich z.B. im Vergleich der Projekte in den Bundesministerien mit den großen Reformkonzepten der Bundesregierung. Der hier im Großen nicht eingelöste Anspruch des Gender Mainstreamings könnte jedoch zur Politisierung im Sinne der Geschlechterverhältnisse führen, und es gibt immer mehr Stimmen, die genau diese Gender-Analysen in den Reformkonzepten einfordern.

Einklagbar ist die systematische Berücksichtigung der Geschlechterperspektive bisher nicht – ein Defizit, wie Susanne Schunter-Kleemann (2000) wohl zu Recht bemerkt. In der Debatte um die Perspektiven für das Konzept Gender Mainstreaming wird die stärkere rechtliche Verbindlichkeit deshalb auch als ein wichtiger Faktor diskutiert (Weg 2003).

Mit all diesen Kritikpunkten werden nur Mängel auf dem im Prinzip richtigen Weg aufgezeigt. Es gibt jedoch auch Beispiele für den Missbrauch des Prinzips. Missbräuche liegen vor, wenn das Ziel von Gender Mainstreaming ins Gegenteil gekehrt wird. Das Konzept führt dann nicht zur Abschaffung von Strukturen, die ungewollte Geschlechterrollen aufrechterhalten, zur Stärkung der

Positionen der Frauen und einer Veränderung der Positionen von Männern, sondern zur Vermeidung jeder Art von Geschlechterpolitik oder zur Schwächung (autonomer) frauenpolitischer Aktivitäten. Die Abschaffung von Gleichstellungsausschüssen, das Infragestellen von Gleichstellungsbeauftragten, die Mittelkürzung für Frauenprojekte oder die Umwidmung von Mitteln, die bisher für Frauenprojekte zur Verfügung standen, zu Jungen- oder Männerprojekten, all diese Maßnahmen im Namen von Gender Mainstreaming sind Realität. Solche Beispiele sprechen jedoch nicht gegen das Konzept, sondern vielmehr für die Notwendigkeit einer verstärkten Kontrolle und für ein frauenpolitisches, waches Monitoring.

4. Schlussfolgerungen

Ein wesentlicher Grund für viele Kontroversen im Zusammenhang mit Gender Mainstreaming ist darin zu sehen, dass es noch nicht einmal eine einheitliche Definition des Konzeptes gibt, auf die sich alle beziehen können. Deshalb ist eine inhaltliche Debatte auch weiterhin wichtig.

Der Mangel an empirisch gesicherten und kommunizierten Ergebnissen zur Gender-Mainstreaming-Implementation erschwert diese Diskussion, denn alle Beteiligten können sich nur auf ihre individuellen Erfahrungen und Sichtweisen beziehen. Die wenigen WissenschaftlerInnen, die überhaupt über längere Zeit und systematisch einen Einführungsprozess begleiten, sind in der Regel mit der Organisation des Prozesses beschäftigt und haben nicht die Aufgabe, ihn kritisch zu erforschen.[2] So gibt es bislang nur die Einschätzungen und Erfahrungen von ExpertInnen über den Verlauf von Implementationsprozessen und deren Wirkung.

Die Auseinandersetzung wird jedoch um so ertragreicher werden, je mehr empirisches Wissen über die real ablaufenden Prozesse in Organisationen, die Gender Mainstreaming einführen, vorhanden sein wird. Denn erst wenn empirisch überprüfte Erkenntnisse über die Implementationsverfahren, Prozesse und Projekte dieses Konzeptes vorliegen, lassen sich viele der hier aufgegriffenen Kritikpunkte auf einer gesicherteren Basis diskutieren.

Problematisch ist, dass es bisher noch nicht genügend gendersensibles Fachwissen gibt. Das ist mit ein Grund für das Scheitern von Gender-Mainstreaming-Ansätzen. Die Umsetzung des Konzeptes in den Organisationen verstärkt die Nachfrage nach diesem Fachwissen. Dies könnte zur Herausforderung für die Geschlechterforschung in den verschiedenen Disziplinen werden.

Anmerkungen

1 Dieser Beitrag ist eine überarbeitete und gekürzte Fassung meiner Expertise »Gender Mainstreaming: Postmoderner Schmusekurs oder geschlechterpolitische Chance«, Friedrich Ebert Stiftung, Bonn 2003. Er spiegelt meine Erfahrungen im Bereich der Frauenforschung und der konzeptionellen Arbeit zu Gender Mainstreaming wider. Die Einschätzungen basieren auf praktischen Erfahrungen mit der Umsetzung des Konzeptes in Einführungs-veranstaltungen, Workshops, Seminaren und Beratungsgesprächen, die ich in den letzten fünf Jahren durchgeführt habe.

2 Eine Ausnahme bilden die »Konzepte und Erfahrungen« aus Sachsen-Anhalt (Hofmann et al. 2003).

Literatur

Braunmühl, Claudia von 2000: Mainstreaming Gender zwischen herrschaftskritischem und bürokratischem Diskurs, in: *Geschlecht und Macht*, Jahrbuch Lateinamerika, Analysen und Berichte 24, Münster: Westfälisches Dampfboot, S. 139-153.

Callenius, Carolin 2002: Wenn Frauenpolitik salonfähig wird, verblasst die lila Farbe. Erfah-rungen mit Gender Mainstreaming im Bereich internationaler Politik, in: Bothfeld, Silke/ Gronbach, Sigrid/Riedmüller, Barbara (Hg.): *Gender Mainstreaming – eine Innovation in der Gleichstellungspolitik*, Frankfurt/M., New York: Campus, S. 63-83.

Englert, Dietrich/Kopel, Mechthild/Ziegler, Astrid 2002: Gender Mainstreaming im europäi-schen Sozialfond – das Beispiel Deutschland, in: *WSI Mitteilungen*, H. 8, S. 451-458.

Hagemann-White, Carol 2001: Von der Gleichstellung zur Geschlechtergerechtigkeit: das paradoxe Unterfangen, sozialen Wandel durch strategisches Handeln in der Verwaltung herbeizuführen, in: *FORUM Sexualaufklärung und Familienplanung*, hg. von der Bundes-zentrale für gesundheitliche Aufklärung, H. 4, S. 33-38.

Höyng, Stefan 2002: Gleichstellungspolitik als Klientelpolitik greift zu kurz, in: Bothfeld, Silke/Gronbach, Sigrid/Riedmüller, Barbara (Hg.): *Gender Mainstreaming – eine Innova-tion in der Gleichstellungspolitik*, Frankfurt/M., New York: Campus, S. 199-231.

Jung, Dörte 2003: Gender Mainstreaming als nachhaltige Veränderungsstrategie, in: Heinrich-Böll Stiftung (Hg.): *Geschlechterdemokratie wagen*, Königstein: Ulrike Helmer, S. 193-202.

Kuhl, Mara 2003: *Gender Mainstreaming and the women's movement*. Presented at Gender and Power in the New Europe, the 5th European Feminist Research Conference, August 20-24, Lund University, Sweden, http://www.5thfeminist.lu.se/filer/paper_410.pdf, Zugriff 3.5.2004.

Madörin, Mascha 2003: Gender Budget. Erfahrungen mit einer Methode des Gender Main-streaming, in: *Widerspruch, Beiträge zur sozialistischen Politik*, Jg. 23, H. 44, S. 35-51.

Metz-Göckel, Sigrid 2002: Etikettenschwindel oder neuer Schritt im Geschlechter- und Gene-rationenverhältnis? Zur Karriere des Gender Mainstreaming in Politik und Wissenschaft, in: *Zeitschrift für Frauenforschung und Geschlechterstudien*, Jg. 20, H. 1+2, S. 11-26.

Nohr, Barbara/Veth, Silke (Hg.) 2002: *Gender Mainstreaming – kritische Reflexionen einer neuen Strategie*, Berlin: Karl Dietz.

Nohr, Barbara 2003: »Frauenförderung ist Wirtschaftsförderung«. Die Geschlechterpolitik der rot-grünen Bundesregierung, in: *Widerspruch, Beiträge zur sozialistischen Politik*, Jg. 23, H. 44, S. 51-61.

Pühl, Katharina 2003: Geschlechterpolitik im Neoliberalismus, in: *Widerspruch, Beiträge zur sozialistischen Politik*, Jg. 23, H. 44, S. 61-84.

Rabe-Kleberg, Ursula 2002: Hauptsache Geschlecht? Gender, Doing Gender und Gender Mainstreaming. Oder: Vom Begreifen zum Eingreifen, in: *Zeitschrift für Frauenforschung und Geschlechterstudien*, Jg. 20, H. 1+2, S. 8-10.

Sauerborn, Werner 2003: Von der Frauenpolitik zur integrierten Geschlechterpolitik, in: Heinrich-Böll Stiftung (Hg.): *Geschlechterdemokratie wagen*, Königstein: Ulrike Helmer, S. 27-39.

Schunter-Kleemann, Susanne 2000: *Gender Mainstreaming in der Arbeitsmarkt und Strukturpolitik. Methodologische und politische Überlegungen*. Wissenschaftliche Einheit Frauenstudien und Frauenforschung, Hochschule Bremen, Discussion Papers 4.

Schunter-Kleemann, Susanne 2002: Gender Mainstreaming, Workfare und »Dritte Wege« des Neoliberalismus, in: Nohr, Barbara/Veth, Silke (Hg.): *Gender Mainstreaming – kritische Reflexionen einer neuen Strategie*, Berlin: Karl Dietz , S. 125-141.

Thürmer-Rohr, Christina 2001: Gleiche unter Gleichen? Kritische Fragen zu Geschlechterdemokratie und Gender Mainstreaming, in: *Forum Wissenschaft*, H. 2, S. 34-37.

Weg, Marianne 2003: Gender Mainstreaming – Zukunftsstrategie für Gleichstellungspolitik, in: Schacherl, Ingrid (Hg.): *Gender Mainstreaming – Kritische Reflexionen*, Innsbruck: Studia Universitätsverlag, S. 29-57.

Weinbach, Heike 2001: Über die Kunst, Begriffe zu fluten, in: *Forum Wissenschaft*, H. 2, S. 6-10.

Wetterer, Angelika 2002: Strategien rhetorischer Modernisierung. Gender Mainstreaming, Managing Diversity und die Professionalisierung der Gender-Expertinnen, in: *Zeitschrift für Frauenforschung und Geschlechterstudien*, Jg. 20, H. 3, S. 129-148.

Woodward, Alison E. 2001: *Gender Mainstreaming in European Policy: Innovation or Deception?*, Discussion Paper FS I 01-103, Berlin: Wissenschaftszentrum Berlin für Sozialforschung.

Beratung zur Emanzipation?
Gender Mainstreaming unter dem Vorzeichen von New Public Management

Heike Kahlert

Gesellschaftsreform ist heute insbesondere als Organisationsreform zu denken und zu realisieren. Emanzipation ist ein Ziel von Gesellschaftsreform, zumindest in fortschrittlicher Perspektive. Wie sieht es mit dieser Zielsetzung unter Bedingungen der sich vollziehenden »Ökonomisierung des Politischen« (Pelizzari 2001) aus? Die derzeit um sich greifende betriebswirtschaftliche Modernisierung des Staates scheint erst einmal nicht mit der Verwirklichung von Emanzipation kompatibel zu sein. Das Vokabular der Modernisierer ist eher technokratisch gefärbt und mit anglizistischen Begriffen angereichert: Controlling, Consulting, Monitoring, Change Management sind nur einige Beispiele. Auch die neue gleichstellungspolitische Strategie des Gender Mainstreamings trägt die gleiche Handschrift: kompakt und schlank, da integrativ – in der Sprache der Modernisierer wäre dafür ›lean‹ wohl das adäquateste Adjektiv. Ohne Zweifel ist das so charakterisierte Gender Mainstreaming passfähig zur betriebswirtschaftlich ausgerichteten Modernisierung des Staates. Im Zuge der um sich greifenden Verwaltungsstrukturreformen nutzt dieser vielerorts den Umbau des öffentlichen Sektors auch zur Implementation von Gender Mainstreaming, was von den einen freudig-pragmatisch als ›Gunst der Stunde‹ und als lang überfälliger Erfolg der Gleichstellungspolitik begrüßt, von den anderen nicht zuletzt ob dieser vermeintlichen Leichtigkeit skeptisch beobachtet und schließlich kritisiert wird. Neu an Gender Mainstreaming gegenüber herkömmlicher Gleichstellungspolitik ist auch, dass dessen Implementation im Zuge der Verwaltungsstrukturreformen zumeist unter Hinzuziehung professioneller Organisationsberatung erfolgt. Durch die Einführung von Gender Mainstreaming entsteht also ein Markt für gleichstellungsbezogene Expertise.

In diesem Beitrag möchte ich der Frage nachgehen, wie diese *Kommerzialisierung der Frauenfrage* mit politischen Visionen einer gerechte(re)n und gleiche(re)n Gesellschaft vereinbar ist. Hierzu betrachte ich zunächst den Aufstieg der Megaphilosophie des Ökonomischen und den damit einhergehenden Wandel des Politischen: Unter sich verschärfenden marktgesellschaftlichen Bedingungen ist die Vorstellung vom Primat der Politik gegenüber anderen Subsystemen obsolet geworden. Ich verdeutliche dann, dass die damit verbundene ›Verbetriebswirtschaftlichung‹ von Politik sich auch in der Gleichstellungspolitik zeigt: Gleichheit und Gerechtigkeit in den Geschlechterverhältnissen müssen im ›schlanken Staat‹ nicht mehr nur normativ fundiert, sondern auch ökonomisch begründet und legitimiert werden. In einem weiteren Schritt analysiere ich einige Chancen und Grenzen von Gender Mainstreaming als Reformstrategie im Public-Profit-Sektor. Vor diesem Hintergrund diskutiere ich schließlich die Bedeutung von ›Gender-Expertise‹ für die gleichstellungsbezogene Organisationsberatung. Im Fazit führe ich meine Argumentation dann in der These zusammen, dass die neue Allianz von Kommerz und Emanzipation nur dann erfolgreich sein kann, wenn die Organisation selbst zur Verwirklichung von Geschlechtergleichstellung bereit und fähig ist.

1. Aufstieg der Megaphilosophie des Ökonomischen – Wandel des Politischen

Aktuellen Gesellschaftsdiagnosen zufolge leben wir »in einer Zeit, die dabei ist, ihre eigenen Fundamente erneut und grundlegend zu transformieren, und die ein Interesse hat zu wissen, welche Konturen sie sich dabei geben kann.« (Gerschlager 2000: 116) Die Suche nach den »Konturen des Neuen« (ebd.) endet oft in Beschreibungen vom Aufstieg des Neoliberalismus als hegemonialem Narrativ der Gegenwart in spätmodernen Gesellschaften – einer weit von der postmodernen Verabschiedung der »großen Erzählungen« (Lyotard 1994) entfernten Denkfigur. Der Neoliberalismus, so ist zu lesen, sei in den 1980er Jahren in der westlichen Welt in den so genannten Reaganomics, dem Thatcherismus und in abgeschwächter Form auch in der Politik der Kohl-Regierung erstarkt und wurde zu damaliger Zeit noch als ›neokonservative Revolution‹ bezeichnet. Diese Bezeichnung ließ den traditionsbewussten Charakter der entsprechenden ökonomischen Theorie und politischen Reformbewegung deutlicher hervortreten als der eigentlich irreführende und doch inzwischen etablierte Begriff Neo›liberalismus‹.

Als Erneuerungsbewegung und Kritik am fordistischen Konsens und dem damit verbundenen Wohlfahrtsstaat treten die Anhänger des Neoliberalismus für eine Rückkehr zu den grundlegenden Prinzipien der Marktregulation und den zugehörigen gesellschaftlichen Werten ein: ›Jeder ist seines Glückes Schmied‹ lautet die neoliberale Devise. Neoliberalismus ist inzwischen zu einem Oberbegriff für die folgenden Leitideen geworden:

— Rücknahme der politischen und gesellschaftlichen Steuerung zugunsten des ›freien‹ Spiels der Kräfte
— Rückbau des öffentlichen Sektors durch Deregulierung (sowohl der staatlichen Verwaltung als auch öffentlicher Investitionen und sozialer Transfers)

— Ausweitung und Regime des Marktes
— Aufwertung der Profitsteuerung (›Output‹- und ›Outcome‹-Orientierung)
— Förderung des Wettbewerbs und der individuellen Freiheit
— Affirmation konservativer Werte und Ideen wie Familie, Gemeinschaft, Volk und Nation.[1]

Neoliberales Denken und Handeln zielt auf den Umbau des sozialstaatlich modifizierten Kapitalismus zu einem Laissez-faire-Kapitalismus, in dem letztlich das Recht des Stärkeren gilt. Im Neoliberalismus geht es also darum, die Erscheinungsform der kapitalistischen Gesellschaft in Richtung auf mehr Markt zu transformieren. Dabei wird die Ökonomie in Anspruch genommen, um eine umfassende Restauration in Theorie und Praxis zu rechtfertigen, die umgekehrt das fortschrittliche Denken und Handeln als anarchisch erscheinen lässt. Im Neoliberalismus zeigt sich eine Zuspitzung der protestantischen Ethik, ein nahezu totales und sich globalisierendes Regime der Ökonomie, von den einen als »Terror« (Forrester 1997) kritisiert, von den anderen als neues Freiheitsversprechen gefeiert.

Der Markt ist ein grundlegendes »Organisationsprinzip moderner Gesellschaft« (Gerschlager 2000: 108) und die »Marktgesellschaft« (Kraemer 1997) insofern eigentlich keine ›Kontur des Neuen‹. Neu daran ist jedoch, dass die »Megaphilosophie des Ökonomischen« (Koch 2002) zu einer alles durchdringenden Basiserzählung der Spätmoderne geworden zu sein scheint:

»Unbestreitbar hat ein neues Spiel begonnen; war es im Mittelalter die Theologie und seit der Aufklärung das wissenschaftlich-politische Programm der Vernunft, so ist es inzwischen die Ökonomie, die das Leben diktiert. Sie ist nicht nur angetreten, die Rolle der Politik zu übernehmen, sondern an der Seite der Psychologie auch zur maßgeblichen Definitionsmacht geworden« (ebd.: 10).[1]

Der Neoliberalismus durchzieht längst und in seinem Ausmaß kaum bewusst unser Denken, Fühlen und Handeln und damit auch unsere alltäglichen Lebensweisen. Die Kopplung als Wissenstechnologie und gesellschaftspolitische Reformbewegung verleiht ihm seine subtile, alles durchdringende und gerade dadurch so hegemoniale Wirkmächtigkeit.

Unter neoliberalen Konditionen wächst die Bedeutung von Kosten-Nutzen-Analysen für alle gesellschaftlichen Teilbereiche: Die Mittelverteilung im öffentlichen Sektor erfolgt kennziffergesteuert, Consultings und Accountings werden zur Erhöhung der Wettbewerbsfähigkeit auch im öffentlichen Bereich immer wichtiger, und der Schwerpunkt der Wirtschaftsnachrichten verlagert sich auf die Börsenentwicklungen (Brensell 1999). Auch die Herausbildung eines »neoliberalen Selbsts« (Trallori 2000) ist Bestandteil der ökonomischen Megaphilosophie. Dieses hebele die Solidarität aus und verstärke den Trend zur Selbstanpassung und -technologisierung, um mit dem Vorteil von besseren Marktchancen zu punkten – schließlich honoriert das globale Regime der Märkte persönliche Leistung, Disziplin und Fleiß.

Die Vorstellung vom Primat der Politik gegenüber anderen gesellschaftlichen Bereichen schwindet und damit auch die Bedeutung des Staates. Der minimalistische Staat des Neoliberalismus greift möglichst sparsam in Marktverhältnisse ein und besinnt sich auf seine Kernaufgaben wie Schutz der Freiheit und Integrität der Marktindividuen, die Sicherung des Eigentums und die Aufrechterhaltung der Vertragsfreiheit. Im Politikwechsel vom Wohlfahrts- zum Wettbewerbsstaat kommt es zu einer Kommerzialisierung des Politischen und aller damit verbundenen staatlichen ›Leistungen‹. Diese Ökonomisierung des Politischen geht mit einer umfassenden Verwaltungsstrukturreform einher.

Das ›New Public Management‹, wie diese betriebswirtschaftlich ausgerichtete Modernisierung des Staates auch genannt wird,

»zielt auf eine Neubewertung der Staatsausgaben und eine Neuorganisation der Aufgabenerledigung durch staatliche und kommunale Institutionen. Zum einen geht es um die Art und Weise der administrativ-organisatorischen Umsetzungen von Staatsaufgaben und hier insbesondere die Einführung einer marktgesteuerten, kundenorientierten öffentlichen Dienstleistungsproduktion, die unter dem Stichwort Binnenmodernisierung diskutiert wird. Die dominierende Frage ist dabei: Wie kann die Effizienz im öffentlichen Sektor gesteigert werden? Zum anderen steht die Reichweite staatlicher Politik und hier insbesondere [...] die Bestimmung der optimalen Leistungstiefe im Blickpunkt des Interesses. Hier wird danach gefragt, ob und in welchen Formen staatliches Handeln stattfinden soll.« (Naschold/Bogumil 2000: 15)

Damit sind die Eckpfeiler des Wettbewerbsstaats benannt: Effizienzsteigerung und Leistungsoptimierung – bei sinkenden Einnahmen und gedeckelten Haushalten.

Angesichts dieser ökonomischen Ausrichtung des Staates ist die Rede vom öffentlichen Sektor als Non-Profit-Sektor kaum mehr haltbar. Der Wiener Organisationsforscher und -berater Ralph Grossmann schlägt daher vor, ihn als »Public-Profit-Sektor« (zitiert in: Nickel 2001: 168) zu bezeichnen, also als einen dem Gemeinwohl verpflichteten Sektor, der unter dem Erstarken des Marktes um öffentliche Gelder konkurrieren muss und Einnahmen erzielen darf (ebd.: 169). Betriebswirtschaftliche Aspekte ergänzen zunehmend die Dominanz juristischer Gesichtspunkte in der Verwaltung, Konkurrenz wird zu einem staatlichen Steuerungsprinzip. Das Unternehmen Staat verzichtet keineswegs gänzlich auf politische Steuerung, verlagert diese jedoch von der Input- zur Output- und Outcome-Steuerung, z.B. mittels Kontrakten, und auf die Steuerung der Rahmenbedingungen in anderen gesellschaftlichen Teilbereichen, z.B. durch Mittel der Gesetzgebung: »Die Politik soll die Ziele vorgeben, über Menge und Qualität des Outputs entscheiden, die notwendigen Mittel bereitstellen und die Erfüllung der Leistungsaufträge kontrollieren.« (Pellert 1997: 68)

Der mit dem New Public Management einhergehende Politikwechsel ist scharfer Kritik ausgesetzt. Das betriebswirtschaftlich ausgerichtete Reformmodell verkenne die Besonderheiten des öffentlichen Sektors. Gewinne würden privatisiert, Verluste sozialisiert. Die neue Steuerung sei schwer vereinbar mit direkter Demokratie: Sie schwäche die Position der Parlamente und erhöhe durch ihre Führungsorientierung entsprechend die Macht von Regierung und Verwaltung. Da die Forderungen von Volk und Parlament der ›Input‹ in die Verwaltung seien, sei eine reine Outputsteuerung im öffentlichen Sektor nicht möglich. New Public Management sei Symptomtherapie, die Rolle des Staates würde weder grundlegend hinterfragt noch neu definiert (ebd.: 70).

Normative Aspekte wie Gleichheit und Gerechtigkeit haben im New Public Management nur dann eine Chance, wenn sie von der Organisationsspitze zu politischen Zielen erklärt werden und ihre Umsetzung in Kosten-Nutzen-Rechnungen übersetzt wird. Damit ist nicht zwangsläufig ein Abschied von der Emanzipation und einer diese fördernden Politik eingeläutet, wohl aber entsteht eine neue Notwendigkeit, die Führungsspitze für die entsprechenden Ziele zu gewinnen und die für deren Erreichung aufzuwendenden Kosten offen zu legen und zu legitimieren. Gleichstellung muss sich also für den Staat und dessen nachgeordnete Organisationen rechnen und lohnen (Kahlert/Schindler 2003) – der Neoliberalismus ist auch in der Gleichstellungspolitik angekommen.

2. Geschlechtergerechtigkeit als Ziel und Aufgabe im ›schlanken‹ Staat

Frauen und Frauenbewegungen haben in zweierlei Hinsicht wenig Anlass zur Aufregung über die Neoliberalisierung des Staates: Zum einen ist ihr Verhältnis zum Staat – auch zu jenem, der noch Wohlfahrt für vorgeblich alle propagierte und die Frauenfrage in Gestalt der Frauen- und Gleichstellungspolitik verstaatlichte – immer schon ein »hochgradig ambivalentes« gewesen: ›Vater Staat‹ wird in vielen frauenbewegten Zusammenhängen als Feind und Versorger zugleich adressiert (Holland-Cunz 1995: 22). Traditionell ist das Politikverständnis der Neuen Frauenbewegung eher antietatistisch, auf Autonomie von staatlicher Bürokratie ausgerichtet; institutionelle Frauen- und Gleichstellungspolitik wird aus dieser Perspektive als Staatsfeminismus diskreditiert. Auch die Erkenntnis, dass Frauen- und Gleichstellungspolitik in gewisser Hinsicht der verlängerte Arm der Frauenbewegungen im staatlichen Politikraum sind (Kreisky/Sauer 1999: 7), löst diese Ambivalenzen nicht auf. Darin, dass die institutionelle Frauen- und Gleichstellungspolitik bislang das Versprechen auf ›zivilgesellschaftliche Gleichstellung‹ nicht eingelöst hat, sind sich die Vertreterinnen der antietatistischen und der etatistischen Politikperspektive einig: Frauenpolitik hat das Sozialstaatsprojekt bisher nicht reformulieren können (ebd.: 9, 15). Zugleich ist sie als Teil dieses Projekts in den Strudel der gesellschaftlich um sich greifenden Politik- und Parteienverdrossenheit geraten und muss mit der staatlichen ›Schlankheitskur‹ im Zuge der Verwaltungsstrukturreform nun ebenfalls ›abspecken‹ (Holland-Cunz 1995: 17). Eva Kreisky und Birgit Sauer bringen die damit verbundene Paradoxie wie folgt auf den Punkt:

»Es ist anzunehmen, dass sich der Bedarf an gezielter Frauenförderung aufgrund der Schnitte ins soziale Netz erhöhen wird, dass synchron dazu aber gerade diese Förderinstrumente unter Spar- und Legitimationsdruck geraten.« (1999: 9)

Zum anderen – und das ist für den hier interessierenden Kontext weitaus relevanter – können Frauen, Frauenbewegungen und ihre Sympathisanten der Verbetriebswirtschaftlichung der Frauen- und Gleichstellungspolitik eigentlich gelassen entgegen sehen und die ökonomische Megaphilosophie für ihre Belange instrumentalisieren. Nicht zuletzt dank des demografischen Wandels mit seinem unübersehbaren Bevölkerungsschwund werden Menschen und damit auch Männer knapper und Frauen folglich für die Übernahme gewisser gesellschaftlicher Aufgaben wichtiger und damit wertvoller. Im global wachsenden Wettbewerb stellen sie folglich eine unverzichtbare ›Humanressource‹ dar. Für diese Argumentation, die an die Idee der weiblichen ›Reservearmee‹ anschließt, müssen zwar einige ethische Bedenken überwunden werden, denn politisch korrekt scheint es schließlich kaum mit emanzipatorischen Visionen vereinbar, selbstbewusst in Anlehnung an den ökonomischen Jargon des Homo Oeconomicus auf das weibliche Humanvermögen und die darin verborgenen unabdingbaren Potenziale hinzuweisen, ganz abgesehen von der in der Affirmation ›der‹ weiblichen Differenz liegenden Gefahr der Essenzialisierung traditioneller Geschlechterkonzepte. Aber – und nur das zählt unter neoliberalen Konditionen – unter dem Strich könnte die Rechnung tatsächlich aufgehen und mittels ökonomischer Rationalisierung und Effizienzberechnungen der volkswirtschaftliche Nutzen von Gleichstellung zum durchsetzungsstarken Argument für eine profeministische Politik werden (Holland-Cunz 1995: 25; Pasero 2003).

Festzuhalten ist, dass der Wettbewerbsstaat weiterhin die politische Verantwortung für das Grundrecht auf Geschlechtergerechtigkeit übernimmt, unabhängig davon, ob dies nun traditionalistisch-normativ oder modernistisch-ökonomisch oder mit einer Mischung aus beidem begründet ist. Gleichstellungspolitik im ›schlanken‹ Staat muss jedoch kompatibel zum New Public Management sein und sich seiner Steuerungsinstrumente bedienen – Angelika Wetterer (2002: 133) hat in diesem Zusammenhang zu Recht darauf hingewiesen, dass die Betriebswirtschaftslehre zur »Leitdisziplin der Gleichstellungspolitik avanciert« sei. Gender Mainstreaming, zumindest in seiner inzwischen im Verwaltungshandeln sich etablierenden Form, habe, so Wetterer (ebd.: 134), nur noch wenig mit dem

zu tun, was von den Frauenbewegungen und NGOs des Südens bei den Welt-
frauenkonferenzen in Nairobi und Beijing vorgestellt wurde. Wetterer bezieht
sich hier u.a. auf Carol Hagemann-White (2001: 220), nach der Mainstreaming
in der Auffassung der Bewegungsakteurinnen auf der internationalen Bühne eine
»schwungvolle Bewegung von unten nach oben, vom Rand in die Mitte« gewesen sei. Bis zum Vertrag von Amsterdam hätte sich allerdings in der Europäischen Union ein anderes Konzept von ›Mainstreaming‹ durchgesetzt: »ein Konzept, das von oben nach unten arbeiten soll und den Traditionen der Bürokratie
restlos angepasst ist.« (ebd.)

Es ist zwar durchaus legitim, Kritik an der Art und Weise zu üben, wie die
bewegungsfeministische Idee des Gender Mainstreamings im staatsfeministischen
Zusammenhang aufgegriffen und verwendet wird. Dennoch trifft sie nur bedingt,
denn aus der Geschichte vieler Reformprojekte wie der sich institutionalisierenden Frauenpolitik und -forschung ist hinreichend bekannt, dass beim langen
Marsch politischer Visionen in und durch die staatliche Bürokratie notwendiger-
und bedauerlicherweise zugleich einiges auf der Strecke bleibt, Radikalität,
Energie und Kreativität verwaltungskonform(er) geglättet und passfähig gemacht
werden (müssen), um institutionenkompatibel zu sein. Hinzu kommt, dass in den
politischen und theoretischen Reflexionen zum Gender Mainstreaming nicht
immer deutlich wird, ob sich die Kritik nun gegen das *Konzept* per se, gegen
dessen *Umsetzung* im öffentlichen Sektor oder gegen beides richtet. Für die
weiteren Diskussionen erscheint es mir daher unabdingbar, zunächst analytisch
zwischen beiden Ebenen zu unterscheiden, auch wenn diese faktisch in der Realität längst nicht so deutlich voneinander getrennt sind.

Zunächst interessiert mich das Konzept von Gender Mainstreaming. Die Recherche nach Arbeitsdefinitionen bringt eine Fülle an Möglichkeiten hervor, wie
die in diesem Feld engagierten Akteure Gender Mainstreaming konzeptuell verstehen. Eine vergleichend angelegte Begriffsanalyse wäre sicherlich ausgesprochen erkenntnisfördernd. An dieser Stelle mögen jedoch zwei häufig verwendete
Definitionen von transnationalen politischen Akteuren ausreichen: die der Vereinten Nationen und der Europäischen Union. Diese Definitionen sind auch Orien-
tierungspunkte für viele lokale Gender-Mainstreaming-Projekte.

Die Vereinten Nationen definieren Gender Mainstreaming wie folgt:

»*Gender Mainstreaming* is a globally accepted strategy for promoting gender equality. Mainstreaming is not an end in itself but a strategy, an approach, a means to achieve the goal of
gender equality. Mainstreaming involves ensuring that gender perspectives and attention to the
goal of gender equality are central to all activities – policy development, research, advocacy/
dialogue, legislation, resource allocation, and planning, implementation and monitoring of
programmes and projects.« (http://www.un.org/womenwatch/osagi/gendermainstreaming.htm;
Hervorh. im Original)

Nach Ansicht der Vereinten Nationen umfasst die Strategie des Gender Mainstreamings soziale, politische, wissenschaftliche und verwaltende Aktionen. Die
Auffassung der Europäischen Union hingegen ist diesbezüglich deutlich einge-
schränkter ›nur‹ auf Politik bezogen:

»Gender mainstreaming is the (re)organisation, improvement, development and evaluation of
policy processes, so that a gender equality perspective is incorporated in all policies at all levels
and at all stages, by the actors normally involved in policy-making.« (http://www.coe.int/T/E/
Human_Rights/Equality/02._Gender_mainstreaming/)

Beiden politischen Akteuren gemeinsam ist ihr explizites Eintreten für Geschlechtergleichheit (»gender equality«). Was diese ausmacht und wie diese verstanden
werden soll, wird in den Ausführungen nicht näher ausbuchstabiert und soll in
der konkreten Umsetzung je kontextspezifisch zwischen allen Beteiligten ausge-
handelt werden. Aus geschlechtertheoretischer und -politischer Sicht ist mit der
expliziten Zielsetzung der Geschlechtergleichheit eindeutig eine emanzipatorische Richtung vorgegeben. Ob und wie diese in den vorgenannten Vorstellungen mit der ebenfalls im geschlechtertheoretischen und -politischen Feld vertretenen Emanzipationsstrategie der Differenz korrespondiert, muss an dieser Stelle
offen bleiben. Dass weder die alleinige Orientierung an Gleichheit noch die an
Differenz die Grundlagen einer Erfolg versprechenden Gleichstellungspolitik
bieten können, ist in Frauenbewegung und -forschung jedoch bereits hinlänglich
diskutiert worden und muss hier nicht weiter ausgeführt werden. Die zitierten
Definitionen der Vereinten Nationen und der Europäischen Union orientieren
sich am Grundrecht der emanzipatorischen Gleichheit und sind damit konform
mit feministischen Forderungen. In diesen Definitionen findet sich kein Hinweis
darauf, dass Gender Mainstreaming im Verständnis dieser Akteure konzeptuell
an ökonomischen Kriterien wie Effizienz und Verwertbarkeit ausgerichtet ist.

3. Chancen und Grenzen von Gender Mainstreaming im Public-Profit-Sektor

Gender Mainstreaming ist von seinem Konzept und den zugehörigen Methoden
her nicht per se neoliberal. Es erweist sich aber als passfähig zum New Public
Management, und diese Passfähigkeit macht einen großen Teil seines rhetori-
schen wie praktischen Erfolgs aus. Worin besteht nun diese Passfähigkeit? Die
frühzeitige Integration der Chancengleichheitsperspektive in die Neugestaltung
von Entscheidungsprozessen kommt einer Optimierung derselben im Sinne einer
ziel- und ergebnisorientierten Vorgehensweise und damit einer Qualitätsverbes-
serung und Effizienzsteigerung von Politik gleich. Damit können die möglichen

Effekte von Gender Mainstreaming über die unmittelbar angestrebten Gleichstellungswirkungen hinausreichen. Karin Tondorf (2001: 276), auf die ich mich in diesen Einschätzungen beziehe, weist darauf hin, dass sich bei konsequenter Anwendung von Gender Mainstreaming die Chance bietet,»auch Zielen näher zu kommen, die sich Politik und Verwaltung im Rahmen ihrer Reformstrategien gesetzt haben.« Von den Methoden des Gender Mainstreamings könnten ihrer Ansicht nach»weitergehende Anregungen und Impulse für eine systematische outputorientierte Arbeitsweise ausgehen.«

Diese Argumentation klingt schlüssig angesichts der bereits oben ausgeführten These, dass das Primat der Politik unter neoliberalen Konditionen zugunsten der Ökonomie verschwindet. So betrachtet scheint Gender Mainstreaming das lange im frauenbewegten und -politischen Spektrum verfolgte Ziel von Gleichstellungspolitik als Querschnittspolitik umzusetzen und sich als ›trojanisches Pferd‹ zu erweisen, ohne jedoch wie die bisherige Gleichstellungspolitik permanent zwischen allen Stühlen zu sitzen. Vielleicht liegt das dennoch nicht gänzlich verschwinden wollende Unbehagen darin, dass Emanzipation mit der Gender-Mainstreaming-Strategie systemkonform geworden sein und nach Effizienzkriterien bewertet werden könnte? Oder macht sich das Unbehagen daran fest,»dass statt von Frauen nun von *Gender* die Rede ist« (Wetterer 2002: 129; Hervorh. im Original)[2] und die ›alte Frauenpolitik‹ namens Frauenförderung ausgedient zu haben scheint?

Zumindest die Europäische Union positioniert sich klar zur Notwendigkeit, Frauen- und Gleichstellungspolitik auch künftig doppelstrategisch zu betreiben:

>»Gender mainstreaming cannot replace specific policies which aim to redress situations resulting from gender inequality. Specific gender equality policies and gender mainstreaming are dual and complementary strategies and must go hand in hand to reach the goal of gender equality.« (http://www.coe.int/T/E/Human_ Rights/Equality/02._Gender_mainstreaming/)

Dennoch wird Gender Mainstreaming zum Teil derzeit von politischen Akteuren instrumentalisiert, um die traditionelle Frauenpolitik zu schwächen: In Zeiten leerer Kassen widmen sie die für Frauenförderung bisher aufgewendeten Ressourcen um für Gender Mainstreaming, indem sie autonome Frauenräume und frauenpolitische Institutionen rückbauen bzw. gänzlich abschaffen, die Errungenschaften der Frauenbewegungen vor allem der 1980er und 1990er Jahre sind. Diese Instrumentalisierung kann jedoch nicht der Gender-Mainstreaming-Strategie angelastet werden, sondern den für deren Umsetzung Verantwortlichen.

Die Implementation von Gender Mainstreaming und Frauenförderung als gleichstellungspolitische Doppelstrategie birgt eine große Chance, um dem Ziel der Geschlechtergleichheit näher zu kommen. Die beiden Strategien ergänzen sich nicht nur darin, dass sie ›allgemeine‹ und ›spezielle‹ Gleichstellungspolitik vereinen, sondern auch darin, dass sie zugleich aus verschiedenen Richtungen

auf das organisationale Geschehen einwirken: Gender Mainstreaming gilt neben
seiner Querschnittsorientierung als explizite Top-down-Strategie, Frauenförderung als Bottom-up-Strategie. Während Letztere etabliert und erprobt und auch
in ihren Chancen wie Grenzen erkannt ist, betritt Erstere in der Gleichstellungspolitik Neuland. Mehr noch: die Top-down-Strategie von Gender Mainstreaming
stellt zudem eine *doppelte Provokation* dar.

Gender Mainstreaming provoziert zum einen diejenigen an der Spitze, zumeist Männer, dadurch, dass diese nunmehr für die Gleichstellung dezidiert in
die Pflicht genommen werden und dafür öffentlich eintreten sollen. In der
Implementation von Gender Mainstreaming wird deutlich, dass viele Männer
zunächst nicht den praktischen organisationalen wie individuellen Nutzen dieser
neuen Führungsaufgabe erkennen. Zu Recht fragt Stephan Höyng (2002: 199) in
diesem Zusammenhang, warum Führungsmänner jetzt, im Zuge der Begeiste-
rung für Gender Mainstreaming, an Gleichstellung interessiert sein sollten?
Neben den Vorteilen, die sich ihnen und ihrer Organisation bieten, wenn sie die
Gleichstellung der Geschlechter vorantreiben (ebd.), ist es auch aus machtstrate-
gischen Erwägungen heraus unabdingbar, organisationalen Wandel durch die Führungsebene unterstützen und befördern zu lassen – die Organisationsberatung lehrt,
dass Organisationsentwicklung bei der Führung ansetzen oder diese zumindest
verantwortlich einbeziehen muss, damit sie wirksam wird (Grossmann et al.
1997: 50). Hinzu kommt, dass Verwaltungshandeln top-down funktioniert und
organisationaler Wandel sich gleichermaßen dieser Funktionsweise bedienen, wie
sie durchkreuzen muss. Aber auch aus demokratischen Erwägungen heraus ist es
notwendig, alle Organisationsmitglieder in den Reformprozess einzubeziehen, also
auch Männer. Die ›Männerfrage‹ verdeutlicht, dass Gender Mainstreaming in
gewisser Weise eine paradoxe Strategie ist: Es berücksichtigt die ungleichzeitigen
Bewusstseinsstände von Frauen und Männern bezüglich Stabilität und Wandel in
den Geschlechterverhältnissen nicht genügend, sondern setzt implizit bereits eine
diesbezügliche Gleichheit zwischen den Geschlechtern voraus, die doch mittels
Gender Mainstreaming erst hergestellt werden soll.

Zum anderen provoziert Gender Mainstreaming aber auch diejenigen an der
Basis, zumeist Frauen, die plötzlich die Verantwortung für die Gleichstellung
gemeinschaftlich und vertrauensvoll mit denjenigen, zumeist Männern, teilen
sollen, die sie lange als deren Feinde und Verhinderer bekämpft haben. Traditionell wurde das Geschlechterverhältnis in Frauenbewegung und -politik, so Carol
Hagemann-White (2000: 235), als strukturelles »Konfliktmodell« und Gegner-
schaft konzipiert, in dem Männer zur Aufgabe ihrer Privilegien ›gezwungen‹ und
Frauen gefördert werden sollten. Diese Geschlechterphilosophie setze Frauen in
kollektive Konkurrenz zu Männern. Was die einen haben wollten, müssten sie den
anderen wegnehmen – jeder Erfolg fordere in dieser Kampfmetaphorik, nach einer

Phase des schlechten Gewissens, zum Gegenschlag auf (Hagemann-White 2001: 216). Der Kern des Problems liege »in der Ausweglosigkeit des Konfliktmodells selbst« (Hagemann-White 2000: 237), das das Geschlechterverhältnis einem Klassenkampf, Krieg oder Nullsummenspiel gleich denke. Frauen sind in Zeiten von Gender Mainstreaming also aufgefordert, sich vom Konfliktmodell der Geschlechterverhältnisse und von den daran geknüpften Politikstrategien zu verabschieden. Frauenförderpolitik kann folglich nicht mehr als Klientelpolitik operieren.

Damit müssen *beide* Geschlechter – also Frauen *und* Männer – unter Bedingungen von Gender Mainstreaming umlernen und die Geschlechterverhältnisse wie auch die Zuständigkeiten für die Gleichstellung neu bestimmen. In der Gender-Mainstreaming-Philosophie werden Frauen wie Männer als handlungsfähige und -mächtige Subjekte imaginiert, die aktiv einen neuen Geschlechterkontrakt miteinander aushandeln und gestalten können. Geschlechterdemokratie ist folglich der Weg und das Ziel von Gender Mainstreaming.

Zu den Stärken der Gender-Mainstreaming-Strategie gehört also, dass sie, konsequent angewendet, alle Organisationsmitglieder in die Verwirklichung des Ziels Geschlechtergleichheit einbezieht und die Übernahme von Verantwortung der und des Einzelnen für die organisationale Zukunft einfordert. Dies kann die organisationale Kommunikation fördern und möglicherweise sogar verbessern. Eine weitere Stärke von Gender Mainstreaming liegt in dem gegenüber der herkömmlichen Gleichstellungspolitik erweiterten Aktionsradius: Auch organisationale Bereiche und Entscheidungsprozesse, die bisher für geschlechtsneutral gehalten wurden, geraten nun unter die geschlechtskritische Lupe. In der Gender-Mainstreaming-Perspektive gilt jeweils die gesamte Organisation als vergeschlechtlicht, von Geschlechterhierarchien durchzogen und damit als Arena, in der Geschlechtergleichheit herzustellen ist (exemplarisch für Hochschulen: Kahlert 2003).

Gender Mainstreaming birgt aber auch die Gefahr, dass die Suche nach der Vergeschlechtlichung der Organisation zur »Re-Aktivierung tradierter zweigeschlechtlicher Denk- und Deutungsmuster« und nicht zu »deren Verabschiedung oder gar Unterminierung« (Wetterer 2002: 129) gerät. Gender Mainstreaming kann so dazu beitragen, konservative Differenzkonzepte zu affirmieren, in denen schon immer klar war, wer bzw. was Frauen und Männer sind und worin sie sich voneinander unterscheiden (Kahlert/Schindler 2003). Das Risiko, dass die Implementation von Gender Mainstreaming traditionelles Geschlechterdifferenzdenken reaktiviert, ist jedoch weniger dem Konzept an sich anzulasten als vielmehr dessen Umsetzung in der organisationalen Praxis: Welche Geschlechterkonzepte mittels Gender Mainstreaming in der Organisation aufgedeckt und wie diese weiter bearbeitet werden, ist abhängig vom Geschlechter-Wissen der Organisation, ihrer Mitglieder und der an der Implementation von Gender Mainstreaming beteiligten Akteurinnen und Akteure. Unter Gender-Mainstreaming-Bedingungen sind beide Geschlechter zum Umlernen aufgefordert. Umlernen heißt in diesem Zusammenhang, das herkömmliche Wissen über das eigene und das andere Geschlecht zu revidieren und auf dieser Basis neue organisationale Handlungsmöglichkeiten zu entwickeln. Die Moderation dieses (Um-)Lernprozesses ist eine zentrale Aufgabe der Organisationsberatung.

4. Die Bedeutung von ›Gender-Expertise‹ in der Organisationsberatung zur Implementation von Gender Mainstreaming

Mit der Ökonomisierung des Politischen hält auch die kommerzielle Organisationsberatung Einzug in den öffentlichen Sektor. Ihre Aufgaben liegen u.a. in der Begleitung des effizienten Umbaus der öffentlichen Verwaltung zu betriebswirtschaftlich operierenden und wettbewerbsfähigen Public-Profit-Unternehmen. Auch für die Implementation von Gender Mainstreaming als Teil dieser Organisationsreform engagieren staatliche Einrichtungen häufig Organisationsberatung – trotz leerer Kassen.

Beratung ist »ein Produkt moderner Gesellschaften« und eines ihrer Kernelemente (Alemann 2002: 23f.). Eine soziale Situation wird nach Annette von Alemann (ebd.: 26) dann als Beratung definiert, wenn mindestens zwei Personen zusammenkommen, von denen sich eine beraten lassen will. Im Mittelpunkt der Interaktion stünde ein (bestehendes oder potenzielles) Problem, das gelöst werden solle. Dies geschehe durch Kommunikation. Die Beziehung zwischen beiden Kommunikationspartnern sei freiwillig und zeitlich befristet. Die Beraterin bzw. der Berater sei weder Teil des Problems noch des hierarchischen Systems der Klientin bzw. des Klienten, d.h., Beratung nehme die Position der externen Beobachtung ein. Immer sei eine Asymmetrie hinsichtlich der Strukturierung von Kommunikation und Einfluss vorhanden sowie eine Kompetenzdifferenz bei der Definition bzw. Diagnose von Problemen und ihrer Lösung sowie bei der Anwendung professioneller Standards.

Auf den ersten Blick scheint diese Definition von Beratung nahe zu legen, dass Organisationsberatung selbstverständlich ›von außen‹ kommen muss, denn Neutralität, Objektivität und Professionalität wird gemeinhin nur Organisationsexternen zugeschrieben. Interne, so wird gemutmaßt, seien viel zu sehr in das organisationale Geschehen verstrickt, als dass sie eine distanzierte(re) Position dazu einnehmen könnten, die jedoch für Beratung notwendig ist. Andererseits lässt sich gegenhalten, dass Neutralität und Objektivität auch durch externe Beratung nie hundertprozentig gewährleistet werden können. Zudem ist es für die

Organisationsberatung ausgesprochen wichtig, dass sie auf einem »echten Verständnis der betrieblichen Zusammenhänge« beruht und dass das Beratungs-
Know-how im Unternehmen bleibt (Doppler/Lauterburg 2002: 242). Klaus Doppler und Christoph Lauterburg plädieren daher, wie einige andere Beratungsexper-
tinnen und -experten auch, für eine Zusammensetzung des Beratungsteams aus
Organisationsinternen und -externen.

Bezogen auf die Implementation von Gender Mainstreaming hieße das, ein
solches Team organisationsintern u.a. mit der Frauen- und Gleichstellungsbeauftragten zu besetzen, die in der Regel innerorganisational die Expertin für Geschlechterfragen ist und der in gleichstellungsbezogenen Umstrukturierungsprozessen die
Rolle eines ›Change Agents‹ zukommt (Edding 2000). Insbesondere in der Pilotphase von Gender-Change-Management-Prozessen ist ihr Wissen über organisationsinterne Abläufe, Verfahren und Prozesse sowie ihr informelles Beziehungs-
netz unverzichtbar. Die organisationsexterne Seite von Beratungsprozessen zur
Implementation von Gender Mainstreaming ist derzeit häufig durch so genannte
›Flying Experts‹ mit Gender-Kompetenz vertreten, von denen es neuerdings
immer mehr zu geben scheint.

Diese Gender-Expertinnen bzw. -Experten gehören einer neu entstehenden
Profession an, die sich im Zuge der Institutionalisierung von Frauen- und Gleichstellungspolitik und der sukzessiven Verankerung der Frauen- und Geschlechterforschung an den Hochschulen herausbildet. Gemeinsam ist den Mitgliedern
dieser neuen ExpertInnengruppe, und damit folge ich Angelika Wetterer (2002:
138), dass sie alle ein wohl begründetes und legitimes berufs- bzw. professions-
politisches Interesse daran haben, sich für ihr Wissen und Können ein Betäti-
gungsfeld zu erschließen, dieses auszubauen und zu befestigen, ihre Themen
durchzusetzen und auf der Agenda zu halten. Sie sind also bestrebt, »einen
Markt für und damit zugleich die Nachfrage nach einer speziellen Gender-Kompetenz zu schaffen und auszubauen.« (ebd.: 139) Wetterer (ebd.: 140) sieht Gender Mainstreaming in diesem Zusammenhang »geradezu als riesiges Arbeitsbe-
schaffungsprogramm für Gender-Expertinnen« an.[3] Zugleich funktioniere es als
groß angelegte Weiterbildungsmaßnahme, die den Abnehmerinnen und Abneh-
mern der Gender-Kompetenz immer neu zeige, wie wichtig diese Kompetenz sei
und für was alles sie in der Zukunft auch noch unerlässlich sein würde.

Die derzeit wachsende (kommerzielle) Nachfrage nach Gender-Kompetenz
wird neben einigen außerhochschulischen Bildungsangeboten v.a. durch die
Haupt-, Nebenfach- und Weiterbildungsstudiengänge der Frauen- und Geschlechterforschung bedient.[4] Zieht man in Betracht, dass in Zeiten der Megaphilosophie
des Ökonomischen der Legitimationsdruck auf jenes wissenschaftliche Wissen
wächst, dessen gesellschaftliche Nützlichkeit nicht unmittelbar nachzuvollziehen
ist – also auch auf die Frauen- und Geschlechterforschung –, so handelt es sich

bei dem Aufstieg der neuen Profession der Gender-ExpertInnen auch um die wissenschaftspolitische Absicherung eines neuen Wissensfelds im akademischen Kanon: »Mainstreaming requires strong gender studies.« (EG-S-MS 1998: 22) Der damit angedeutete Zusammenhang zwischen Gleichstellungspolitik und dem emanzipatorischen Wissen der Frauen- und Geschlechterforschung ist nicht neu und ebenso oft gefordert wie problematisiert worden: Vor allem in den Anfängen der Neuen Frauenbewegung wurde das Postulat viel bemüht, dass die feministische Forschung für die Emanzipation von Frauen eintreten und praxisbezogen sein sollte – Donna Haraway (1995: 85) hat diesen Zusammenhang treffend als »phantastische(s) Element der Hoffnung auf ein veränderndes Wissen« auf den Punkt gebracht. Möglicherweise wird durch die Kommerzialisierung der Frauen- und Geschlechterforschung in der Organisationsberatung zu Gender Mainstreaming dieses Postulat exemplarisch eingelöst?[5]

Wichtige Aufgaben der Organisationsberaterinnen und -berater bestehen darin, den Prozess der Informationsgewinnung im KlientInnensystem anzuregen, die Entwicklung seiner Problemlösekapazität zu fördern und die Organisation bei der Produktion von problemadäquatem Wissen über sich selbst zu unterstützen (Grossmann et al. 1997: 46):

> »In Bezug auf die Wirksamkeit von Wissen sind also die wichtigsten Operationen von Beratung darin zu sehen, dass eine Organisation zu einer erweiterten Selbstbeobachtung und Selbstbeschreibung stimuliert wird, dass sie mit Hilfe der Berater die dazu geeigneten Kommunikationsarrangements einrichtet und dass die Berater neue Beobachtungskriterien und Fragestellungen in diesen Prozess einführen.« (ebd.: 47)

Gender-Expertinnen und -Experten müssen in der Organisationsberatung also u.a. emanzipatorisches Wissen zu den (organisationalen) Geschlechterverhältnissen vermitteln sowie das vorhandene Geschlechter-Wissen der Organisationsmitglieder mit diesen reflektieren. Entsprechend angeleitet entsteht in diesem Kommunikations- und Lernprozess ein »veränderndes Wissen« – schließlich ist (Organisations-)Beratung immer auch ein Prozess der Wissensproduktion, an dem die Beratenden und die Beratenen teilhaben. Für die organisationsexternen Gender-Expertinnen und -Experten heißt dies auch, die Wirkung mitzudenken, die das generierte Wissen in den betroffenen Systemen auslöst (ebd.: 45). Beraterinnen und Berater können jedoch nur die Beobachtungskriterien und Fragestellungen in die Organisationsentwicklung einführen, die sie selbst kennen. Die Qualifikationsanforderungen an die Beraterinnen und Berater in der Implementation von Gender Mainstreaming sind also hoch: Sie benötigen Wissen über die Geschlechterverhältnisse wie auch entsprechende Vermittlungs- und Reflexionsmethoden, um Organisationen zur Emanzipation beraten zu können.

5. Eine neue Allianz zwischen Kommerz und Emanzipation

Ausgehend vom beobachtbaren Aufstieg des New Public Managements und der ›Verbetriebswirtschaftlichung‹ von Gleichstellungspolitik habe ich in diesem Beitrag die Frage diskutiert, wie die beobachtbare *Kommerzialisierung der Frauenfrage* mit politischen Visionen einer gerechte(re)n und gleiche(re)n Gesellschaft vereinbar ist. In meiner Argumentation löst die neue gleichstellungspolitische Strategie des Gender Mainstreaming, gewissermaßen chamäleonartig, die Anforderungen sowohl an emanzipatorische Politik als auch an deren ökonomische Effizienz ein. Entwickelt und eingeführt als neue gleichstellungspolitische *Strategie* bleibt die *Zielperspektive Geschlechtergleichheit* im Gender Mainstreaming erhalten. Die Effizienz dieser Strategie liegt vor allem in der Passfähigkeit an die laufenden Verwaltungsstrukturreformen, deren Ziele durch die integrierte bzw. integrierbare Anwendung von Gender Mainstreaming erreicht werden können – als inspirierende, modifizierende, ergänzende, erweiternde und sukzessiv transformative Kraft. Die (Un-)Möglichkeit dieser Integration erweist sich aber auch als Dreh- und Angelpunkt von Erfolg bzw. Misserfolg der Gender-Mainstreaming-Strategie im Public-Profit-Sektor: Die Einführung des New Public Managements erfordert einen Organisationsentwicklungsprozess, der zumeist durch professionelle Organisationsberatung begleitet wird. Damit kommt Beraterinnen und Beratern eine Schlüsselposition bei der Implementation von Gender Mainstreaming und der Verwirklichung des Organisationsziels Geschlechtergleichstellung zu.

Die Integration von Organisationsberatung in die Implementation von Gender Mainstreaming kann dann Chancen für die Verwirklichung von Emanzipation eröffnen, wenn es gelingt, die in Organisationsentwicklungsprozessen immer auch vorhandenen Widerstände, hier gegen die Veränderung der Geschlechterkultur und der mit dieser verbundenen Ablauf- und Aufbauorganisation, produktiv zu wenden. Dazu gehört auch, das vorhandene organisationale Geschlechter-Wissen aufzudecken und so zu transformieren, dass es organisationsverändernd im Hinblick auf (mehr) Gleichheit und Gerechtigkeit in den Geschlechterverhältnissen anwendbar wird. Erforderlich ist hierfür die qualifizierte Gender-Kompetenz der Beraterinnen und Berater, die aus entsprechendem kognitivem Wissen wie auch adäquaten Beratungs- wie Forschungsmethoden besteht. Notwendig ist aber auch die organisationale Verankerung der Verantwortung für die Gleichstellung zumindest in der Organisationsspitze, denn nur wenn die Organisation selbst zur Verwirklichung von Geschlechtergleichstellung bereit und fähig ist, kann Beratung zur Emanzipation schließlich erfolgreich sein.

Anmerkungen

1 Es ließe sich allerdings auch argumentieren, dass das Diktat der Ökonomie die Tradition der Aufklärung fortsetzt: durch Vernunft – hier nun verstanden als ökonomische Rationalität – Wissenschaft und Politik zu beherrschen.

2 Die Soziologin Mary Maynard (1995: 24) konstatierte bereits vor einigen Jahren »Das Verschwinden der ›Frau‹« und die damit verbundene steile Begriffskarriere von ›Gender‹ in den Sozialwissenschaften wie folgt: »Aus der Substitution des Wortes ›Geschlecht‹ für ›Frau‹ folgt u.a., dass wieder einmal das Leben von Frauen als legitimes Forschungsthema aus den Augen verloren wird.« Obwohl die Analyse von Geschlechterverhältnissen für die Diskussion immer relevant gewesen wäre, hätten im Mittelpunkt der Aufmerksamkeit die Kategorie ›Frau‹ sowie Frauen als historisch geformte Gruppe gestanden. Die Betonung auf ›Frau‹ zu legen, sei entscheidend gewesen, weil es die Aufmerksamkeit darauf gelenkt habe, dass eine Hälfte der Menschheit sowohl in der akademischen Welt als auch in der Gesellschaft allgemein zum Schweigen gebracht und unsichtbar gemacht worden wäre. Es sei entscheidend gewesen, weil es Analytikerinnen und Analytiker dazu befähigt hätte, den alles durchdringenden Charakter patriarchaler Macht hervorzuheben. Und es sei entscheidend gewesen, weil es die Anerkennung der Existenz materieller Unterschiede und Ungleichheiten erlaubt hätte, die weiterhin weltweit zwischen Frauen und Männern bestünden. Sie schlussfolgert: »Es sind genau diese radikalen und politisch heiklen Auffassungen von ›Frau‹, die aus der gegenwärtig phrasenhaften Diskussion über Geschlecht und Geschlechterverhältnisse verschwinden.«

3 Dass die Vermarktung von Gender-Kompetenz in der Organisationsberatung auch ein Beispiel für die Verwendung der Frauen- und Geschlechterforschung in der gesellschaftlichen Praxis und damit für ihre gesellschaftliche Relevanz und Nützlichkeit ist, thematisiert Wetterer leider nicht. Wetterers Ausführungen sind des Weiteren noch um die Beobachtung zu erweitern, dass der Aufstieg von Gender Mainstreaming nicht nur Frauen motiviert, sich in diesem Beratungsfeld zu professionalisieren, sondern verstärkt auch Männer anspricht, ihre Gender-Kompetenz zu erhöhen und beruflich zu verwerten. Wird nämlich Gender Mainstreaming ernst genommen, so muss dessen Implementation gemischtgeschlechtlich begleitet werden. Gender-sensible Männer sind derzeit jedoch noch ein rares Gut auf dem zugehörigen Beratungs- und Wissensmarkt.

4 Diese Studiengänge zeigen in ihren Selbstbeschreibungen das Berufsfeld der Frauen- und Gleichstellungspolitik sowie zugehöriger Beratungsangebote als eine mögliche außerhochschulische Beschäftigungsperspektive ihrer Absolventinnen und Absolventen auf (Kahlert 2000).

5 Die weitere Diskussion dieser Frage müsste das Zusammenwirken von Frauen- und Geschlechterforschung und gesellschaftlicher Praxis in zwei Richtungen analysieren: zum einen im Hinblick auf die Übersetzung von gesellschaftlichen Problemstellungen in Forschungsfragen und zum anderen im Hinblick auf die Übersetzung von Forschungsergebnissen in gesellschaftliche Praxis (z.B. Beck/Bonß 1989; Gibbons et al. 1994; Bosch et al. 1999; Heinz/Kotthoff/Peter 2001). Die Vertiefung dieser Fragen an dieser Stelle würde jedoch den Rahmen dieses Beitrags sprengen, so dass ich mich auf diesen Hinweis beschränken muss.

Literatur

Alemann, Annette von 2002: *Soziologen als Berater. Eine empirische Untersuchung zur Professionalisierung der Soziologie*, Opladen: Leske und Budrich.

Beck, Ulrich/Bonß, Wolfgang 1989: Verwissenschaftlichung ohne Aufklärung? Zum Strukturwandel von Sozialwissenschaft und Praxis, in: dies. (Hg.): *Weder Sozialtechnologie noch Aufklärung? Analysen zur Verwendung sozialwissenschaftlichen Wissens*, Frankfurt/M.: Suhrkamp, S. 7-45.

Bosch, Aida et al. (Hg.) 1999: *Sozialwissenschaftliche Forschung und Praxis. Interdisziplinäre Sichtweisen*, Wiesbaden: DUV.

Brensell, Ariane 1999: Für eine subjektwissenschaftlich-feministische Kritik neoliberaler Globalisierung, in: *Das Argument*, H. 229, S. 83-90.

Doppler, Klaus/Lauterburg, Christoph 2002: *Change Management. Den Unternehmenswandel gestalten*, 10. Aufl., Frankfurt/M., New York: Campus.

Edding, Cornelia 2000: *Agentin des Wandels. Der Kampf um Veränderung im Unternehmen*, München: Gerling-Akademie-Verlag.

EG-S-MS 1998: *Gender Mainstreaming. Conceptual framework, methodology and presentation of good practices. Final Report of Activities of the Group of Specialists on Mainstreaming* (EG-S-MS), Strasbourg: Council of Europe.

Forrester, Viviane 1997: *Der Terror der Ökonomie*, Wien: Zsolnay.

Gerschlager, Caroline 2000: Konturen des Neuen, in: Paul-Horn, Ina (Hg.): *Entgrenzung und Beschleunigung. Widersprüche und Fragen im Prozeß der Modernisierung*, Wien: Turia + Kant, S. 107-119.

Gibbons, Michael et al. 1994: *The New Production of Knowledge. The Dynamics of Science and Research in Contemporary Societies*, London, Thousand Oaks, New Delhi: Sage.

Grossmann, Ralph et al. 1997: Organisierte Gesellschaft, in: Ders. (Hg.): *Wie wird Wissen wirksam?*, Wien, New York: Springer, S. 43-51.

Hagemann-White, Carol 2000: Krieg und Frieden im Geschlechterverhältnis – für eine neue Geschlechterkultur in Europa, in: Lenz, Ilse/Mae, Michiko (Hg.): *Frauenbewegungen weltweit – Aufbrüche, Kontinuitäten, Veränderungen*, Opladen: Leske und Budrich, S. 233-256.

Hagemann-White, Carol 2001: Von der Gleichstellung zur Geschlechtergerechtigkeit. Das paradoxe Unterfangen, sozialen Wandel durch strategisches Handeln in der Verwaltung herbeizuführen, in: Bretschneider, Falk/Köhler, Gerd (Hg.): *»Autonomie oder Anpassung?« Die Vernetzung von Wissenschaft, Staat und Gesellschaft gestalten*. Die Dokumentation der 20. GEW-Sommerschule, veranstaltet von der GEW im Zusammenarbeit mit der Hans-Böckler-Stiftung und dem Bildungs- und Förderungswerk der GEW, Frankfurt/M., Paris: Gewerkschaft Erziehung und Wissenschaft (GEW), S. 211-223.

Haraway, Donna 1995: Situiertes Wissen. Die Wissenschaftsfrage im Feminismus und das Privileg einer partialen Perspektive, in: dies.: *Die Neuerfindung der Natur. Primaten, Cyborgs und Frauen*, Frankfurt/M., New York: Campus, S. 73-97.

Heinz, Walter R./Kotthoff, Hermann/Peter, Gerd (Hg.) 2001: *Beratung ohne Forschung – Forschung ohne Beratung?*, Münster: Lit.

Holland-Cunz, Barbara 1995: Frauenpolitik im schlanken Staat. Die ›Poetik‹ der lean administration und ihre Realität, in: *Zeitschrift für Frauenforschung*, H. 1+2, S. 16-27.

Höyng, Stephan 2002: Gleichstellungspolitik als Klientelpolitik greift zu kurz. Die Möglichkeiten von Gender Mainstreaming aus dem Blickwinkel von Männern, in: Bothfeld, Silke/

Gronbach, Sigrid/Riedmüller, Barbara (Hg.): *Gender Mainstreaming – eine Innovation in der Gleichstellungspolitik. Zwischenberichte aus der politischen Praxis*, Frankfurt/M., New York: Campus, S. 199-228.

http://www.coe.int/T/E/Human_Rights/Equality/02._Gender_mainstreaming/, Zugriff: 2.1.2004.

http://www.un.org/womenwatch/osagi/gendermainstreaming.htm, Zugriff: 2.1.2004.

Kahlert, Heike 2000: (Aus-)Bildung durch Wissenschaft: Frauen- und Geschlechterstudien als Beiträge zur Hochschulreform, in: *Zeitschrift für Frauenforschung und Geschlechterstudien*, Jg. 18, H. 1+2, S. 5-21.

Kahlert, Heike 2003: *Gender Mainstreaming an Hochschulen. Anleitung zum qualitätsbewussten Handeln*, Opladen: Leske und Budrich.

Kahlert, Heike/Schindler, Delia 2003: Mit Hochschulreform Chancengleichheit herstellen? Gender Mainstreaming zwischen Ökonomisierung und Demokratisierung, in: *die hochschule. journal für wissenschaft und bildung*, H. 2, S. 50-63.

Koch, Joachim 2002: *Megaphilosophie. Das Freiheitsversprechen der Ökonomie*, Göttingen: Steidl.

Kraemer, Klaus 1997: Marktgesellschaft, in: Kneer, Georg/Nassehi, Armin/Schroer, Markus (Hg.): *Soziologische Gesellschaftsbegriffe. Konzepte moderner Zeitdiagnosen*, München: Wilhelm Fink, S. 280-304.

Kreisky, Eva/Sauer, Birgit 1999: Feminismus oder Staat: Frauenpolitik zwischen Skylla und Charybdis?, in: *Österreichische Zeitschrift für Politikwissenschaft*, Jg. 28, H. 1, S. 7-20.

Lyotard, Jean-François 1994: *Das postmoderne Wissen. Ein Bericht*, 3. Aufl., Wien: Passagen.

Maynard, Mary 1995: Das Verschwinden der ›Frau‹. Geschlecht und Hierarchie in feministischen und sozialwissenschaftlichen Diskursen, in: Armbruster, L. Christof/Müller, Ursula/Stein-Hilbers, Marlene (Hg.): *Neue Horizonte? Sozialwissenschaftliche Forschung über Geschlechter und Geschlechterverhältnisse*, Opladen: Leske und Budrich, S. 23-39.

Naschold, Frieder/Bogumil, Jörg 2000: *Modernisierung des Staates. New Public Management in deutscher und internationaler Perspektive*, 2. Aufl., Opladen: Leske und Budrich.

Nickel, Sigrun 2001: Universitäten auf dem Weg zu Public-Profit-Organisationen?, in: *hochschule ost. leipziger beiträge zu hochschule und wissenschaft*, H. 2, S. 167-182.

Pasero, Ursula (Hg.) 2003: *Gender – From Costs to Benefits*, Wiesbaden: Westdeutscher Verlag.

Pelizzari, Alessandro 2001: *Die Ökonomisierung des Politischen. New Public Management und der neoliberale Angriff auf die öffentlichen Dienste*, Konstanz: UVK.

Pellert, Ada 1997: Was ist New Public Management?, in: Grossmann, Ralph (Hg.): *Besser, billiger, mehr. Zur Reform der Expertenorganisationen Krakenhaus, Schule, Universität*, Wien, New York: Springer, S. 68-70.

Tondorf, Karin 2001: Gender Mainstreaming – verbindliches Leitprinzip für Politik und Verwaltung, in: *WSI-Mitteilungen*, H. 4, S. 271-277.

Trallori, Lisbeth N. 2000: Hoch lebe das neoliberale Selbst, in: Krondorfer, Birge/Mostböck, Carina (Hg.): *Frauen und Ökonomie oder: Geld essen Kritik auf. Kritische Versuche feministischer Zumutungen*, Wien: Promedia, S. 105-111.

Wetterer, Angelika 2002: Strategien rhetorischer Modernisierung. Gender Mainstreaming, Managing Diversity und die Professionalisierung der Gender-Expertinnen, in: *Zeitschrift für Frauenforschung und Geschlechterstudien*, Jg. 20, H. 3, S. 129-148.

Ideen, die die Welt verändern wollen: Gender Mainstreaming und Nachhaltigkeit im Dialog[1]

Delia Schindler

Was in diesem Aufsatz versucht wird, firmiert in der Politikwissenschaft üblicherweise nicht als Vergleich. Unter vergleichender Methode wird die systematische Gegenüberstellung z.b. politischer Systeme, Regime oder des politischen Verhaltens verschiedener Bevölkerungen verstanden (Berg-Schlosser/Müller-Rommel 1997; Lauth 2002). Dabei werden bestimmte Dimensionen bzw. Ausprägungen der Untersuchungsgegenstände und ihres Entstehungsprozesses auf Gemeinsamkeiten und Unterschiede hin untersucht, um so Erkenntnisse über Bedingungen, Wirkungen oder ursächliche Zusammenhänge des betreffenden Gegenstandes, zum Beispiel der Funktions- und Wirkungsweise des Wohlfahrtsstaats in verschiedenen Ländern (Kulawik 1999), zu gewinnen. Hier soll ein anderer, aber ganz ähnlicher Weg, Erkenntnisse zu gewinnen, beschritten werden, indem die beiden Ideen Nachhaltigkeit und Geschlechtergerechtigkeit sowie ihre Implementationsweisen miteinander verglichen werden.

Das Leitbild Nachhaltigkeit versucht, stark verkürzt gesagt, das Rätsel lösen zu helfen, wie so gelebt werden kann, dass sich die heutigen Generationen nicht auf Kosten der nachfolgenden Generationen und ihrer natürlichen Lebensgrundlagen entwickeln. Soziale, ökonomische und ökologische Entwicklungsziele sollen somit miteinander vereinbar gemacht werden. Geschlechtergerechtigkeit ist als soziale Dimension im Leitbild Nachhaltigkeit aufgehoben. Es besteht eine Konvergenz des postulierten Ziels mit dem der Gender-Mainstreaming-Strategie, die ebenfalls die Umsetzung von Geschlechtergerechtigkeit und den Wandel politischer und gesellschaftlicher Institutionen anstrebt. Es liegt daher die Frage nahe, ob es ähnliche Probleme bei der Umsetzung gibt.

Bei der mit der Beantwortung dieser Frage verbundenen Parallelisierung soll stets betont werden, dass Nachhaltigkeit und ihre Umsetzung grundsätzlich wesentlich umfassender und komplexer als Gender Mainstreaming ist. Dennoch: Einmal auf den harten Boden der politischen Arenen heruntergebrochen, so die These, können bei beiden Konzepten vergleichbare Problemstellungen beobachtet werden.

Mit der Unterzeichnung des Abschlussdokuments der UNO-Umweltkonferenz in Rio de Janeiro 1992 hat sich auch Deutschland verpflichtet, eine Agenda 21 als Aktionsprogramm für das 21. Jahrhundert zu entwickeln. Insbesondere die Perspektive der ›Lokalen Agenda 21‹ hat es zu einiger Prominenz gebracht, da sie durch ihre Adressierung an die überschaubaren kommunalen Politikstrukturen und Akteurskonstellationen besonders Erfolg versprechend zu sein scheint. Sie weist in ihrem Charakter als anwendungsbezogene Strategie der abstrakten Idee von Nachhaltigkeit Ähnlichkeiten mit Gender Mainstreaming auf und wird deshalb im Folgenden besonders berücksichtigt. Meine Beobachtungen werden zeigen, dass es sich sowohl geschlechterpolitisch als auch forschungsstrategisch lohnen könnte, wenn sich die jeweiligen dazugehörigen wissenschaftlichen Diskurse gegenseitig stärker zur Kenntnis nehmen würden.

Über *das* Konzept von Geschlechtergerechtigkeit und Gender Mainstreaming oder *den* Begriff von Nachhaltigkeit zu schreiben ist gleichermaßen problematisch. Daher geben die nachfolgenden Kapitel 1 und 2 einen kurzen Überblick über die in Frage stehenden Ideen.

Nach diesem Überblick wird in Kapitel 3 zunächst dafür plädiert, Nachhaltigkeit und Gender Mainstreaming konsequent als institutionelle ›Leitbilder‹ zu konzipieren. Auf diese Weise rückt der manchmal als unscharf beklagte, fluide Charakter der Konzepte nicht so sehr als politisches Problem, sondern vielmehr als Chance in den Vordergrund (3.1). Die Querschnittsorientierung (3.2), der Ex-ante-Bezug (3.3) und die Abhängigkeit von einer erfolgreichen Verbindung von Top-down- mit Bottom-up-Prozessen (3.4) werden des Weiteren als gemeinsame Charakteristika identifiziert, die sowohl bei ihrer institutionellen Implementation als auch beim Agenda-Setting besonders berücksichtigt werden müssen. Im Anschluss daran werden Konsequenzen für die Policy-Forschung benannt und Forschungsperspektiven skizziert.

1. Geschlechtergerechtigkeit und Gender Mainstreaming

Gender Mainstreaming als Strategie zur Verwirklichung von Geschlechtergerechtigkeit verdankt seine Geburt der internationalen Frauenbewegung. Es war die Weltfrauenkonferenz in Peking 1995, auf der mit der »Platform for Action« (UN 1996), aufbauend auf den Diskussionsergebnissen der Weltfrauenkonferenz in Nairobi 1985, die Gleichstellung der Geschlechter als Thema aus der politischen Isolation geholt wurde und konkrete Vorschläge zu einer umfassenden und systematischen Integration des Themas in Politik und Forschung gemacht wurden. Erklärtes Ziel von Gender Mainstreaming ist die gesellschaftliche Verwirklichung von Geschlechtergerechtigkeit unter Einbeziehung von Frauen *und* Männern, ist also als Ergänzung zur klassischen Frauenförderung zu verstehen. Es zielt sowohl auf das Design politischer Institutionen als auch auf die von ihnen bearbeiteten Themen und damit verbundenen politischen Prozesse ab.[2]

Der ›diskursive Erfolg‹ von Gender Mainstreaming ist nicht zu verachten: Es ist auf europaischer und nationaler Ebene ebenso wie in der deutschen Modernisierungsdebatte auf kommunaler Ebene in aller Munde Die Aussage, dass ›die Frauenfrage‹ *alle* Menschen betrifft und zentrale Fragen der Gerechtigkeit berührt, ist trotz dieses Bias' inzwischen nicht zuletzt durch die medialen Diskurse in jeder Amtsstube zum Bestandteil von Vorstellungen uber die *political correctness* geworden (vgl den Beitrag von Andresen/Dolling in diesem Band). Freilich hat es sich bei seinen akademischen und politischen Formulierungsprozessen von den Bewegungen abgekoppelt und fortwahrend verandert; es ist deshalb relativ offen fur unterschiedliche Interpretationen

Die Europaische Union praktiziert Gender Mainstreaming intern seit 1996 und verpflichtet seit dem Amsterdamer Vertrag 1999 auch ihre Mitgliedstaaten auf die Anwendung dieses Prinzips. Politische Programme und Aktionsplane wie die Europaische Beschaftigungsstrategie sowie die Vergabe von Subventionen z.B. aus dem Europaischen Regionalfonds und dem Europaischen Strukturfonds sind an das Gender-Mainstreaming-Prinzip gebunden. Der Erfolg dieses Prinzips wird uberwiegend quantitativ mit Indikatoren wie Einkommenshohe von Mannern und Frauen, prozentuale Beteiligung an Entscheidungsprozessen usw gemessen. Die deutsche Bundesregierung hat sich ebenfalls auf die Anwendung von Gender Mainstreaming als durchgangiges Leitprinzip und Querschnittsaufgabe aller Ressorts verpflichtet und begrundet damit u.a. insbesondere die Programme »Frau und Beruf« sowie »Innovation und Arbeitsplatze in der Informationsgesellschaft des 21. Jahrhunderts« (http://www bmbf de/249_1356 html). Der auf allen politisch-administrativen Ebenen zu beobachtende starke okonomistische Bias verweist auf eine zentrale Motivationsfigur der politischen Entscheidungstrager: Geschlechtergerechtigkeit wird vor allem als okonomische Notwendigkeit betrachtet (vgl. auch Schmidt 2001; Kahlert/Schindler 2003).

Selbstverstandlich wird mit der Idee von Geschlechtergerechtigkeit auch der Auftrag verknupft, Chancengleichheit zwischen Mannern und Frauen herzustellen. Damit ist gemeint, dass Manner und Frauen prinzipiell die gleichen sozialen und politischen Partizipationsmoglichkeiten haben sollen. Mit dieser Herstellung von Chancengleichheit ist eine Gleichstellung im Ergebnis nicht zwingend verknüpft.

»Gender Mainstreaming bedeutet, bei allen gesellschaftlichen Vorhaben die unterschiedlichen Lebenssituationen und Interessen von Frauen und Mannern von vornherein und regelmaßig zu berucksichtigen, da es keine geschlechtsneutrale Wirklichkeit gibt«,

so schreibt das Bundesministerium fur Familie, Senioren, Frauen und Jugend in seiner entsprechenden Informationsbroschure (2002. 5) in weit gehender Anlehnung an die Formulierung des Europarats zum Thema (Europarat 1998· 11) Verknupft wird damit die Aufforderung an Organisationen, Verwaltungen und

Unternehmen, eben jene Interessen in ihren Strukturen und prozessualen Arbeits-
abläufen, der Außenkommunikation und im jeweiligen Controlling zu berücksichtigen.[3] Diese Sicht geht davon aus, dass es identifizierbare Interessen *der*
Männer oder *der* Frauen gibt. Das wird in der Frauen- und Geschlechterforschung
offen und kontrovers diskutiert.

2. Die Idee von Nachhaltigkeit und lokaler Agenda 21

Das durch das Leitbild ›Nachhaltigkeit‹ konstituierte Diskurs- und Handlungs-
feld ist von einer Fülle von Konflikten und konkurrierenden Diskursvarianten
geprägt, die sich aus unterschiedlichen Interessen und Wertpräferenzen der jeweils formulierenden Akteure ergeben. Je nach Problemfeld variieren außerdem
die Konflikt- und Akteurskonstellationen (Brand 2002 und 1997; Minsch et al.
1998; Jänicke 2003) und dementsprechend höchst unterschiedliche Umsetzungs-
prozesse sind zu beobachten.

Nach einer Literaturrecherche im Auftrag der EU-Kommission (2003: 6) be-
gann die globale Umweltbewegung mit einer Frau, nämlich der US-Biologin
Rachel Carson, die Anfang der 1960er Jahre die katastrophalen Konsequenzen
des DDT-Einsatzes in der Landwirtschaft beschrieb und zur Beendigung der
Umweltverschmutzung mit diesem Pestizid aufrief. Aus der Idee des Umwelt-
schutzes wurde im Laufe der Jahrzehnte das komplexe und vielschichtige Gedan-
kengebäude ›Nachhaltigkeit‹, das den Schutz der Umwelt nicht mehr nur als Sache
technologischer Problemlösung auffasst, sondern darüber hinaus die Relevanz
und Interdependenz ökonomischer und sozialer Prozesse und ihrer Auswirkungen auf die Lebensgrundlagen und -bedingungen bestehender und zukünftiger
Generationen betont.

Auf der Konferenz der Vereinten Nationen für Umwelt und Entwicklung
(UNCED) in Rio de Janeiro 1992 wurde neben einer ganzen Reihe von Konven-
tionen auch das »Aktionsprogramm für das 21. Jahrhundert ›Agenda 21‹« unter
reger Beteiligung von Nichtregierungs-, insbesondere Umweltorganisationen
verabschiedet.[4] Sie ist der feste Bezugspunkt aller Debatten, weil sie einen institutionellen Rahmen anbietet, mit dem trotz der von den AutorInnen konstatierten
vorrangigen Orientierung kollektiver und individueller Akteure an kurzfristigen
Zielen und Interessen eine nachhaltige Gemeinwohlorientierung im globalen
Maßstab gewährleistet werden soll. Sie schlägt unter anderem eine Mehrebenen-
Steuerung vor und macht Vorgaben für einzelne Handlungs- und Problemfelder.
Sie stellt Unternehmen, Wissenschaft und Kommunen konkrete Aufgaben und
formuliert Entwicklungsziele wie die Reduzierung von Flächenverbrauch.

Die naturwissenschaftliche Herkunft der Nachhaltigkeitsidee haftet ihr bis heute an: Zwar betonen Drei-Säulen-Modelle, dass die ökologischen, ökonomischen und sozialen Dimensionen von Gesellschaften in einem Abwägungsprozess miteinander in Einklang gebracht werden müssen (Umweltbundesamt 1997; Bundestag 1998). Jedoch wird letztere Dimension häufig sowohl politisch als auch in der Forschung vernachlässigt.[5] Daher stehen dem Drei-Säulen-Modell integrative Sichtweisen gegenüber, die Fragen der intragenerativen Gerechtigkeit, der Nord-Süd-Gerechtigkeit, Forderungen nach einem Eigenrecht der Natur, die Dimension des subjektiven Wohlbefindens und Forderungen nach stärkeren Partizipationsrechten der KonsumentInnen und BürgerInnen deutlicher betonen. Damit tragen sie vor allem der Interdependenz der Probleme und ihrer Lösungsmöglichkeiten stärker Rechnung (vgl. die Jahresberichte der Helmholtz-Gemeinschaft Deutscher Forschungszentren). Mit dem Amsterdamer Vertrag und dem so genannten Cardiff-Prozess soll Nachhaltigkeit in Europa verwirklicht werden.[6]

Insgesamt tendiert die Literatur zu einer negativen Beurteilung der bisherigen Implementation. So konstatiert zum Beispiel Hahne, dass weder »die Verteilungsfragen ernsthaft vorangebracht noch die Plünderung des Planeten nennenswert verringert worden« sei (2002: 21).

Zwar kann für die reichen Länder der Erde festgestellt werden, dass sie den Nachhaltigkeitsgedanken in diversen Umweltplänen, Nachhaltigkeitsräten und -strategien berücksichtigt haben. So verfügt Deutschland beispielsweise über eine nationale Nachhaltigkeitsstrategie.[7] Jedoch liegt häufig der Verdacht nahe, dass zur deutschen Nachhaltigkeitsstrategie auch die Aufzählung von Programmen und Projekten gehört, die ohnehin verabschiedet waren und nachträglich das neue Label ›Nachhaltigkeit‹ erhalten haben.

2.1 Geschlechtergerechtigkeit und Nachhaltigkeit

Die Idee der Geschlechtergerechtigkeit ist im Nachhaltigkeitskonzept von Anfang an enthalten gewesen und wurde anfangs unter der Überschrift ›Frauen und Entwicklung‹ ausbuchstabiert. Schon 1985 hatte die Weltfrauenkonferenz von Nairobi Geschlechtergerechtigkeit an konkreten Entwicklungsmodellen diskutiert (Thorn 2002: 40). Eine wesentliche Kritik am Mainstream der Nachhaltigkeitsdebatte, die 1991 auf dem »Weltfrauenkongress für einen gesunden Planeten« formuliert wurde, lautete zum Beispiel, dass er mit dem Begriff der nachhaltigen Entwicklung das westliche Modell von wirtschaftlicher Entwicklung fortführe. Dies sei aber dasselbe Modell, das aus Sicht der Frauen des Südens überhaupt erst zur weltweiten Bedrohung der Lebensgrundlagen geführt habe (Weller 1999: 10). Ein weiterer Einwand gegen die im Mainstream diskutierten Konzepte war, dass ein Großteil der Verantwortung für die Umsetzung umweltverträglichen Handelns an die Privathaushalte verwiesen werde, was zu einer Feminisierung der Umweltverantwortung führe. Darüber hinaus wurde und wird die vermeintlich objektive, naturwissenschaftlich-quantitative Basis der Indikatoren des Leitbildes in Frage gestellt, die zum Beispiel Fragen der Lebens*qualität* unterschlage. Diese Kritik schlug sich 1992 freilich ebenso wenig in der Formulierung der deutschen Nachhaltigkeitsstrategie wie in der Formulierung des »Globalen Aktionsplans für Frauen zur Erzielung einer nachhaltigen und gerechten Entwicklung« in der Agenda 21 nieder. Übrigens schweigt hierzu auch die drei Jahre später formulierte und oben angeführte »Platform for Action« der Pekinger Weltfrauenkonferenz, die sich unter der Überschrift »Women and Environment« explizit auf die Agenda 21 bezieht.

Erst jüngst zeichnet sich auch im deutschsprachigen wissenschaftlichen Diskurs ein Zusammendenken ab. »Geschlechterverhältnisse und Nachhaltigkeit – Zeit für eine Erweiterung der Perspektive« lautete der Titel einer Workshop-Reihe, die 2001 bis 2002 im Umweltbundesamt veranstaltet wurde (Hofmeister et al. 2002) und das Feld der zur Untermauerung des Leitbilds erforderlichen Forschung aus »geschlechtersensibler« Sicht absteckt.[8] Konstatiert wurde dabei, dass zwar eine Reihe von empirischen Fallstudien aus der geschlechtersensiblen Nachhaltigkeitsforschung zu Einzelaspekten vorliegt (Weller/Hayn/Schultz 2002; Schön/Keppler/Geißel 2002; Jungkeit et al. 2002), weitergehende Überlegungen zur Theorieentwicklung und systematischen Fundierung der Bezüge zwischen Nachhaltigkeit und Geschlechterverhältnissen innerhalb der gesellschaftlichen Naturverhältnisse jedoch noch ausstehen.[9]

Politisch gesehen ist die Geschlechterfrage obligatorischer Bestandteil der Nachhaltigkeits-Debatte, kommt aber häufig über die bloße Nennung als »geschlechterübergreifende Gerechtigkeit« kaum hinaus und lässt jeden Hinweis auf eine Verknüpfungsmöglichkeit mit der Strategie des Gender Mainstreamings vermissen. Die Perspektive der deutschen Nachhaltigkeits-Strategie auf die Geschlechterfrage heißt ›Familienförderung‹ (Bundesregierung 2004). Die konkreteste der in diesem Zusammenhang formulierten Zielvorgaben lautet, bis zum Jahr 2010 für 30 Prozent der Kinder Ganztagsbetreuungsangebote zur Verfügung zu stellen. Geschlechtergerechtigkeit wird in der Strategie lediglich an einem Punkt explizit gemacht: Als Indikator wird das Verhältnis der Bruttojahresverdienste von Frauen und Männern erfasst, ein Datum, das im Rahmen des Gender Mainstreamings ohnehin europaweit erhoben werden muss (s.o.). Dieser Indikator ist durch die ökologischen Ökonominnen und ihr Netzwerk »Vorsorgendes Wirtschaften« kritisiert worden. Sie regen zusätzlich an, zumindest auch die unterschiedlichen Zeitbilanzen von Männern und Frauen als Indikator hinzuzuziehen (Biesecker 2000).

2.2 Feministische Lokale Agenda 21

Die Lokale Agenda 21 kann analog zum Gender Mainstreaming als Agenda 21 Mainstreaming-Strategie bezeichnet werden. Mit der in Kapitel 28 der Agenda 21 beschriebenen Lokalen Agenda 21 wird den Kommunen vorgeschlagen, in einen Dialog mit den BürgerInnen und gesellschaftlichen Gruppen zu treten, um ein kommunales Aktionsprogramm, eine lokale Agenda, zur Förderung nachhaltiger Entwicklung zu erarbeiten und umzusetzen. Diese Agenden können als topdown initiierte Bottom-up-Prozesse verstanden werden. Das heißt: Der Staat soll sich selbst organisierende Prozesse in Gang setzen. Was im Einzelnen ›nachhaltige Entwicklung‹ heißen soll, wird mit Verweis auf die abstrakten, oben genannten diversen Gerechtigkeitsprinzipien und Dimensionen der Aushandlung vor Ort überlassen.

Diese lokale Ebene des politischen Systems wird deshalb als zentral angesehen, weil hier »gewirtschaftet, gebaut, geheizt, gegessen [wird, D.S.], hier finden menschliche Begegnungen statt, man fährt los und kommt an [...]« (ICLEI 1998: 20; vgl. auch Brand et al. 2001). Die lokale Ebene ist den Menschen am nächsten, daher scheinen Veränderungsprozesse hier auch am leichtesten umsetzbar. »Die lokale Ebene ist letztlich für die Umsetzung entsprechender Politiken entscheidend. Hier kommt es darauf an, dass staatliche Regelungen und Maßnahmen von der Kommunalverwaltung implementiert werden«, so Heinelt (2000: 53), der lokale Agenda 21-Prozesse als Paradebeispiele für ›good governance‹ betrachtet.

Auf Bewegungsseite, den feministisch inspirierten Lokalen Agenda 21-Prozessen in Deutschland, herrscht demgegenüber vor allem Stille – obwohl in den umweltpolitischen und nachhaltigkeitsorientierten und global operierenden Nichtregierungsorganisationen Frauen den größten Anteil der an der Basis aktiven Mitglieder stellen.[10]

»Bislang gibt es nicht einmal ansatzweise eine systematische Erfassung oder empirische Erkenntnisse a) zu den Geschlechterverhältnissen in der Organisations- und Arbeitsstruktur von Natur- und Umweltschutzorganisationen und b) zu den Geschlechterbezügen (real und potenziell) in der fachlich-inhaltlichen Programmatik und Projektarbeit sowie bei den politisch-strategischen Aktivitäten solcher Organisationen«,

resümieren Katz et al. (2003: 39; vgl. auch Weller 1998). Ausgerechnet diejenige politische Ebene, auf der der größte Handlungsspielraum für nachhaltige Veränderungsprozesse zu bestehen scheint, liegt geschlechterpolitisch gesehen brach. Mit anderen Worten: Die lokale Agenda 21 benötigt dringend ein Gender Mainstreaming.

3. Problemlagen bei Implementation und Agenda-Setting

Wie oben deutlich geworden sein soll, zielen sowohl Nachhaltigkeit als auch Gender Mainstreaming auf zwei Ziele ab: Einerseits sollen die ihnen innewohnenden Ideen in das Design der politischen Institutionen und Organisationen aufgenommen werden. Andererseits sollen alle von ihnen bearbeiteten Themen ›durch die Brille‹ der Nachhaltigkeit bzw. Geschlechtergerechtigkeit gesehen werden. Meine These ist nun, dass beide Konzepte sowohl bei der Implementation, mit der ein Institutionenwandel angestrebt wird, als auch beim Agenda-Setting im politischen Prozess ähnliche Probleme aufweisen. Dies wird nachfolgend begründet.

3.1 Fluider Charakter der Konzepte

Wie oben dargestellt, zeichnen sich beide Konzepte durch ihren eigentümlich fluiden, formbaren Charakter aus, der eine Reihe unterschiedlicher Interpretationen kompatibel macht. Das wird in der Literatur häufig als Implementationsproblem gesehen, weil bei der Implementation ein Bedarf an konkreten Handlungsanweisungen besteht: Nur wer weiß, was Geschlechtergerechtigkeit im Einzelnen bedeutet, kann konkret in einer Institution entsprechende Maßnahmen ergreifen.

Die vielfältigen Interpretationsmöglichkeiten ergeben sich beim Nachhaltigkeitskonzept nicht nur aus der Unmöglichkeit, über jede einzelne Dimension gesellschaftspolitischen Konsens herzustellen, sondern auch aus der Unsicherheit sich wandelnder naturwissenschaftlicher Erkenntnisse, mit denen Umweltschutzbelange untrennbar verknüpft sind: Was heute noch als ungefährlich oder ungefährdet gilt, kann schon morgen als hochgiftig oder bedroht eingestuft oder uminterpretiert werden. Hinzu kommt der sich zum Teil über mehrere Generationen erstreckende Zeithorizont der Nachhaltigkeits-Idee. So lag es für ihre ProtagonistInnen frühzeitig nahe, Nachhaltigkeit weniger als Strategie, sondern als Leitbild zu betrachten. Von ihm werden keine konkreten Handlungsanleitungen oder ein theoretischer Debattenschluss erwartet (NEDS 2003). Leitbilder sind regulative Ideen, aus denen sich keine konkreten Gestaltungsvorschriften quasi automatisch ableiten lassen. Ihre Stärken können darin liegen, eine gewisse Konstanz in der Verknüpfung von Bedeutungsfeldern von Themen zu gewährleisten und Akteure bezüglich einer wünschbaren Zukunft zu vergewissern. Leitbilder erfüllen eine Koordinationsfunktion,

»die anders kaum mehr geleistet werden kann. Durch die symbolisch-sinnfällige Bündelung konkurrierender Positionen lassen sich spezialisierte Expertendebatten in öffentliche Leitbild-

Diskussionen transformieren und demokratischen Entscheidungsprozessen zugänglich machen«,

argumentiert ähnlich Brand (1997: 11).

Die Lokale Agenda 21 wird in dieser Perspektive als ein institutionelles Leitbild für den kommunalen Kontext verstanden.

Auf Gender Mainstreaming übertragen bedeutet die eben aufgefächerte Argumentation: Wird Gender Mainstreaming als institutionelles Leitbild betrachtet, ist seine Beschreibung als fluides Gebilde keineswegs ein Manko. Im Gegenteil: Die der Strategie eingeschriebene Idee der Geschlechtergerechtigkeit kann so innerhalb eines bestimmten Bedeutungskorridors (Geschlechtergerechtigkeit kann zwar vieles, aber nicht alles bedeuten) seine Funktion zur paradigmatischen Selbststeuerung erfüllen. Und das, obwohl lediglich Konsens über ein wie auch immer definiertes, dennoch erstrebenswertes (abstraktes) Ziel herrscht. Das partizipatorische Prozedere, in dem der im Einzelnen gewünschte Soll- im Gegensatz zu einem Ist-Zustand formuliert und mit Ideen über adäquate institutionelle Maßnahmen verbunden wird, schließt sich an das viel abstraktere Leitbild erst an – und ist ihm nicht vorgelagert, wie es in manchen Debatten der Wunsch zu sein scheint. Dies heißt nichts anderes, als dass Gender Mainstreaming in seinem jeweiligen institutionellen Kontext zunächst der Definition bedarf und erst dann entfaltet werden kann.

Mit dieser Funktionsweise sind mindestens drei Probleme verknüpft:

— Ihre starke Kontextabhängigkeit macht die Konzepte eher ungeeignet für ›best-practice‹-Wettbewerbe, die allerdings sowohl in der Nachhaltigkeit, als auch beim Gender Mainstreaming weit verbreitet sind. Was gute Praxis in einer bestimmten Institution eines bestimmten Landes sein kann, mag in einer anderen überhaupt nicht funktionieren. Das lokale Wissen und die lokalen Machtkonstellationen sind daher unbedingt immer zu berücksichtigen.

— Zum anderen bringt das eine gewisse Ergebnisoffenheit mit sich. Diese kann Symbolpolitik Vorschub leisten und treibt manchmal seltsame Blüten: In der politischen Nachhaltigkeitsdebatte ist es beispielsweise keine Seltenheit, dass der Bau von Autobahnen als nachhaltig bezeichnet wird, weil sie Menschen ermöglichen, schneller und damit ›besser‹ an ihre Arbeitsplätze zu kommen, was dann in der politischen Rhetorik als Einlösung der sozialen und ökonomischen Dimension von Nachhaltigkeit verkauft wird.

— Darüber hinaus ist ein Leitbild anfällig gegenüber dem »kulturellen Differenzierungsargument« (Brand/Fürst 2002: 74), das besagt, dass postmoderne Gesellschaften gar nicht mehr in der Lage sind, gesellschaftlich verbindliche Leitbilder hervorzubringen. Dem kann entgegengehalten werden, dass Leitbilder gerade in komplexen Situationen und Kontexten eine Koordinierungsfunktion übernehmen, die auf andere Weise nicht erbracht werden kann.

3.2 Querschnittsorientierung

Ein Charakteristikum von Gender Mainstreaming ist, dass die Strategie quer zur formalen politisch-administrativen Institutionenordnung ansetzt, in der die Akteure gewohnt sind, zu bearbeitende Themen in kleine Ressorthäppchen zu zerschlagen. Dies bringt spezifische Probleme für den angestrebten Institutionen- und Policy-Wandel durch Gender Mainstreaming und Nachhaltigkeit mit sich.

Zum einen setzt dies voraus, dass Akteure, die üblicherweise keine Informationen miteinander austauschen, ins Gespräch kommen und sich auch noch in der Regel nicht freiwillig auf ein gemeinsames Handlungsprogramm verständigen (Stichwort »Negative Koordination«, Benz/Scharpf/Zintl 1992).

Zum anderen ist zu beobachten, dass Gender Mainstreaming für den Versuch missbraucht wird, Frauenförderstellen mit dem Argument abzuschaffen, das Thema sei ja jetzt Querschnittsthema und benötige keine spezielle Bearbeitung mehr (Schmidt 2001: 58). Wenn Frauengleichstellungsstellen gegen Gender Mainstreaming ausgespielt werden, und damit ›Frau‹ unter ›Gender‹ subsumiert wird, führt dies zu einem ›Verschwinden der Frauen‹ und dazu, »dass wieder einmal das Leben von Frauen als legitimes Forschungsthema aus den Augen verloren wird« (Maynard 1995: 24). Dieser Gefahr unterliegt auch die Nachhaltigkeits-Idee seit Formulierung der nationalen Nachhaltigkeitsstrategie: So wird zumindest in der Agenda 2010, der so genannten »Innovationsoffensive« der Bundesregierung, keine einzige Silbe über Nachhaltigkeit im oben genannten Sinne verloren.

Gemeinsam ist beiden Leitbildern, dass sich ihnen im Zuge der in vielen Bundesländern bereits weit getriebenen Verwaltungsmodernisierung ein *window of opportunity* zu öffnen schien. Sie ist jedenfalls der Grund, weshalb einige Autorinnen aus der einschlägigen Forschung es für möglich hielten, dass die Verwaltungsmodernisierung Gender Mainstreaming als modernisierende Strategie zum Zuge kommen lässt (Wiechmann/Kißler 1997). Die Erfahrungen mit dem Nachhaltigkeitsdiskurs legen dies bislang nicht nahe. Zwar waren auch hier die Hoffnungen groß, sich an die ohnehin anstehenden institutionellen Veränderungsprozesse über die so genannten Neuen Steuerungsmodelle (NSM) in den Verwaltungen andocken und die Initiierung von Agenda 21-Initiativen verstärken zu können. Jedoch kommt z.B. Kopatz zu dem Schluss:

»Instrumente des NSM, die für die Nachhaltigkeit höchst interessant wären, werden bisher bei der Umsetzung [...] vernachlässigt. Beispielsweise wird das Instrument ›Leitbilddiskussion‹ im Rahmen des NSM grundsätzlich genannt, jedoch nur in seltenen Fällen angewendet [...] Im Rahmen der Modernisierungsdiskussion wurde deshalb bisher keine aktive Rolle der Verwaltung auf dem Weg zur nachhaltigen Entwicklung definiert, und es werden weder Visionen noch Zukunftsentwürfe entwickelt« (2002: 48).

Während in der Gender Mainstreaming-Forschung ein breites Spektrum von Politikfeldern schon deshalb in Augenschein genommen wird, weil ein Schwerpunkt der Beobachtung auf seiner Implementation (bzw. der Implementationsverweigerung, vgl. den Beitrag von Sabine Lang in diesem Band) in den Verwaltungen der Kommunen und Länder, Gewerkschaften und anderen Organisationen liegt, wird der ›Querschnitt‹ in der Nachhaltigkeit bislang noch anders gelegt: Hier werden vorzugsweise bestimmte gesellschaftliche Handlungsfelder wie Stadtentwicklung oder Mobilität oder Wirtschaftsfelder wie Landwirtschaft in Augenschein genommen, um dann im Anschluss an eine grundlegende Integration der ›Gender-Perspektive‹ bestimmte Forderungen an die entsprechenden Policy-Felder zu formulieren. Beispiele hierfür sind u.a. die Verkehrsplanung oder die so genannte ›Konsumwende‹.

3.3 Ex-ante-Orientierung

Zwar haben sich die wichtigsten europäischen, unter ihnen auch eine Reihe von deutschen Kommunen verpflichtet, lokale Agenda 21-Prozesse zusammen mit den BürgerInnen zu initiieren. Das hat aber bislang – abgesehen von meistens finanziell schlecht gestellten Projektstellen zur Nachhaltigkeit in den einzelnen Stadtverwaltungen – noch selten zu einer konkreten, Politikprozessen vorgelagerten Berücksichtigung des Leitbildes geführt (ifeu/BKR 2002).

Der häufigste Weg, auf dem das Thema Nachhaltigkeit im kommunalen Kontext relevant wird, ist immer noch der Protest der BürgerInnen z.B. bei konkreten Bauvorhaben. Das bedeutet, dass die Nachhaltigkeitsidee beim Policy-Output nur korrektiv statt konstitutiv wirksam werden kann.[11] Dieses Phänomen ist aus der Forschung über Frauen- und Gleichstellungsbeauftragte wohl bekannt. Auch sie werden häufig erst am Ende eines Entscheidungsprozesses hinzugezogen, was automatisch zu einer Engführung der Querschnittsperspektive ›Gender‹ führt. Gender Mainstreaming soll dieses Defizit beheben, indem es dazu auffordert, die Gleichstellung der Geschlechter als Organisationsziel zu betrachten und zu formulieren. Nur so kann gewährleistet werden, dass sich alle Organisations- bzw. Institutionsmitglieder mit den Auswirkungen ihrer Arbeit auseinander setzen. Dies herbeizuführen gehört allerdings zu den schwierigsten Aufgaben für die Aktiven (Schmidt 2001: 51).

Buckingham-Hatfield (1999) weist in ihrer Studie über Agenda-Prozesse in England darauf hin, dass sich diese Prozesse im intermediären Bereich des politischen Systems abspielen, zwischen freiwilligem politischem Engagement und Regierungssystem. Da Frauen aber in den Regierungssystemen häufig unterre-

präsentiert sind, verbleiben Engagement und Thema häufig dort, wo sie herkom-
men und werden eben nicht in konkrete Policies transformiert.

Die Schwierigkeit MitstreiterInnen zu gewinnen, bevor das Problem überhaupt
definiert ist, führt in der Nachhaltigkeit zu dem Bemühen, partizipatorische
Modelle unter der Überschrift von ›governance‹ stärker in den Blick zu nehmen.

Anders als bei Gender Mainstreaming, wo beispielsweise über Gender Trainings versucht wird, die grundlegende Einsicht und das Wissen über die gesellschaftliche Geschlechterasymmetrie zu vermitteln und institutionelle Verände-
rungsstrategien darauf aufzubauen, geht die Nachhaltigkeitsdebatte zurückhal-
tender mit dem Begriff des Wissens um: Zwar wird Wissen als eine zentrale
intervenierende Variable gesellschaftlichen Handelns anerkannt.[12] Doch fühlt
man sich hier aufgrund der immer bewussten Abhängigkeit von naturwissen-
schaftlich produziertem Wissen, beispielsweise über toxische Werte oder ursächliche physikalische Zusammenhänge, und neuerdings aus der erstarkenden Debatte
um die soziale Konstruktion von (wissenschaftlichem) Wissen und seinen Grundlagen stärker auf schwankendem Boden.

Aus der Einsicht in die Relevanz von gesellschaftlichen Suchprozessen bei
der Ausformulierung und konkreten Gestaltung einer so abstrakten Idee wie der
Nachhaltigkeit resultiert eine immense Neugierde auf diskursanalytische Verfahren
(Brand/Jochum 2000), ihre Verknüpfung mit akteurs- und handlungstheoreti-
schen Perspektiven sowie in der Konzeption von Institutionen als lernende Organisationen. Letztere werden als *der* zentrale Typus von politischen Akteuren
betrachtet.

Dabei spielt der Begriff »Diskurs« – entweder Foucault'scher oder Haber-
mas'scher Prägung – eine zentrale Rolle. Die Frage, wie über diskursive Praktiken oder argumentative Prozesse gesellschaftliche Realität hergestellt wird, führt
zu mikropolitischen Sichtweisen und einer Vorstellung des »doing nature« (z.B.
Bauriedl/Höhler 2003). Es muss nicht besonders betont werden, dass dies ein
Feld ist, auf dem Nachhaltigkeits-ForscherInnen von den Diskursverläufen der
Frauen- und Geschlechterforschung lernen können. Der allzu oft aus Texten der
Nachhaltigkeitsforschung herauszulesende klammheimliche Objektivismus z.B.
in Form von unhinterfragten Kategorien wie ›Natur‹ und ›Umwelt‹ könnte damit
aufgebrochen werden (NEDS 2003).

3.4 Verbindung von Top-down- und Bottom-up-Prozessen

Gender Mainstreaming steht als Top-down-Strategie vor der Herausforderung
der Integration von Bottom-up-Strategien zur legitimatorischen und motivationa-
len Verankerung in den betreffenden Institutionen. Zu den zentralen Mechanis-

men bei der Implementierung von Gender Mainstreaming gehört die Ermutigung zur Partizipation und Identifikation (Schmidt 2001: 53). Die eben schon angesprochenen geschlechtersensibilisierenden Trainings bzw. Gender Trainings sollen AkteurInnen eine Gender-Kompetenz vermitteln. Derartige, auf die konkreten einzelnen AkteurInnen bezogenen Strategien, sind in der Nachhaltigkeit bislang selten. Als Grund hierfür gilt insbesondere der überwiegend ehrenamtlich in den Institutionen und Organisationen zu leistende Aufwand in lokalen Agenda-Prozessen. So schreibt Röhr:

»Alle reden davon mit glänzenden Augen, bei jeder Frage nach Veränderung, bei jeder neuen Forderung wird man/frau auf die Agenda und den tollen bürgerInnennahen Prozess verwiesen. Aber keiner redet davon, wer diesen enormen Arbeitsaufwand – Mitarbeit in Foren, an Runden Tischen, in Arbeitsgruppen, in Unterarbeitsgruppen, Recherchen, Schreiben von Papieren etc. – eigentlich leisten kann oder soll und vor allem nicht darüber, was denn nun passiert, wenn die Lokale Agenda 21 entwickelt ist« (1999: 180).

In der jüngeren Nachhaltigkeitsforschung wird zwar in entsprechenden Ausschreibungstexten und Projektbewilligungen ganz im Sinne des Gender Mainstreamings festgelegt, dass ›die Geschlechterfrage‹ auch bei Themen gestellt werden soll, die auf den ersten Blick keinen geschlechtsspezifischen Problemgehalt haben. Jedoch kann dies nicht verhindern, dass eben doch ›die Frau‹ im Projekt dazu ›verdonnert‹ wird, dieses Thema – etwa durch Anreicherung mit den entsprechenden statistischen Daten – zu bearbeiten. So läuft der von oben angestoßene Prozess nicht selten ins Leere oder wird mit Symbolpolitik beantwortet.

Gender Mainstreaming erstreckt sich außerdem nur auf einen gesellschaftlichen Ausschnitt. Die Grenzen der Diffusion des Leitbildes stimmen bislang jedenfalls mit den Grenzen zwischen politischen Institutionen und privaten Organisationen überein. In den Unternehmen existieren die Leitbilder, wenn überhaupt, ausschließlich als freiwillige Selbstverpflichtung ohne jede Sanktionsmöglichkeit.[13] Auch wenn es bislang keine systematisch erhobene Übersicht gibt, kann für die Nachhaltigkeits-Idee zumindest konstatiert werden, dass sie als Lokale Agenda 21 bottom up in einer Reihe von deutschen Kommunen und Unternehmen funktioniert und sich daher auch auf den dritten Sektor und die Privatwirtschaft erstreckt – häufig ohne Anstoß von ›top down‹.[14]

4. Forschungsperspektiven

Geschlechtergerechtigkeit gehört zur sozialen Dimension von Nachhaltigkeit und damit zu einer Gattung von Vorstellungen einer ›gerechteren‹ Welt, die als Erstes unter die Räder ökonomischer Notwendigkeiten in Zeiten der »Globalisie-rung« gerät. Das ist mit Gender Mainstreaming nicht anders.

Dennoch zeigten sich bei meiner Analyse einige Ansatzpunkte, die eine Er-weiterung des Blickwinkels in der Forschung und eine möglicherweise damit verbundene Optimierung der Anwendung in konkreten Situationen des Instituti-onenwandels möglich scheinen lassen.

1) Die Initiierung beider Konzepte ging vor allem von internationalen sozialen Bewegungen aus, einerseits der Umwelt-, andererseits den Frauenbewegungen. Für beide Konzepte kann ein relativ erfolgreiches Agenda-Setting internationaler Regime für die nationalstaatlichen Politiken konstatiert werden, und zwar auf Politikfeldern, die üblicherweise als ›weich‹ bezeichnet werden. Dieses Phäno-men legt für die international vergleichende Policy-Forschung nahe, einerseits die Umsetzung in den einzelnen Staaten vergleichend zu beobachten, und sich gleich-zeitig der Frage zu widmen, ob auch aus dem Vergleich des Formulierungsprozes-ses beider Konzepte strukturelle Erfolgsbedingungen herausdestilliert werden können. Wie ist dieses Phänomen des Erfolgs zu erklären? Hilfreich hierbei könnte das Framing-Konzept von Keck/Sikkink (1998; vgl. auch Locher 2004) aus dem EU-Kontext sein, die auf das wichtige Zusammenspiel von Femokratinnen/femini-stischen Politikerinnen, Akademikerinnen/Expertinnen sowie Nicht-Regierungsor-ganisationen in einem ›samtenen Dreieck‹ (»velvet triangle«) hingewiesen haben.

2) Es wurde dafür argumentiert, Geschlechtergerechtigkeit und Nachhaltig-keit als abstrakte Leitbilder zu begreifen, die konsens- und damit handlungser-möglichend sind und deren vielfältig zu interpretierenden Dimensionen für ihre Funktionen existenziell sind und in ihrem je spezifischen Kontext konkret aus-formuliert werden müssen.

Im Anschluss daran ist zu fragen, welche Funktionen Leitbilder haben kön-nen, wie sie wirken, wie sie zustande kommen und wer an ihrer Ausformulierung beteiligt ist. Damit ist nicht allein ihr Ursprung in den internationalen Umwelt-bewegungen und -Regimen gemeint. Für die Policy-Forschung ist insbesondere im konkreten lokalen Kontext interessant, unter welchen Bedingungen politische Steuerung mit Leitbildern möglich ist und wie die Leitbilder konkret mit Leben gefüllt werden. Leitbilder müssen leiten können, damit sie funktionieren – das setzt die grundsätzliche Bereitschaft der handelnden Individuen voraus, sich auf sie zu beziehen. Die sozialwissenschaftliche Nachhaltigkeitsforschung schlägt einerseits vor, hierfür an die Organisationssoziologie anzuknüpfen, die sich u.a. mit Fragen individuellen Lernens und organisationalem Lernen befasst. Anderer-seits wird mit einem starken Bezug auf diskurstheoretisch inspirierte Konzepte deliberativer Policy-Analyse gearbeitet (Hajer/Wagenaar 2003). Ein nahe liegen-des policyanalytisches Konzept ist bei Nullmeier/Rüb 1993 (für eine Kritik Henninger 2004) zu finden, das Wissensmärkte zur Erklärung politischen Handelns entwirft.[15]

3) Meine Nebeneinanderstellung beider Konzepte hat gezeigt, dass sich beide Strategien an kleinere, überschaubare Einheiten richten: Die Nachhaltigkeitsidee richtet sich (erst top down, dann) bottom up über die Agenda 21 an die lokale Politikebene unter starker Einbeziehung zivilgesellschaftlicher Akteure, Gender Mainstreaming top down vor allem an konkrete Organisationen wie einzelne Verwaltungen oder Unternehmen. Diese Adressierung macht beide Konzepte meines Erachtens miteinander strategiefähig: Lokale Agenda 21-Initiativen könnten geschlechterpolitisch gesehen zur Bottom-up-Verankerung von Gender Mainstreaming herangezogen werden. Politisch betrachtet benötigen die lokalen Agenda 21-Initiativen jedenfalls ein Gender Mainstreaming, soll die inter- und intragenerative Gerechtigkeit nicht wieder nur für die männliche Hälfte der Bevölkerung gelten. Es ist zumindest denkbar, dass Gender-Mainstreaming-Prozesse unter Einbeziehung von lokalen Agenda 21-Prozessen bzw. seinen AkteurInnen gestärkt und ausgedehnt werden könnten.

Für die Forschung zu Gender Mainstreaming bedeutet dies, auch (feministische) Lokale Agenda 21-Initiativen zu berücksichtigen, denn hier finden möglicherweise künftig Mainstreaming-Prozesse unter dem Label von Agenda-Prozessen statt.

4) Des Weiteren müsste eine verstärkte politikwissenschaftliche Stadt- und Regionalforschung die – sowohl beim Gender Mainstreaming, aber noch stärker bei der Lokalen Agenda 21 – vertretene These überprüfen, inwieweit die lokale Maßstabsebene tatsächlich zu Hoffnungen auf Geschlechter und Generationen übergreifende Gerechtigkeit innerhalb der Gesellschaften berechtigt: Die derzeit unter dem Stichwort ›Globalisierung‹ diagnostizierte zunehmende transnationale Verflechtung von Politikstrukturen und Wirtschaftsräumen schürt diese Hoffnungen meines Erachtens nicht gerade.

Anmerkungen

1 Dieser Artikel entstand im Rahmen des vom Bundesministerium für Bildung und Forschung finanzierten Forschungsprojekts »Nachhaltige Entwicklung zwischen Durchsatz und Symbolik – Leitbilder der ökonomischen Konstruktion ökologischer Wirklichkeit in europäischen Regionen« (NEDS), Förderkennzeichen 624-40007-07 NGS 11. Für die kritische Kommentierung der Erstfassung dieses Artikels danke ich Tanja Mölders.

2 Gender Mainstreaming ist auch in ökonomischen Organisationen anwendbar. Ein systematischer Überblick hierzu steht noch aus.

3 Für einen Überblick über zentrale Argumente der Begründung von Gender Mainstreaming vgl. Stiegler 2000 und 2002.

4 Die Unterzeichner-Staaten haben sich zwar zu entsprechender Berichtslegung verpflichtet, dennoch hat das Dokument keinen völkerrechtlichen Status. Die Folgen, die sich daraus ergeben, sind eine große Offenheit der Interpretation und Anfälligkeit für Symbolpolitik (Jänicke 2003). Gleiches gilt für die 1994 von 80 Kommunen auf der »Europäischen Konferenz über zukunftsbeständige Städte und Gemeinden« unterzeichneten Charta von Aalborg, in der der Wille zur Initiierung und Stärkung lokaler Agenda 21-Programme bekräftigt wurde.

5 Die Nachhaltigkeitsforschung hat bis heute einen starken natur- und technikwissenschaftlichen Bezug, der allerdings nach und nach durch die Geografie und (ökologische) Ökonomik erweitert wurde (vgl. auch Linne/Schwarz 2003). Für Forschungsschwerpunkte vgl. Weller (1999:12). Die vergleichende internationale Perspektive nimmt dabei großen Raum ein. Eine sozialwissenschaftliche Betrachtung ist jüngeren Datums und wird beispielsweise durch die Gründung des Förderschwerpunkts »Sozial-ökologische Forschung« durch die Bundesregierung institutionell und finanziell unterstützt. Für eine Zusammenschau der Umweltpolitikforschung vgl. von Prittwitz 1993.

6 Mit dem seit 1998 laufenden Cardiff-Prozess werden die verschiedenen Formationen des Ministerrats dazu aufgefordert, eigene Strategien zur Berücksichtigung von Umweltfragen für ihre Organisation zu erarbeiten. Zur europäischen Strategie gehört insbesondere die 2001 in Göteborg verabschiedete „European Union Strategy for Sustainable Development".

7 Zu den konkreten Zielen dieser Strategie gehören z.b. die Verdoppelung der Energie- und Ressourcenproduktivität und die Reduktion des Flächenverbrauchs von derzeit 130 Hektar auf 30 Hektar pro Tag bis 2020.

8 Vgl. auch Hofmeister et al.. 2002; Hofmeister/Mölders/Karsten 2002; Deutscher Naturschutzring 2003. Zu Vorarbeiten in der feministischen Umweltforschung vgl. grundlegend Schultz/Weller 1995; Schultz 1998.

9 Das Konzept der gesellschaftlichen Naturverhältnisse (Jahn 1991; Jahn/Wehling 1998) thematisiert das Beziehungsgeflecht zwischen Gesellschaft und Natur, um materiell-energetische, kulturell-symbolische und sozio-ökonomische Dimensionen der »ökologischen Krise« zu beleuchten. Die bestehenden Geschlechterverhältnisse werden hier kritisch als Teil des Problems innerhalb des größeren Rahmens der gesellschaftlichen Naturverhältnisse betrachtet.

10 Herausragend ist in diesem Zusammenhang das in Frankfurt/Main ansässige Frauen-UmweltNetz (Röhr 1999).

11 Dieses Problem stellt sich im verstärkten Maß in der privatwirtschaftlichen Technik-Entwicklung: Eine Technik, die erst einmal in die Welt gesetzt wird, nachträglich grundlegend nachhaltig bzw. geschlechtergerecht zu machen, ist keine erfolgversprechende Option. Zur Debatte der stärker partizipativ angelegten Technikentwicklung siehe z.B. die Diskussion um das Konzept des technological citizenship (Frankenfeld 1992; Saretzki 2000; kritisch Schultz 2001).

12 Vgl. das GELENA-Projekt (Gesellschaftliches Lernen und Nachhaltigkeit), www.GELENA.net.

13 Für einen Überblick bzgl. Gender Mainstreaming vgl. Jung/Küpper 2001, für Nachhaltigkeit BUND/UnternehmensGrün 2002.

14 So hat Hamburg beispielsweise auch die Charta von Aalborg unterzeichnet, überlässt die lokale Agenda 21 jedoch ganz überwiegend der Eigeninitiative der Hamburger Verbände und Bezirke. In diesem Fall ist der Top-down-Prozess ein symbolischer.

15 Für einen Überblick wissenszentrierter Ansätze in der Politikanalyse vgl. Maier et al. 2003.

Literatur

Balzer, Ingrid/Wächter, Monika (Hg.) 2002: *Sozialökologische Forschung.* Ergebnisse der Sondierungsprojekte aus dem BMBF-Förderschwerpunkt, München: ökom verlag.

Bauriedl, Sybille/Höhler, Sabine 2003: *Doing Nature: River Elbe under Discursive Construction.* Hamburg Conference »Does Discourse Matter? Discourse, Power and Institutions in the Sustainability Transition«, Vortragsmanuskript, http://www.agchange.de/html/paperroom.html, Zugriff: 10.4.1994

Benz, Artur/Scharpf, Fritz W./Zintl, Reinhard 1992: *Horizontale Politikverflechtung. Zur Theorie von Verhandlungssystemen,* Frankfurt/M., New York: Campus.

Berg-Schlosser, Dirk/Müller-Rommel, Ferdinand (Hg.) 1997: *Vergleichende Politikwissenschaft,* Opladen: Leske und Budrich

Biesecker, Adelheid (Hg.) 2000: *Vorsorgendes Wirtschaften. Auf dem Weg zu einer Ökonomie des Guten Lebens,* Bielefeld: Kleine.

Brand, Karl-Werner (Hg.) 2002: *Politik der Nachhaltigkeit: Voraussetzungen, Probleme, Chancen – eine kritische Diskussion,* Berlin: edition sigma.

Brand, Karl-Werner 1997: Probleme und Potentiale einer Neubestimmung des Projekts der Moderne unter dem Leitbild »Nachhaltige Entwicklung«, in: ders. (Hg.): *Nachhaltige Entwicklung. Eine Herausforderung an die Soziologie,* Opladen: Leske und Budrich, S. 9-32.

Brand, Karl-Werner/Fürst, Volker 2002: Voraussetzungen und Probleme der Stabilisierung institutioneller Reformstrategien, in: Brand, Karl-Werner: *Politik der Nachhaltigkeit: Voraussetzungen, Probleme, Chancen – eine kritische Diskussion,* Berlin: edition sigma, S. 63-79.

Brand, Karl-Werner/Jochum, Georg 2000: *Der deutsche Diskurs zu nachhaltiger Entwicklung. Abschlussbericht eines DFG-Projekts zum Thema »Sustainable Development/Nachhaltige Entwicklung – Zur sozialen Konstruktion globaler Handlungskonzepte im Umweltdiskurs,* Münchner Projektgruppe für Sozialforschung, MPS-Texte 1/2000.

Brand, Karl-Werner et al. 2001: *Bedingungen institutioneller Stabilisierung lokaler Agenda 21-Prozesse. Modellhafte Stabilisierungspfade,* München, Bremen: Eigenverlag der Münchner Projektgruppe für Sozialforschung e.V.

Buckingham-Hatfield, Susan 1999: Gendering Agenda 21: Women's Involvement in Setting the Environmental Agenda, in: *Journal of Environmental Policy and Planning,* Jg. 1, H. 2, S. 121-132.

Bundesministerium für Familie, Senioren, Frauen und Jugend 2002: *Gender Mainstreaming. Was ist das?,* Bonn: Eigenverlag.

BUND/UnternehmensGrün (Hg.) 2002: *Zukunftsfähige Unternehmen,* München: ökom verlag.

Bundesregierung 2004: Perspektiven für Deutschland. Unter Strategie für eine nachhaltige Entwicklung. www.bundesregierung.de/Themen-A-Z/Nachhaltige-Entwicklung-,11409/Die-Nachhaltigkeitsstrategie-d.htm, Zugriff: 19.2.2004.

Bundestag (Hg.) 1998: *Abschlussbericht der Enquête-Kommission »Schutz des Menschen und der Umwelt – Ziele und Rahmenbedingungen einer nachhaltig zukunftsverträgliche Entwicklung«: Konzept Nachhaltigkeit. Vom Leitbild zur Umsetzung,* Bonn: Eigenverlag.

Europarat 1998: *Gender Mainstreaming: Conceptual Framework, Methodology and Presentation of Good Practices. Final Report of Activities of the Group of Specialists on Mainstreaming,* Strasbourg: Europarat.

Deutscher Naturschutzring (Hg.) 2003: *Gender Mainstreaming – Relevanz und Herausforderung für Natur- und Umweltschutzverbände. Vorstudie zur Erarbeitung von Grundlagen für ein umfassendes Gender Mainstreaming,* Bonn, Lüneburg: Eigenverlag.

European Commission 2003: *Research on Gender, the Environment an Sustainable Development. Studies on Gender Impact Asessment of the Programmes of the Fifth Framework Programme for Research, Technological Development and Demonstration*, Brussels: European Commission.

Frankenfeld, Philip J. 1992: Technological Citizenship: A Normative Framework for Risk Studies, in: *Science, Technology and Human Values*, Jg. 17, H. 4, S. 459-484.

Hahne, Ulf 2002: Lokale Agenda 21 als Basis nachhaltiger Regionalentwicklung – Dilemmata eines neuen Politiktypus, in: *geographische revue. Zeitschrift für Literatur und Diskussion*, Jg. 4, H. 2, S. 21-33.

Hajer, Maarten A./Wagenaar, Hendrik (Hg.) 2003: *Deliberative Policy Analysis. Understanding Governance in the Network Society*, Cambridge: University Press.

Harders, Cilja/Kahlert, Heike/Schindler, Delia, 2003: Gratwanderungen zwischen Wissenschaft, Öffentlichkeit und Politik: Frauen- und Geschlechterforschung im reflexiven Modernisierungsprozess, in: *femina politica, Zeitschrift für feministische Politikwissenschaft*, H. 2, S. 34-42.

Heinelt, Hubert 2000: Nachhaltige Entwicklung durch »Agenda 21«-Prozesse. Politikwissenschaftliche Fragen und Überlegungen zur Debatte, in: ders./Mühlich, Eberhard (Hg.): *Lokale »Agenda 21«-Prozesse. Erklärungsansätze, Konzepte und Ergebnisse*, Opladen: Leske + Budrich, S. 51-66.

Henninger, Annette i.E. (2004): Politik als Kopfgeburt? Nutzen und Grenzen des wissenspolitologischen Ansatzes für die Untersuchung von Geschlechterpolitik, in: Harders, Cilja/Kahlert, Heike/Schindler, Delia (Hg.): *Forschungsfeld Politik: Geschlechtskritische Einführung in die Sozialwissenschaften*, Opladen: Leske und Budrich.

Hofmeister, Sabine et al. 2002: Dokumentation zum aktuellen Stand von Forschung und Diskussion zum Thema ›Geschlechterverhältnisse und Nachhaltigkeit‹, http://www.Umweltbundesamt.org/fpdf-l/2324.pdf, Zugriff: 19.2.2004.

Hofmeister, Sabine/Mölders, Tanja/Karsten, Maria-Eleonora (Hg.) 2002: *Zwischentöne gestalten: Dialoge zur Verbindung von Geschlechterverhältnissen und Nachhaltigkeit*, Bielefeld: Kleine.

http://www.bmbf.de/249_1356.html, Zugriff: 22.12.2003.

http://www.GELENA.net, Zugriff: 22.12.2003.

ICLEI (The International Council for Local Environmental Initiatives) 1998: *Handbuch Lokale Agenda 21. Wege zur nachhaltigen Entwicklung in den Kommunen*, Bonn: Bundesumweltministerium.

ifeu (Institut für Energie- und Umweltforschung Heidelverg)/BKR (Büro für Kommunal- und Regionalplanung Aachen) 2002: *Lokale Agenda 21 im Kontext der Steuerungsinstrumente auf kommunaler Ebene*. Berlin: Umweltbundesamt. (Eine Kurzfassung der Studie steht unter http://www.umweltdaten.de/rup/34-02/34-02-kurzfassung-deutsch.pdf zum Download zur Verfügung, Zugriff: 10.4.2004).

Jänicke, Martin 2003: Das Governancemodell der Agenda 21. Lehren aus dem Rio-Prozess, in: *Ökologisches Wirtschaften spezial*, H. 3-4, S. 4-5.

Jahn, Thomas 1991: *Krise als gesellschaftliche Erfahrungsform. Umrisse eines sozial-ökologischen Gesellschaftskonzepts*, Frankfurt/M.: Verl. f. Interkulturelle Kommunikation.

Jahn, Thomas/Wehling, Peter 1998: Gesellschaftliche Naturverhältnisse – Konturen eines theoretischen Konzepts, in: Brand, Karl-Werner (Hg.): *Soziologie und Natur. Theoretische Perspektiven*, Opladen: Westdeutscher Verlag, S. 75-93.

Jung, Dörthe/Küpper, Gunhild 2001: *Gender Mainstreaming und betriebliche Veränderungsprozesse*, Bielefeld: Kleine.

Jungkeit, Renate et al. 2002: Natur – Wissenschaft – Nachhaltigkeit, in: Balzer, Ingrid/Wächter, Monika (Hg.): *Sozialökologische Forschung.* Ergebnisse der Sondierungsprojekte aus dem BMBF-Förderschwerpunkt, München: ökom verlag, S. 475-494.

Kahlert, Heike/Schindler, Delia, 2003: Mit Hochschulreform Chancengleichheit herstellen? Gender Mainstreaming zwischen Ökonomisierung und Demokratisierung, in: *die hochschule. Journal für wissenschaft und bildung,* H. 2, S. 50-63.

Katz, Christine et al. 2003: Geschlechteraspekte sehen und verstehen lernen. Gender Mainstreaming in Natur- und Umweltschutzorganisationen, in: *Robin Wood Magazin,* H. 78/3.03., S 38-40.

Keck, Margaret E./Sikkink, Kathryn 1998: *Acitivists beyond Borders. Advocacy Networks in International Politics,* Ithaca: Cornell University Press.

Kopatz, Michael 2002: Nachhaltigkeit als Leitbild für die Verwaltung, in: Balzer, Ingrid/Wächter, Monika (Hg.): *Sozial-ökologische Forschung.* Ergebnisse der Sondierungsstudie aus dem BMBF-Förderschwerpunkt, München: ökom, S. 47-67.

Kulawik, Teresa 1999: W*ohlfahrtsstaat und Mutterschaft. Schweden und Deutschland 1870-1912,* Frankfurt/M., New York: Campus.

Lauth, Hans-Joachim (Hg.) 2002: *Vergleichende Regierungslehre,* Wiesbaden: Westdeutscher Verlag.

Linne, Gudrun/Schwarz, Michael (Hg.) 2003: *Handbuch Nachhaltige Entwicklung. Wie ist nachhaltiges Wirtschaften machbar?,* Opladen: Leske und Budrich.

Locher, Birgit i.E. (2004): »Samtene Dreiecke« als strategische Allianzen – Die Politisierung des Frauenhandels in der EU, in: Ostendorf, Helga/Henninger, Annette (Hg.): *Die politische Steuerung des Geschlechterregimes,* Opladen: Leske und Budrich.

Maier, Matthias Leonhard et al. (Hg.) 2003: *Politik als Lernprozess? Wissenszentrierte Ansätze in der Politikanalyse,* Opladen: Leske und Budrich.

Maynard, Mary 1995: Das Verschwinden der ›Frau‹. Geschlecht und Hierarchie in feministischen und sozialwissenschaftlichen Diskursen, in: Armbruster, L. Christof/Müller, Ursula/Stein-Hilbers, Marlene (Hg.): *Neue Horizonte? Sozialwissenschaftliche Forschung über Geschlechter und Geschlechterverhältnisse,* Opladen: Leske und Budrich, S. 23-39.

Minsch, Jürg et al. 1998: *Institutionelle Reformen für eine Politik der Nachhaltigkeit,* Berlin u.a.: Springer.

NEDS 2003: *Nachhaltige Entwicklung zwischen Durchsatz und Symbolik: Analyse wissenschaftlicher Evidenzproduktion und regionale Bezüge.* Working Papers des Hamburger Forschungsprojektes NEDS – Nachhaltige Entwicklung zwischen Durchsatz und Symbolik, Nr. 3. http://www.neds-projekt.de/Download/NEDS_WP_3_05_2003.pdf, Zugriff: 7.7.2004

Nullmeier, Frank/Rüb, Friedbert, 1993: *Die Transformation der Sozialpolitik. Vom Sozialstaat zum Sicherungsstaat,* Frankfurt/M., New York: Campus.

Prittwitz, Volker von (Hg.) 1993: *Umweltpolitik als Modernisierungsprozeß. Politikwissenschaftliche Umweltforschung und -lehre in der Bundesrepublik Deutschland,* Opladen: Leske und Budrich.

Röhr, Ulrike 1999: Aufmischen, Einmischen, Mitmischen. Strategien von Frauen zur Zukunftsgestaltung im Rahmen der lokalen Agenda, in: Weller, Ines/Hoffmann, Esther/Hofmeister, Sabine (Hg.): *Nachhaltigkeit und Feminismus: Neue Perspektiven – alte Blockaden,* Bielefeld: Kleine, S. 169-182.

Saretzki, Thomas 2000: Technologische Bürgerschaft? Anmerkungen zur Konstruktion von ›citizenship‹ in einer technologischen ›polity‹, in: Martinsen, Renate/Simonis, Georg (Hg.): *Demokratie und Technik,* Opladen: Leske und Budrich, S. 17-51.

Schmidt, Verena 2001: Gender Mainstreaming als Leitbild für Geschlechtergerechtigkeit in Organisationsstrukturen, in: *Zeitschrift für Frauenforschung und Geschlechterstudien*, Jg. 19, H. 1+2, S. 45-62.

Schön, Susanne/Keppler, Dorothee/Geißel, Brigitte 2002: Gender und Nachhaltigkeit, in: Balzer, Ingrid/Wächter, Monika (Hg.) 2002: *Sozialökologische Forschung*. Ergebnisse der Sondierungsprojekte aus dem BMBF-Förderschwerpunkt, München: ökom, S. 453-473.

Schultz, Irmgard 1998: *Umwelt- und Geschlechterforschung – eine notwendige Allianz*. ISOE-Diskussionspapiere Nr. 2. Institut für sozialökologische Forschung, Frankfurt/Main: ISOE.

Schultz, Irmgard 2001: Der blinde Fleck zwischen Politik und Technikwissenschaften. Strategien eines scientific-technological empowerment als Perpektive feministischer Wissenschaft und Politik, in: *femina politica, Zeitschrift für feministische Politikwissenschaft*, H. 2, S. 116-128.

Schultz, Irmgard/Weller, Ines (Hg.) 1995: *Gender and Environment: Ökologie und die Gestaltungsmacht der Frauen*, Frankfurt/M.: IKO.

Stiegler, Barbara 2000: *Wie Gender in den Mainstream kommt: Konzepte, Argumente und Praxisbeispiele zur EU-Strategie des Gender Mainstreaming*, Bonn: Friedrich-Ebert-Stiftung.

Stiegler, Barbara 2002: *Gender Macht Politik. 10 Fragen und Antworten zum Konzept Gender Mainstreaming*, Bonn: Friedrich-Ebert-Stiftung.

Thorn, Christiane 2002: Nachhaltigkeit hat (k)ein Geschlecht. Perspektiven einer gendersensiblen zukunftsfähigen Entwicklung, in: *Aus Politik und Zeitgeschichte*, B 33-34, S. 38-46.

Umweltbundesamt 1997: *Nachhaltiges Deutschland. Wege zu einer dauerhaft-umweltgerechten Entwicklung*, Berlin: Eigenverlag.

UN 1996: *The Bejing Declaration and The Platform for Action*, New York: United Nations Reproduction Section.

Wiechmann, Elke/Kißler, Leo 1997: *Frauenförderung zwischen Integration und Isolation. Gleichstellungspolitik im kommunalen Modernisierungsprozess*, Berlin: Ed. Sigma.

Weller, Ines 1998: Der Nachhaltigkeitsdiskurs: Blind für die Forderungen und Perspektiven von Frauen, in: *Soziale Technik*, H. 3, S. 6-8.

Weller, Ines 1999: Einführung in die feministische Auseinandersetzung mit dem Konzept Nachhaltigkeit. Neue Perspektiven – Alte Blockaden, in: dies./Hoffmann, Esther/Hofmeister, Sabine (Hg.): *Nachhaltigkeit und Feminismus: Neue Perspektiven – alte Blockaden*, Bielefeld: Kleine, S. 9-32.

Weller, Ines/Hayn, Doris/Schultz, Irmgard 2002: Geschlechterverhältnisse, nachhaltige Konsummuster und Umweltbelastungen, in: Balzer, Ingrid/Wächter, Monika (Hg.) 2002: *Sozialökologische Forschung*. Ergebnisse der Sondierungsprojekte aus dem BMBF-Förderschwerpunkt, München: ökom, S. 431-452.

Ansätze der sozial-
wissenschaftlichen Begleitforschung

Geschlechterkritischer Institutionalismus – ein Beitrag zur politikwissenschaftlichen Policy-Forschung[1]

Birgit Sauer

1. Analyse und Evaluation von Gender Mainstreaming. Problem und Intention des Textes

Frauenbewegungen sind in fortgeschrittenen Industriegesellschaften Akteurinnen sozialen, kulturellen, aber auch politischen Wandels. Gemeinsam mit anderen politischen AkteurInnen waren sie an erfolgreichen institutionellen Innovationen beteiligt, nämlich an der Etablierung von (staatlicher) Gleichstellungspolitik. Doch trotz mehr als dreißigjähriger frauenbewegter und -politischer Intervention scheinen die Geschlechterverhältnisse in westlichen Industriegesellschaften erstaunlich wandlungsresistent. Geschlechterregime wie die geschlechtsspezifische Arbeitsteilung und ihre diskriminierende staatliche Regulierung im Male-Breadwinner-Modell – das Frauen benachteiligende »Verbundsystem« (Rudolph 2004: 223) – konnten nur partiell verändert werden. Politische Institutionen erweisen sich als geschlechterkonservativ, wenn nicht gar als blockierend-ablehnend gegenüber einer geschlechtergerechteren Ausgestaltung.

Gender Mainstreaming ist nun eine weitere institutionelle Innovation im gleichstellungspolitischen Feld, die die zählebigen Ungleichheitsverhältnisse transformieren soll. Auch wenn das Instrument in seinen substanziellen Zielbestimmungen vergleichsweise vage bleibt, so formuliert es doch zwei prozedurale Politikziele: die Berücksichtigung der Geschlechterdimension in allen Politiken sowie die verstärkte Integration von Frauen in politische Entscheidungsprozesse. Gender Mainstreaming soll die beteiligten AkteurInnen auch für verborgene Geschlechterdimensionen von Gesetzen und Maßnahmen sensibilisieren, alle Phasen des Politikprozesses auf der Basis von Geschlechterwissen reorganisieren und den politischen Output geschlechtergerecht gestalten. Das Instrument zielt also auf eine Optimierung der quantitativen und der substanziellen Repräsentation beider Geschlechter in Politikprozessen, und die Erhöhung der quantitativen Repräsentation von Frauen tritt gegenüber dem »engendering«, der Vergeschlechtlichung von Gesetzgebungsprozessen, in den Hintergrund.

Gender Mainstreaming intendiert mithin einen umfassenden geschlechtersensiblen institutionellen Wandel, d.h. die Transformation von Normen und Werten, von Prozeduren und Verfahren sowie des Wissens und der Mentalität der Akteu-rInnen. Ob freilich bloß eine »integrationistische« Variante reüssiert, die die Geschlechterperspektive in einen existierenden Policy-Prozess integriert und die daran geknüpften Institutionen lediglich variiert, ohne sie prinzipiell in Frage zu stellen, oder ob ein fundamentaler Institutionenwandel in die Wege geleitet wird (Hafner-Burton/Pollack 2002: 351), muss ebenso Gegenstand politikbegleitender und kritischer Analyse sein wie die Beantwortung der Frage, ob das Instrument zählebige ungleiche Geschlechterverhältnisse verändern, tradierte Geschlechter-regime, also die dauerhaften politisch-institutionellen Arrangements zur Regulie-rung gesellschaftlicher Verhältnisse, erodieren und neue Institutionalisierungen stimulieren kann (Bustelo 2003).

Doch was vor Jahren für die Analyse von Frauen- und Gleichstellungspolitik konstatiert wurde (Holland-Cunz 1996), trifft heute auch auf Gender Mainstrea-ming zu: Das (politikwissenschaftliche) geschlechterforscherische Instrumenta-rium ist noch vergleichsweise stumpf (Hafner-Burton/Pollack 2002; Ansätze in: Bothfeld/Gronbach/Riedmüller 2002). Eine feministische Tradition der Policy-Analyse und -Kritik etabliert sich erst langsam (z.B. Bacchi 1996; Mazur 2002); im deutschsprachigen Raum schöpft sie vornehmlich aus den Erfahrungen der (vergleichenden) Sozialpolitikanalyse (Behning 1999; Kulawik 1999; Pfau-Effinger 2000; Dackweiler 2003). Diese analysiert institutionellen Wandel vor-wiegend im makro-politischen Rahmen, und auch die luziden Ergebnisse des Institutionenansatzes (Skocpol 1992) haben einen solchen makro-politischen Bias (Hall/Taylor 1998: 958).

Die folgenden Überlegungen bieten erste Begrifflichkeiten für eine kritisch-politikbegleitende Analyse des Implementierungsprozesses von Gender Main-streaming. Dazu möchte ich die politikwissenschaftliche Institutionendebatte der vergangenen Dekade fruchtbar machen, wirken doch Institutionen auf die Inter-aktion politischer AkteurInnen ein und beeinflussen so Policy-Prozesse (Czada 1995: 212). Ich befrage politikwissenschaftliche Institutionenansätze danach, welchen Beitrag sie zur Erarbeitung eines geschlechterkritischen Begriffsappa-rats und einer analytischen Perspektiven für die Untersuchung von Gender Main-streaming leisten können. Über die Bereitstellung eines Analysekonzepts hinaus möchte der Artikel aber auch Hinweise darauf geben, an welchen Stellen Ein-griffe nötig sind, damit Gender Mainstreaming erfolgreich implementiert werden kann.

2. Zum Stand feministischer Policy-Forschung

Konstruktivistisch-geschlechtersensible Policy-Analysen haben deutlich gemacht, dass neben sozialen Strukturen und politischen Institutionen auch Diskurse und »frames« der AkteurInnen, also die Debatte darum, was überhaupt als gesellschaftliches Problem wahrgenommen wird, entscheidenden Einfluss auf die Politikformulierung haben (Bacchi 1996). Die Frage von Deutungs- und Durchsetzungsmacht in diesen Policy-Diskursen ist aber noch vergleichsweise unterkonzeptualisiert, ebenso wie die Mikroebene der Herausbildung von Wahrnehmungs- und Deutungsmustern bzw. die Subjektivierungsformen politischer AkteurInnen. Das handlungsbezogene Konzept des »doing gender« (Gildemeister/Wetterer 1992) ist ein Erklärungsversuch der Verfestigung und Institutionalisierung von Geschlechterverhältnissen auf der Mikroebene, dem aber der strukturelle Zugriff fehlt.

Wie die »Deutungsmuster von Geschlechterdifferenz institutionelle Ordnungen konstituieren und legitimieren« (Knapp 2001: 65), wie also »Zusammenspiel und Wechselwirkungen« von »Geschlechterverhältnissen und Institutionen« zu erklären und zu analysieren sei, ist noch vergleichsweise unterthematisiert (Oppen/Simon 2004: 7). Auch in politikwissenschaftlichen Beiträgen dominiert eine metaphorische Sprache: Männliche Lebenserfahrungen, Mentalitäten oder Interessen werden in Institutionen »eingeschrieben«, »eingelassen« und »sedimentiert«. Noch immer existiert ein Forschungsdesiderat in der Erklärung dessen, wie aus Geschlechterunterschieden politische Institutionen entstehen, wie diese ungleichen Institutionen aber auch verändert werden können. Hierzu analytische Hinweise zu formulieren, ist für die Untersuchung der Wirksamkeit und der Wirkungsweise von Gender Mainstreaming unabdingbar.

Ein geschlechterkritischer Zugang zur Politikfeldforschung und Institutionenanalyse sollte das soziologische Institutionenverständnis »verengen« und das spezifisch Politische herausarbeiten. Es sollte das politikwissenschaftliche Institutionenkorsett allerdings durch ein hegemonie- bzw. staatstheoretisches Konzept »weiten«. Institutionen sollen dabei sowohl als abhängige, als zu erklärende Variable, wie auch als unabhängige, als erklärende Größe, gefasst werden. Letzteres heißt, ein Konzept institutionellen Wandels zu erarbeiten, das es erlaubt, den Erfolg von Gender Mainstreaming begründet zu untersuchen. Die folgenden Ausführungen haben noch recht taxonomischen und programmatischen Charakter und sind als Diskussionsvorschläge zu begreifen.

3. »Bringing institutions back in«: Die Wiederentdeckung von Institutionen in der Politikwissenschaft

Die Definitionen und Verwendungsformen des Institutionenbegriffs sind in der Politikwissenschaft uneinheitlich und inkonsistent. Die traditionelle politikwissenschaftliche Institutionenkunde, der »alte« Institutionalismus, begreift Institutionen im Kontext eines engen Politikbegriffs als »fest ummauerte« formale Organisationen und kodifizierte Normen im Feld verfasster Politik und Regierungshandelns. Ziel der Institutionenkunde ist das Design eines möglichst funktionsfähigen Institutionengefüges, das die Stabilität und Legitimität des politischen Systems garantiert.

Trotz Vieldimensionalität und Polyvalenz des politikwissenschaftlichen Institutionenbegriffs ist diese Sichtweise nach wie vor »common sense«. Wolfgang Seibel (1997: 363) beispielsweise grenzt den Begriff der politischen Institution auf »formale Organisationen« ein, »die den Prozess der politischen Handlungskoordination ... strukturieren«. Ludger Helms (2004: 25ff.) stellt zwar eine *informelle* Dimension von politischen Institutionen sowie die Interaktion zwischen Institution und AkteurInnen in Rechnung, doch reduziert er seinen Institutionenbegriff letztlich wieder auf Verfassungen und Verfassungsorgane. Der Institutionenbegriff wird als Teil der Polity gefasst, Politics – die Auseinandersetzungen um politische Institutionalisierungen – und Policy-Prozesse, die Transformation von Institutionen durch Politikentscheidungen werden ausgeblendet. Traditionelle politikwissenschaftliche Institutionenkonzepte rekurrieren kaum auf gesellschaftliche Bedingungen, die politische Institutionen hervorbringen, reproduzieren und verändern.

Auf den affirmativen Bias der Institutionenkunde reagierte die Politikwissenschaft seit den späten 1960er Jahren mit einer veränderten Schwerpunktsetzung auf politisches Verhalten und politische Einstellungen, auf Policies und die ökonomische Strukturierung von Politik und somit mit einer konzeptuellen Vernachlässigung von Institutionen.

In den 1980er Jahren entstand eine neuerliche Debatte um politische Institutionen, die in Abgrenzung vom Behavioralismus und von funktionalistischen Erklärungsmustern sozialen und politischen Wandels politischen Institutionen einen wesentlichen Stellenwert einzuräumen sucht. Darüber hinaus versucht der neue Institutionalismus den alten politikwissenschaftlichen Institutionenbegriff zu »renovieren« und einen weiten, eher soziologisch-kulturalistischen Begriff zu traditionalisieren. Im Folgenden sollen die Geschlechterdimensionen dieser Debatten skizziert werden.

4. »Bringing gender back in«: Ansätze eines geschlechtersensiblen Institutionenkonzepts

Kulturalistisch-soziologische Konzepte verstehen unter Institutionen paradigmatische, auf relative Dauer angelegte Handlungsorientierungen (Lepsius 1995: 395; Waschkuhn 1994: 188; Rothstein 1996: 145). Institutionen sind »soziale Regelsysteme«, die Verhalten regulieren, Erwartungssicherheit erzeugen, Orientierung und Ordnung herstellen (Czada 1995: 205; Göhler 1997a: 15). In diesem Sinne sind *Geschlechterverhältnisse* ohne Zweifel *gesellschaftliche Institutionen.* Zweigeschlechtliche Zuschreibungen sind durch gesellschaftliche Strukturen wie die geschlechtsspezifische Arbeitsteilung, durch sozialpolitische Regulierungen, durch Repräsentationen von Mann und Frau sowie durch geschlechtsspezifisch angerufene Identitäten von Männern und Frauen abgesichert (Oppen/Simon 2004: 9; Krüger 2002).

Die deutschsprachige *politikwissenschaftliche Institutionentheorie* bemüht sich darum, das Politische von politischen Institutionen zu begründen (Göhler 1987; Göhler/Lenk/Schmalz-Bruns 1990; Göhler 1994; Göhler et al. 1997), sind diese doch nicht nur »Sonderfälle« sozialer Institutionen, sondern Institutionen sui generis. Gerhard Göhler (1994: 26) definiert politische Institutionen zunächst über ihre Funktionen als ein »Regelsystem der Herstellung und Durchführung verbindlicher gesamtgesellschaftlich relevanter Entscheidungen« *und* als »Instanz der symbolischen Darstellung von Orientierungsleistungen einer Gesellschaft«. Institutionen besitzen also eine Willens- und eine Symboldimension, die sowohl eine Macht- wie eine Repräsentationskomponente haben (Göhler 1997b: 29; Waschkuhn 1994: 189).

In struktureller Hinsicht besteht das Set an Bestimmungsfaktoren, die »institutionelle Konfiguration«, aus »institutionellen Mechanismen«, vor allem aus handelnden Personen als Beteiligte in der Institution und als Adressaten institutioneller Aufgaben (Göhler 1997b: 24f.). Politische Institutionen können formell (mit gesatzten Regeln) und informell (Übereinkünfte) sein, sie können mit Personal arbeiten (Organisationen) und ohne (politische Normen).

Mit dieser Definition lässt sich *Geschlecht als politische Institution* in doppelter Weise fassen: Politische Institutionen *haben* ein Geschlecht, nämlich das der AkteurInnen, AdressatInnen und der institutionellen Mechanismen, und Geschlecht *ist* eine informelle politische Institution (Sauer 2001). Die Geschlechterdifferenz hat eine regulierende Funktion, d.h. sie besitzt die Kapazität, Interessen in Entscheidungen zu überführen und sie übt mithin Macht aus. Ihr ist darüber hinaus eine stabilisierende und orientierende Funktion eigen, indem sie auf der Basis gemeinsamer vergeschlichter Wertvorstellungen die »alltägliche Akzeptanz durch die Betroffenen« garantiert (Göhler 1997a: 26).

Für die Analyse von Gender Mainstreaming ist es deshalb relevant, die Institutionen bildende Kraft von Zweigeschlechtlichkeit zu kritisieren sowie die formellen und die informellen Dimensionen von politischen Institutionen auf ihre Geschlechtsspezifik hin zu analysieren. So weisen Emilie Hafner-Burton und Mark Pollack (2002: 343) nach, dass die Input-Struktur einer Organisation, d.h. ihre Offenheit oder Geschlossenheit gegenüber dem Instrument Gender Mainstreaming, sowie Verbündete für das Mainstreaming vor allem an der Spitze der Organisation zentral für den Erfolg sind. Auch die Output-Struktur der Organisation, d.h. ihre Fähigkeit und Kapazität, Gender Mainstreaming zu implementieren und durchzusetzen, ist von eminenter Bedeutung.

Im Unterschied zur Institutionentheorie beschäftigt sich der »new institutionalism« mit der empirischen Analyse von institutionellen Settings in sich wandelnden gesellschaftlichen Kontexten. Institutionen werden als unabhängige Variable begriffen, die politischen und sozialen Wandel bzw. Stabilität erklären sollen. In einer vergleichsweise voneinander unabhängigen Parallelaktion entwickelten sich drei Formen des »neuen Institutionalismus« – der Rational-Choice-Institutionalismus, der soziologische Institutionalismus und der historische Institutionalismus (Hall/Taylor 1996: 942; Kaiser 2001: 261ff.). Allen geht es um die Erklärung der Entstehung und des Wandels von Institutionen – sowohl als inkrementalistischer, nicht-intendierter Prozess als auch als bewusst eingesetzte Strategie.

Der neue Institutionalismus setzt sich mithin mit der klassischen sozialwissenschaftlichen Unschärferelation auseinander. Im Kern geht es um die Erklärung des feinen Zusammenspiels von sozialen Verhältnissen und Konflikten, von politischen AkteurInnen und deren Interessen, Präferenzen und Überzeugungen und politischen Institutionen – von Struktur und Handeln (Kaiser 2001: 256; Rothstein 1996: 135f.).

Soziale Strukturen und sozioökonomische Entwicklungen wie beispielsweise geschlechtsspezifische Arbeitsteilung und Bildungsniveaus sowie Lohnungleichheit schlagen sich, so der neue Institutionalismus, nicht unmittelbar in gewandelten Institutionalisierungen nieder, und Institutionen sind nicht allein oder vornehmlich aus ihrer Funktionalität für bestimmte gesellschaftliche Verhältnisse, z.B. Absicherung ungleicher patriarchaler Geschlechterverhältnisse, erklärbar. Vielmehr bedarf es politischer AkteurInnen des Wandels, deren Interessen sich ebenfalls nicht nahtlos in politische Entscheidungen umsetzen lassen. Bereits existierende Institutionen fungieren als intervenierende Größen zwischen sozialer Struktur, politischen AkteurInnen und einem spezifischen Policy-Outcome.

Institutionen als Ergebnisse von Akteurshandeln und von sozialen Verhältnissen zu fassen, öffnet das Forschungsfenster, um Geschlecht – als Präferenz und als soziale Struktur – zu integrieren. Im folgenden Abschnitt werde ich deshalb Vorschläge machen, wie die Begrifflichkeit des neuen Institutionalismus für die Analyse von Gender Mainstreaming nutzbar gemacht werden könnte.

5. Institutioneller Wandel – Dimensionen und Aspekte der Analyse von Gender Mainstreaming

Zwar versuchen alle drei Spielarten des neuen Institutionalismus, die Struktur-Handlungs-Aporie durch den Institutionenbegriff zu überwinden, doch legen sie unterschiedliche Schwerpunkte auf dem Akteur-Struktur-Kontinuum: Ist die Rational-Choice-Variante eher akteurszentriert, der soziologische Institutionalismus »eingebettet« akteurszentriert, so argumentiert der historische Institutionalismus eher strukturorientiert (Kaiser 2001). Im Folgenden möchte ich die drei Ansätze kombinieren und ein Tableau von Fragedimensionen erstellen, mit dem Gender-Mainstreaming-Prozesse untersucht werden können. Die Darstellung beginnt mit akteurszentrierten Perspektiven des Rational-Choice-Institutionalismus (Kostenminimierung, »heroische« Entscheidungen), sie fährt fort mit den Vorschlägen des soziologischen Institutionalismus (zählebige Denkmuster, Similaritätsdruck, strategisches »framing«) und schließt mit der gesellschaftsorientierten Perspektive des historischen Institutionalismus (Machtkämpfe und »critical junctures«, Pfadabhängigkeit).

Kostenminimierung

Der Rational-Choice-Institutionalismus begreift Institutionen als das Kalkül, als voluntaristische Übereinkommen relevanter AkteurInnen (Hall/Taylor 1996: 943ff.): Diese profitieren von der institutionellen Kooperation und der selbst auferlegten Beschränkung von Handlungsoptionen, weil sie ihnen Erwartungssicherheit garantiert (Pollack 1996: 433), neue Handlungsoptionen und mithin Effizienzsteigerung verspricht (Czada 1995: 212). Auf diese Weise entsteht ein optimales institutionelles Gleichgewicht, das Institutionen vergleichsweise stabil macht (Immergut 1998). Institutioneller Wandel ist nicht erwünscht. Institutionen sind »sticky« (Shepsle 2001: 322) und konservativ (Kaiser 2001: 273), denn ihre Transformation kommt teuer: Wandel ist riskant und kann z.B. professionelle Karrieren in Frage stellen (Shepsle 2001: 325).

Institutionenwandel wird im Rational-Choice-Ansatz ebenfalls durch den Gewinn für rational handelnde AkteurInnen erklärt. Dieser erscheint zunächst gering, mindern doch einmal existierende Institutionen die Transaktionskosten

(Hall/Taylor 1996: 943). Institutionenwandel ist aber dann möglich, wenn bestimmte Institutionalisierungen durch äußere oder innere Bedingungen (z.B. exogene Wirtschaftsschocks oder Verwaltungsvorschriften wie das Gender Mainstreaming) zu kostspielig werden, wenn also Transaktionskosten signifikant ansteigen (Shepsle 2001: 321). Damit sich rational berechnende Akteure aber für einen Institutionenwandel stark machen, bedarf es einer Veränderung der relativen Macht der AkteurInnen, ihrer verbesserten Information und neuer Vorstellungen oder Ideen (Pollack 1996: 440).

Um einen Institutionenwandel zu initiieren, müsste also Gender Mainstreaming einen Beitrag zur Effizienzsteigerung leisten, vor allem aber einen Beitrag zur Minimierung von Transaktionskosten für alle, zumindest aber für machtvolle AkteurInnen. Bei der Implementation des Instruments muss mithin nicht nur der Nutzen für die Organisation als Ganzes bzw. für die Gesellschaft, sondern auch für die beteiligten AkteurInnen sichtbar gemacht werden. Neben der Vermittlung von Geschlechterwissen und der Top-down-Implementierung bedarf es auch einer Top-Institutionalisierung von Gender-Mainstreaming-Beauftragten. Für die Analyse von Gender Mainstreaming ist es wichtig, die Interessen, Präferenzen und Ideen der beteiligten AkteurInnen (Karriereinteressen, Organisationsinteressen, Geschlechterbilder) zu untersuchen. Kollidieren diese mit Gender Mainstreaming? Was muss getan werden, um die Interessen so zu bündeln, dass Gender Mainstreaming als »rationale« Entscheidung einer Organisation begriffen werden kann?

»Heroische« Entscheidungen und zählebige Denkmuster

Institutionenwandel ist im Rational-Choice-Ansatz die Folge einer bewussten strategischen Entscheidung über neue Strukturen und Regeln, also das Ergebnis von »Leadership« und »heroischer Politik« (Gorges 2001: 140f.). Vor allem »Policy entrepreneurs« können die übrigen beteiligten AkteurInnen zu einem institutionellen Wandel motivieren. Gender Mainstreaming braucht mithin geschlechtsbewusste feministische »Policy entrepreneurs« mit einer führenden Rolle im Implementationsprozess.

Dieser Sicht ist freilich ein intentionalistischer Bias zueigen, weil er die Zwecke der AkteurInnen einseitig betont. Denn so »heroisch« agieren AkteurInnen nicht (Hall/Taylor 1996: 952), sie haben oft konfligierende Intentionen und Präferenzen. Paul Pierson geht deshalb davon aus, dass »institutional designers« nicht immer und unbedingt instrumentell handeln, dass sie oft kurzfristige Ziele verfolgen, die dem institutionellen Ziel entgegenstehen (z.B. Karriereziele), und dass ihre rationalen Handlungen deshalb unintendierte institutionelle Effekte zeitigen (Pierson 2000: 478-486).

Auch Wolfgang Streeck und Kathleen Thelen (2004) plädieren für ein fluideres Konzept von Institutionen, das das »Skript« der AkteurInnen analysiert. Vor allem gelte es, die Lücke zwischen den Regeln von Institutionen und der Inkraftsetzung dieser Regeln zu analysieren. AkteurInnen haben stets genügend Raum, um ihre eigenen Bedeutungen, Interpretationen und »frames« in die Regeln der Institution einzuschreiben. Institutionen sind deshalb stets umstritten und den Interpretationsleistungen der »rulemakers« und der »ruletakers« anheim gestellt.

Darüber hinaus sind die strategischen Orientierungen von AkteurInnen nicht allein als interessengeleitete zu fassen: Gerade in Veränderungsprozessen spielen Emotionen wie Ängste oder Zu- und Abneigung eine nicht zu unterschätzende Rolle. Der soziologische Institutionalismus geht deshalb davon aus, dass AkteurInnen nicht immer strategisch im Sinne einer optimalen Zielerreichung handeln, sondern dass ihre strategischen Entscheidungen immer an eine spezifische Weltsicht, an Routinen, Denkweisen und Denkschablonen, an »policy paradigms« gebunden sind (Hall/Taylor 1996: 949). Institutionen fungieren als vorbewusste »kognitive Landkarten«, als Filtersysteme des Wahrnehmens und Handelns (Pierson 2000: 489; Dobbin 1994).

Repräsentationen von Geschlecht sind solche Denkschablonen, die das strategische Handeln von AkteurInnen und ihre Interpretation der strategischen Situation prägen. Die Vermittlung von Geschlechterwissen und -information durch Gender-Trainings kann bzw. soll diese kognitiven Geschlechterlandkarten neu schreiben. Um dies leisten zu können, müssen Geschlechterbilder aber zuvor »kartografiert« und weiße Flecken gefüllt werden. Gender Mainstreaming ist als ein Instrument geplant, das männliche hegemoniale Selbstverständlichkeiten sichtbar und veränderbar machen soll. Nicht nur die Akteurskonstellation soll geschlechterparitätisch werden, auch die eingeschliffenen Denk- und Wahrnehmungsmuster, die die institutionellen Entscheidungen der AkteurInnen prägen, sollen durch einen Prozess der Bewusstmachung vorbewusster Geschlechterbilder, impliziter Maskulinismen oder Feminismen deutlich werden. Ein solches Training kann freilich nicht in punktuellen Schulungen erfolgreich sein, sondern muss den gesamten Deutungshorizont des Institutionenwandels – z.B. der Verwaltungsreform, der Effizienzsteigerung – einbeziehen.

Institutionenwandel ist in diesem Konzept ein Prozess kollektiver Interpretation und gemeinsamen Lernens in einer neuen sozialen und politischen Situation (Hall/Taylor 1996: 952; Gorges 2001: 138f.). In Gang gesetzt wird institutioneller Wandel durch einen Widerspruch zwischen den gemeinsamen Anschauungen und hegemonialen Ideen institutioneller AkteurInnen und der Performanz der Institution. Die Herstellung einer Deckungsgleichheit drängt dann in Richtung institutioneller Veränderung.

Similaritätsdruck

Ein weiterer Modus des Institutionenwandels, den der soziologische Institutionalismus annimmt, ist der Druck, der von anderen institutionellen Modellen
ausgeht (Kaiser 2001: 273), der Similaritätsdruck: Das Konzept des »institutionellen Isomorphismus« besagt, dass Institutionen so gestaltet werden, dass sie
anderen gleichen, die in einem ähnlichen sozialen und politischen Setting verortet sind (Gorges 2001: 139; DiMaggio/Powell 1991: 70). John Meyer und Brian
Rowan (1991: 41) bezeichnen dies als »Mythos« des institutionellen Umfelds
und als Streben von AkteurInnen danach, passende Institutionen zu gründen
bzw. einen angemessenen Institutionenwandel zu initiieren. Dieser Wunsch nach
»appropriateness« stehe vielfach über der Zielorientierung »Effektivität« (Pierson 2000: 478). Institutioneller Isomorphismus ist der Tatsache geschuldet, dass
AkteurInnen wissen, dass sie ihre Aktivitäten gegenüber anderen AkteurInnen
legitimieren müssen.

Institutionelle Isomorphie kann durch »mimetische Prozesse« (DiMaggio/
Powell 1991: 70) entstehen, indem eine Organisation den Erfolg einer anderen
zu imitieren sucht. Ein solcher inkrementalistischer Institutionenwandel bedarf
ebenfalls der gemeinsamen Deutung durch die AkteurInnen (Zucker 1983: 5).

Isomorphismus kann schließlich auch das Ergebnis eines normativen Lernprozesses sein, in dem eine Organisation das organisationelle Wissen einer anderen übernimmt, um beispielsweise als »moderner, angemessener und professioneller« zu erscheinen (Scott 1987: 504). Dies ließe sich für die institutionelle
Innovation von Gender Mainstreaming in Anschlag bringen bzw. propagieren
und initiieren. Gender Mainstreaming könnte als sozial angemessen und wichtig
für die Außendarstellung und Legitimation der Organisation werden (z.B. durch
Monitoring und Zertifizierung). Isomorphie kann auch »von oben« erzwungen
werden – das ist der Fall bei Gender Mainstreaming; doch damit ein Institutionenwandel stattfindet, ist auch bei einem Top-down-Prozess ein kooperatives
Deuten bzw. Entwerfen einer modifizierten Institutionenperspektive durch die
AkteurInnen nötig.

Strategisches »framing«

Alle drei Institutionalismen heben auf die zentrale Rolle von Vorstellungen,
Deutungsmustern und »frames« der AkteurInnen für politische Prozesse wie für
institutionellen Wandel ab. Ideen besitzen begrenzende, aber auch kreative und
ermöglichende Funktionen in Institutionalisierungsprozessen (Hall/Taylor 1998:
962). Ob ein Problem auf die politische Agenda gesetzt wird, ob ein Institutio-

nenwandel initiiert wird, hängt ganz stark davon ab, wie ein Problem – z.B. Geschlechterdiskriminierung – in der Öffentlichkeit »geframt« wird (ebd.) bzw. ob es überhaupt als ein Problem wahrgenommen wird. Damit Institutionenwandel initiiert werden kann, ist also strategisches »framing« durch beteiligte AkteurInnen nötig (Snow/Benford 1992; Hafner-Burton/Pollack 2002: 346). Erst dadurch kann Wandel als wichtig und notwendig erscheinen.

Nun kann Gender Mainstreaming selbst als ein Policy-»frame« begriffen werden, der durch strategische AkteurInnen in Politikprozesse integriert wird bzw. werden muss, um die Geschlechtsspezifik von Politik sichtbar zu machen (Mazey 1998). Der neue »frame« Gender Mainstreaming muss, will er erfolgreich sein, sich an bereits existierende oder gerade ebenfalls neu ins Spiel gebrachte »frames« anschließen lassen, um erfolgreich zu sein. Untersucht werden muss mithin, ob der »frame« Gender Mainstreaming an alte Vorstellungen und Denkmuster anschlussfähig ist. Dann lässt sich die Kritik an Gender Mainstreaming als Management-Instrument auch anders formulieren: Passt es zum neoliberalen »frame« der Verschlankung und Ökonomisierung des Staates und kann es erfolgreich an die Managerialisierung des Staates angeschlossen werden, um das Ziel von Geschlechtergerechtigkeit zu erreichen? Oder ist ein strategischer Anschluss an Gleichheits- und Gerechtigkeitsframes Erfolg versprechender?

Machtkämpfe und »critical junctures«

Neo-marxistische Theoretisierungen gehen davon aus, dass staatlich-politische Institutionalisierungen in sozialen Verhältnissen gründen, also nicht dem Kalkül nutzenmaximierender Einzel- oder KollektivakteurInnen anheim gestellt sind, dass sie aber auch Ergebnisse sozialer Konflikte und Auseinandersetzungen sind. Institutionenwandel hängt nicht nur von den Beteiligten eines institutionellen Prozesses, sondern auch von den Adressaten, nicht nur von den Mitgliedern einer Verwaltung, sondern auch von den BürgerInnen ab.

Hier schließt der historische Institutionalismus an. Seine zentrale These ist, dass Institutionen aus »Machtkämpfen« entstehen und dass sie in einem diskursiven Prozess Gültigkeit erlangen müssen (Czada 1995: 205). Diese Perspektive stellt soziale AkteurInnen, deren Einstellungen und Strategien, aber auch deren diskursive Macht ins Zentrum von Institutionenbildung und mithin auch -veränderung (Meyer/Rowan 1991: 42). Politik ist Konflikt um rare Ressourcen (Hall/Taylor 1996: 937), und das Ergebnis von Politikprozessen ist, dass bestimmte Interessen bevorzugt, andere hingegen demobilisiert bzw. entpolitisiert werden. Macht ist ungleich zwischen sozialen Gruppen verteilt, und das Institutionensystem perpetuiert diese Machtkonstellationen, indem es Akteure »strukturiert«

und Interessen privilegiert oder negiert (Rothstein 1996: 142). Der Staat bzw. Institutionen sind also in diesem Kontext keine neutralen »broker« zwischen kompetitiven Interessen, sondern komplexe Institutionengefüge, die Konflikte zwischen sozialen AkteurInnen strukturieren, soziale Verhältnisse und Interessen formieren (Hall/Taylor 1996: 938) – also perpetuieren, aber auch verändern.

»Critical junctures« sind jene Zeiten (Hall/Taylor 1996: 942), zu denen ökonomische, soziale oder internationale Krisen, aber auch manifeste Klassenauseinandersetzungen einen (abrupten) institutionellen Wandel provozieren. Für die Analyse von Institutionenwandel ist also auch die Mobilisierungsstruktur außerorganisationeller AkteurInnen, z.B. von Frauenbewegungen oder feministischen »advocacy coalitions« wichtig (Hafner-Burton/Pollack 2002: 343). Gender Mainstreaming wird vermutlich nur dann wirkungsvoll sein, wenn Frauenbewegungen in einem kollektiven Interpretations- und Innovationsprozess strategischen Einfluss erlangen.

Pfadabhängigkeit

Institutionen sind tief eingebettet in ein institutionelles Gesamtsetting, sie sind an institutionelle Entscheidungen aus früheren Zeiten gebunden (»Lock-in«). Formative Momente vergangener Institutionalisierungen prägen alle Institutionalisierungen. Temporalität spielt infolgedessen eine wichtige Rolle für die Analyse institutionellen Wandels, institutioneller Wandel ist mithin pfadabhängig. Policy-Outcome und Institutionenwandel oder -reform hängt stark von vorherigen Institutionalisierungen ab, von geschichtlichen Erfahrungen, von der »bounded rationality« der AkteurInnen, d.h. von den begrenzten (Denk-)Alternativen, die ihnen im Diskurs um eine Institution zur Verfügung stehen (Kaiser 2001: 260). Ein Netz von bereits vorgefertigten institutionellen Matrizen reproduziert institutionelle Settings, so genannte »increasing returns«, die den Entwicklungspfad von institutionellem Wandel bestimmen (North, zitiert in: Pierson 2000: 492). Pfadabhängigkeit ist auch ein zentrales Merkmal von Institutionenreform, wenn diese ineffiziente oder suboptimale Ergebnisse zeigt.

Institutionalisierungen, so könnte man in pfadabhängiger Diktion sagen, greifen auf tradierte Männlichkeitsmuster zurück, und sie stellen aufgrund positionaler Männlichkeit immer wieder eine männliche Institutionen-Struktur her bzw. repräsentieren sie. Im Prozess der Herstellung sozialer Orientierung entsteht nicht nur staatlich-institutionelle Macht, sondern auch das Symbolsystem Männlichkeit bzw. Zweigeschlechtlichkeit: Männlichkeit ist eine historisch tradierte »Leitidee«, folglich das »Fundament« von Institutionen (zur Begrifflichkeit: Göhler 1994: 37; Lepsius 1995: 395).

Auch ein intendierter Institutionenwandel, wie Gender Mainstreaming ihn anstrebt, muss die Zeitlichkeit von Institutionen in Betracht ziehen, die Kämpfe und Auseinandersetzungen um frühere Institutionalisierungen in Rechnung stellen, die alten Muster berücksichtigen und neue Pfade an alte anschließen (Thelen 2003). Hier liegen ohne Zweifel die Grenzen intentionaler institutioneller Reformversuche. Gender Mainstreaming muss also Anschluss an bereits institutionalisierte Frauen- und Gleichstellungspolitik suchen und diese nicht aushebeln. Damit wird aber auch deutlich, dass es auch in der EU nationale Variationen von Gender-Mainstreaming-Prozessen gibt, die pfadabhängig den jeweiligen Geschlechterinstitutionen und -regimen folgen.

6. Herrschaft und Subjektivierung. Leerstellen des »new institutionalism«

Im Folgenden möchte ich einige Hinweise auf eine hegemonie- und staatstheoretische Weiterung der Institutionentheorie geben. Soziologisch-kulturalistische Institutionenkonzepte sind darum bemüht, Institutionenwandel analytisch als Prozess permanenter Institutionalisierung zu fassen. Institutionen sind Prozesse, in denen Menschen mit spezifischen Interessen und kognitiven Mustern in einem sozialen, politischen und kulturell-symbolischen Kontext agieren. Diese Kontexte sind durch Macht- und Ressourcenungleichgewichte gekennzeichnet, die im institutionellen Herstellungsprozess stets reproduziert werden. Menschen werden, wenn man so will, durch Institutionalisierungen als Ungleiche, Machtvolle oder Machtlose »hervorgebracht«. Der institutionelle Deutungsprozess ist mithin keiner, in dem AkteurInnen gleichberechtigt Sinn produzieren (Hall/Taylor 1996: 952).

Wissenspolitologische (Nullmeier 1997), kulturalistische und diskurstheoretische Konzepte sind geeignet, den Zusammenhang zwischen AkteurInnen, aber auch den Interessen und Identitäten der Individuen, dem sozialen und politischen Sinn, sozialen Zwängen bzw. Strukturen (Ungleichheitsstrukturen) und politischen Institutionalisierungsprozessen analytisch in den Griff zu bekommen. Institutionelle Prozesse bilden machtvolle Arenen, in denen hegemoniale Deutungen (von Interessen, AkteurInnen) entstehen – es sind Prozesse ungleicher »Anrufung« von Subjekten (Althusser). AkteurInnen sind darüber hinaus gezwungen, institutionelle »Zumutungen«, d.h. Handlungsregelmäßigkeiten, Normen, Paradigmen und Sinn, selbst zu reproduzieren – und reproduzieren in diesem ihrem Selbstentwurf als Subjekt auch die sozialen Verhältnisse und politischen Institutionen (Foucault).

Diese Perspektive macht den großen Auftrag von Gender Mainstreaming deutlich – nämlich die Herstellung einer Gegenhegemonie zu tradierten Geschlechterkonstruktionen und -regimen. Dies geschieht freilich in einem paradoxen Setting: Es geht um die Herstellung von Gegenhegemonie im hegemonialen staatlichen Kontext. Diese Sicht macht aber auch das Potenzial von Gender Mainstreaming sichtbar: Die Chance des Neuentwurfs von Geschlecht im Kontext staatlicher Restrukturierung. Da Institutionenwandel immer in einer »Mischung von Zufall, Evolution und Intention« erfolgt (Kaiser 2001: 274) und mithin mehrfach überdeterminiert ist (Gorges 2001: 142), sollten die »zufälligen« Chancen des Instruments kritisch evaluiert werden.

Anmerkungen

1 Ich danke Delia Schindler für hilfreiche Kommentierungen der Vortragsfassung dieses Beitrags!

Literatur

Bacchi, Carol Lee 1996: *Women, Policy and Politics. The Construction of Policy Problems*, London u.a.: Sage.

Behning, Ute 1999: *Zum Wandel der Geschlechterrepräsentation in der Sozialpolitik: ein policy-analytischer Vergleich der Politikprozesse zum österreichischen Bundespflegegesetz und zum bundesdeutschen Pflege-Versicherungsgesetz*, Opladen: Leske und Budrich.

Bothfeld, Silke/Gronbach, Sigrid/Riedmüller, Barbara (Hg.) 2002: *Gender Mainstreaming – eine Innovation in der Gleichstellungspolitik. Zwischenberichte aus der politischen Praxis*, Frankfurt/M., New York: Campus.

Bustelo, Maria 2003: Evaluation of Gender Mainstreaming. Ideas from a Meta-evaluation Study, in: *Evaluation*, Jg. 9, Nr. 4, S. 383-403.

Czada, Roland 1995: Institutionelle Theorien der Politik, in: Nohlen, Dieter (Hg.): *Lexikon der Politik, Bd. 1: Politische Theorien*, S. 205-213.

Dackweiler, Regina-Maria 2003: *Wohlfahrtsstaatliche Geschlechterpolitik am Beispiel Österreichs. Arena eines widersprüchlich modernisierten Geschlechter-Diskurses*, Opladen: Leske und Budrich

DiMaggio, Paul J./Powell, Walter W. 1991: The Iron Cave Reviseted: Institutional Isomorphism and Colective Rationality in Organizational Fields, in: DiMaggio, Paul J./Powell, Walter W. (Hg.): *The New Institutionalism in Organizational Analysis*, Chicago: University of Chicago Press, S. 63-82.

Dobbin, Frank 1994: Cultural Models of Organization: the Social Construction of Rational Organizing Principles, in: Crane, Diane (Hg.): *The Sociology of Culture*, Oxford: Blackwell, S. 117-153.

Gildemeister, Regina/Wetterer, Angelika 1992: Wie Geschlechter gemacht werden. Die soziale Konstruktion der Zweigeschlechtlichkeit und ihre Reifizierung in der Frauenforschung, in: Knapp, Gudrun-Axeli/Wetterer, Angelika (Hg.): *Traditionen-Brüche*, Freiburg: Kore, S. 201-254.

Göhler, Gerhard (Hg.) 1987: *Grundfragen der Theorie politischer Institutionen. Forschungsstand – Probleme – Perspektiven*, Opladen: Westdeutscher Verlag.

Göhler, Gerhard (Hg.) 1994: *Die Eigenart der Institutionen. Zum Profil politischer Institutionentheorie*, Baden-Baden: Nomos.

Göhler, Gerhard (Hg.) 1996: *Institutionenwandel*, Opladen: Westdeutscher Verlag.

Göhler, Gerhard 1997a: Der Zusammenhang von Institution, Macht und Repräsentation, in: Göhler, Gerhard et al. (Hg.): *Institution – Macht – Repräsentation. Wofür politische Institutionen stehen und wie sie wirken*, Baden-Baden: Nomos, S. 11-62.

Göhler, Gerhard 1997b: Wie verändern sich Institutionen? Revolutionärer und schleichender Institutionenwandel, in: ders. (Hg.): *Institutionenwandel. Sonderheft 16, Leviathan. Zeitschrift für Sozialwissenschaft*, Opladen: Westdeutscher Verlag, S. 21-56.

Göhler, Gerhard et al. (Hg.) 1997: *Institution – Macht – Repräsentation. Wofür politische Institutionen stehen und wie sie wirken*, Baden-Baden: Nomos.

Göhler, Gerhard/Lenk, Kurt/Schmalz-Bruns, Rainer (Hg.) 1990: *Die Rationalität politischer Institutionen. Interdisziplinäre Perspektiven*, Baden-Baden: Nomos.

Gorges, Michael J. 2001: New Institutionalist Explanations for Institutional Change: A Note of Caution, in: *Politics*, Jg. 21, H. 2, S. 137-145.

Hafner-Burton, Emilie/Pollack, Mark A. 2002: Mainstreaming Gender in Global Governance, in: *European Journal of International Relations*, Jg. 8, H. 3, S. 339-373.

Hall, Peter A./Taylor, Rosemary C.R. 1996: Political Science and the Three New Institutionalisms, in: *Political Studies*, Jg. 44, H. 5, S. 936-957.

Hall, Peter A./Taylor, Rosemary C.R. 1998: The Potential of Historical Institutionalism: a Response to Hay and Wincott, in: *Political Studies*, Jg. 46, H. 5, S. 958-962.

Helms, Ludger 2004: Einleitung: Politikwissenschaftliche Institutionenforschung am Schnittpunkt von Politischer Theorie und Regierungslehre, in: Helms, Ludger/Jun, Uwe (Hg.): *Politische Theorie und Regierungslehre. Eine Einführung in die politikwissenschaftliche Institutionenforschung*, Frankfurt/M., New York: Campus, S. 13-44.

Holland-Cunz, Barbara 1996: Komplexe Netze, konfliktreiche Prozesse. Gleichstellungspolitik aus policy-analytischer Sicht, in: Kulawik, Teresa/Sauer, Birgit (Hg.): *Der halbierte Staat. Grundlagen feministischer Politikwissenschaft*, Frankfurt/M., New York: Campus Verlag, S. 158-174.

Immergut, Ellen M. 1998: The Theoretical Core of the New Institutionalism, in: *Politics and Society*, Jg. 26, H. 1, S. 5-34.

Kaiser, André 2001: Die politische Theorie des Neo-Institutionalismus: James March und Johan Olsen, in: Brodocz, André/Schaal, Gary S. (Hg.): *Politische Theorien der Gegenwart II*, Opladen: Leske und Budrich, S. 253-282.

Knapp, Gudrun-Axeli 2001: Grundlagenkritik und Stille post. Zur Debatte um einen Bedeutungsverlust der Kategorie ›Geschlecht‹, in: Heintz, Bettina (Hg.): *Geschlechtersoziologie. Kölner Zeitschrift für Soziologie und Sozialpsychologie*, Sonderheft 41, Wiesbaden, S. 53-74.

Krüger, Helga 2002: Gesellschaftsanalyse: der Institutionenansatz in der Geschlechterforschung, in: Knapp, Gudrun-Axeli/Wetterer, Angelika (Hg.): *Soziale Verortung der Geschlechter. Gesellschaftstheorie und feministische Kritik*, Münster: Westfälisches Dampfboot, S. 63-90.

Kulawik, Teresa 1999: *Wohlfahrtsstaat und Mutterschaft: Schweden und Deutschland 1870-1912*, Frankfurt/M., New York: Campus Verlag.

Lepsius, Rainer M. 1995: Institutionenanalyse und Institutionenpolitik, in: Nedelmann, Birgitta (Hg.): *Politische Institutionen im Wandel*, Opladen: Westdeutscher Verlag, S. 392-403.

Mazur, Amy G. 2002: *Theorizing Feminist Policy*, Oxford: Oxford University Press.

Mazey, Sonia 1998: The European Union and Women's Rights: From the Europeanization of National Agendas to the Nationalization of a European Agenda, in: *Journal of European Public Policy*, Jg. 5, H. 1, S. 131-152.

Meyer, John W./Rowan, Brian 1991: Institutionalized organizations: formal Structures as myth and ceremony, in: DiMaggio, Paul J./Powell, Walter W. 1991 (Hg.): *The New Institutionalism in Organizational Analysis*, Chicago: University of Chicago Press, S. 41-62.

Nullmeier, Frank 1997: Interpretative Ansätze in der Politikwissenschaft, in: Benz, Arthur/Seibel, Wolfgang (Hg.): *Theorieentwicklung in der Politikwissenschaft – eine Zwischenbilanz*, Baden-Baden: Nomos, S. 101-144.

Oppen, Maria/Simon, Dagmar 2004: Institutionen und Geschlechterverhältnisse – eine Einführung, in: dies. (Hg.): *Verharrender Wandel. Institutionen und Geschlechterverhältnisse*, Berlin: edition sigma, S. 7-23.

Pfau-Effinger, Brigit 2000: *Kultur und Frauenerwerbstätigkeit in Europa: Theorie und Empirie des internationalen Vergleichs*, Opladen: Leske und Budrich.

Pierson, Paul 2000: The Limits of Design: Explaining Institutional Origins and Change, in: *Governance. An International Journal of Policy and Administration*, Jg. 13, H. 4, S. 475-499.

Pollack, Mark A. 1996: The New Institutionalism and EC Governance: The Promise and Limits of Institutional Analysis, in: *Governance. An International Journal of Policy and Administration*, Jg. 9, H. 4, S. 429-458.

Rothstein, Bo 1996: Political Institutions: an overview, in: Goodin, Robert E./Klingemann, Hans-Dieter (Hg.): *A New Handbook of Political Science*, Oxford, New York: Oxford University Press, S. 133-166.

Rudolph, Hedwig 2004: Zu Risiken und Nebenwirkungen ... Frauenbeschäftigung in den Transformationsprozessen der deutschen Versicherungswirtschaft, in: Oppen, Maria/Simon, Dagmar (Hg.): *Verharrender Wandel. Institutionen und Geschlechterverhältnisse*, Berlin: edition sigma, S. 221-246.

Sauer, Birgit 2001: *Die Asche des Souveräns. Staat und Demokratie in der Geschlechterdebatte*, Frankfurt/M., New York: Campus.

Scott, W. Richard 1987: The Adolescence of Institutional Theory, in: *Administrative Science Quarterly*, Jg. 32, H. 4, S. 493-511.

Seibel, Wolfgang 1997: Historische Analyse und politikwissenschaftliche Institutionenforschung, in: Benz, Arthur/Seibel, Wolfgang (Hg.): *Theorieentwicklung in der Politikwissenschaft – eine Zwischenbilanz*, Baden-Baden: Nomos, S. 357-376.

Shepsle, Kenneth A. 2001: A Comment on Institutional Change, in: *Journal of Theoretical Politics*, Jg. 13, H. 3, S. 321-325.

Skocpol, Theda 1992: *Protecting Soldiers and Mothers. The Political Origins of Social Policy in the United States*, Cambridge/Mass.: Harvard University Press.

Snow, David A./Benford, Robert D. 1992: Master Frames and Cycles of Protest, in: Morris, Aldon D./Mueller McClurg, Carol (Hg.): *Frontiers of Social Movement Theory*, New Haven: Yale University Press, S. 133-155.

Streeck, Wolfgang/Thelen, Kathleen 2004: *Continuity and Discontinuity in Institutional Analysis*, Vortrag auf der Conference of Europeanists, 11.-13.3. in Chicago, unveröff. Ms.

Thelen, Kathleen 2003: How Institutions Evolve. Insights from Comparative Historical Analysis, in: Mahoney, James/Rueschemeyer, Dietrich (Hg.): *Comparative Historical Analysis in the Social Sciences*, Cambridge: Cambridge University Press, S. 208-240.

Waschkuhn, Arno 1994: Institutionentheoretische Ansätze, in: Nohlen, Dieter (Hg.): *Lexikon der Politik, Bd. 2: Politikwissenschaftliche Methoden*, München: Beck, S. 188-195.

Zucker, Lynne G. 1983: Organizations as Institutions, in: Bachrach, Samuel B. (Hg.): *Research in Sociology of Organizations*, Greenwich: Jai Press, S. 1-42.

Jenseits von Determinismus und Funktionalismus Policy-Analyse und vergleichende Geschlechterforschung

Teresa Kulawik

Das Konzept des Gender Mainstreamings wird derzeit in der deutschsprachigen feministischen Forschung intensiv und kontrovers diskutiert. Im Vordergrund steht dabei die Frage, ob dieser Top-down-Ansatz tatsächlich halten kann, was er verspricht, nämlich die Geschlechterpolitik aus der Nische der Frauenförderung herauszuholen und zum integralen Bestandteil aller Politikbereiche zu machen (vgl. Stiegler in diesem Band). Innerhalb der Systematik der Policy-Analyse lässt sich diese Diskussion am ehesten dem Bereich der praxisrelevanten und handlungsorientierten Politikberatung zuordnen. Hier geht es in erster Linie darum zu erörtern, was die »beste Policy« aus der Perspektive eines feministischen Standpunktes sein könne. Diese Praxisorientierung stellt einen wichtigen Bestandteil im Selbstverständnis der Frauen- und Geschlechterforschung dar; allerdings hat sie auch ihre Schattenseiten, die in der Bundesrepublik Deutschland eine besondere Ausprägung erfahren haben. Nicht zuletzt die verspätete Etablierung einer feministischen Politikwissenschaft hat dazu geführt, dass Politik und Staatlichkeit in solchen Diskursen vielfach funktionalistisch verengt und unterkomplex konzipiert wurden (Kulawik/Sauer 1996). Spuren dieser Traditionslinie und der damit einhergehenden Polarisierungen finden sich ebenfalls in der jüngsten bundesdeutschen Debatte über Gender Mainstreaming, auch wenn die Autorinnen das Konzept nicht mehr als Preisgabe von Autonomie und Differenz, sondern von Frauenpolitik und Gleichheit unter Frauen kritisieren (Wetterer 2002; Thürmer-Rohr 2001).

Ich möchte in diesem Artikel eine stärker theorieorientierte Variante der Policy-Analyse präsentieren, die primär das Erkenntnisinteresse verfolgt, die Genese und Ausgestaltung von Policies systematisch zu erklären. Das bedeutet nicht, dass die Ergebnisse einer solchen theoriegeleiteten Forschung nicht praxisrelevant wären. Meines Erachtens sind sie das durchaus: Insofern sie über Bestimmungsfaktoren und Pfadabhängigkeiten von Politikfeldern aufzuklären vermögen, erfüllen sie eine reflexive Funktion und können dazu beitragen, in nationalen Denkstilen gefangene Policy-Diskurse aufzubrechen. Als besonders fruchtbar für eine solche systematisch verfahrende Policy-Analyse hat sich der komparatistische Zugriff erwiesen. Der Ländervergleich erlaubt es nämlich, nicht nur nationale

Ähnlichkeiten und Unterschiede zu erfassen, sondern ist auch besonders gut geeignet, jene kausalen Mechanismen zu identifizieren, die diese Variationen hervorgebracht haben. Hinsichtlich des Gender Mainstreamings ließe sich mithilfe vergleichender Analysen einerseits die national unterschiedliche Umsetzung des Konzeptes untersuchen; andererseits könnten die jeweiligen Bestimmungsfaktoren einer als besser bzw. schlechter klassifizierten Mainstreaming-Policy ausgemacht werden. Eine solch differenzierte Betrachtungsweise birgt nicht nur vielversprechende wissenschaftliche Erkenntnispotenziale, sie könnte auch aus den Begrenzungen einer in der Bundesrepublik Deutschland weitverbreiteten »herrschaftskritischen«, vielfach jedoch schlicht handlungslähmenden feministischen Policy-Expertise führen.

Im folgenden Beitrag werden unterschiedliche Ansätze vergleichender Policy-Forschung vorgestellt und erörtert. Der Schwerpunkt ist dem so genannten Institutionalismus gewidmet, der einen breiteren Zugriff auf politische Prozesse eröffnet, als ihn die herkömmliche Policy-Analyse bietet.[1] Ich halte diesen Ansatz deshalb für besonders geeignet, geschlechtersensible Untersuchungen institutionellen Wandels, wie ihn das Konzept des Gender Mainstreamings anvisiert, analytisch zu begleiten.

1. Probleme vergleichender Geschlechteranalyse

Innerhalb weniger Jahre ist die komparative Forschung zu einer schnell expandierenden Teildisziplin in der feministischen Politik- und Sozialwissenschaft avanciert. Waren vergleichende Untersuchungen in den 1980er Jahren auf vereinzelte Studien beschränkt, so ist inzwischen eine umfangreiche, insbesondere im angelsächsischen Sprachraum kaum noch zu überblickende Forschungsliteratur entstanden, die sich mit Variationen nationaler Geschlechterordnungen befasst.

Innerhalb der feministischen Politikwissenschaft lassen sich zwei Schwerpunkte vergleichender Studien identifizieren: Der eine beschäftigt sich mit der politischen Mobilisierung und Repräsentation von Frauen (Beckwith 2000; Lovenduski/Norris 1993; Hoecker 1998), der andere untersucht die vergeschlechtlichte Ausgestaltung von Staatstätigkeit und erstreckt sich auf ein breites Spektrum von Politikfeldern, darunter Arbeitsmarkt-, Gleichstellungs-, Körper- und Sozialpolitik (z.B. Behning 1999; Kulawik 1999; Mazur 2002; Pfau-Effinger 2000; Sainsbury 1999; von Wahl 1999). Beide Bereiche sind miteinander verschränkt, weil sie füreinander Wissensvorräte bereitstellen und als Explanans fungieren. So nehmen innerhalb der feministischen Policy-Forschung Fragen nach dem Einfluss der Frauenbewegung auf den Policyprozess sowie nach dem Zusammenhang zwischen numerischer Frauenrepräsentation in Legislative und Exekutive auf der einen und Policyinhalten auf der anderen Seite einen zentralen Stellenwert ein. Zugleich gibt es gute Gründe anzunehmen, dass Policies ihrerseits Rückwirkungen auf die Stellung von Frauen in politischen Machtprozessen (Politics) und politischen Institutionen (Polity) haben. So wird z.b. die im internationalen Vergleich einzigartig hohe Frauenrepräsentation in den nordischen Staaten in enger Verbindung zu der ermächtigenden wohlfahrtsstaatlichen Politik dieser Länder gesehen (Bergqvist 1998).

Wie bereits ausgeführt, verfolgt vergleichende Policy-Forschung ein doppeltes Erkenntnisinteresse: Einerseits gilt es die Ähnlichkeiten und Unterschiede in den jeweiligen länderspezifischen Politikinhalten zu rekonstruieren, andererseits zielt sie darauf, diese zu erklären. Trotz der inzwischen umfangreichen vergleichenden Forschungsliteratur hat sich die geschlechtersensible Policy-Forschung bislang vorrangig auf die *Erfassung* vergeschlechtlichter Policy-Muster konzentriert, die Entwicklung systematischer *Erklärungen* für Ländervariationen befindet sich dagegen erst in den Anfängen. Dies zeigt sich nicht zuletzt anhand der Sozialpolitik, die innerhalb der Geschlechterforschung zu den am intensivsten bearbeiteten Politikfeldern zählt. So hat zwar die Analyse der Geschlechterregime – im Sinne geschlechtsspezifischer Verteilungslogiken – in den heutigen Wohlfahrtsstaaten einen beachtlichen Stand empirischen Wissens und theoretisch-methodischer Reflexion erreicht (Special Section 1997; Sainsbury 1999), doch Erklärungen der nationalen Unterschiede haben immer noch eher explorativen Charakter. Innerhalb der feministischen Forschung ist es z.B. umstritten, inwieweit der Kategorie Geschlecht überhaupt eine Relevanz bei der Herausbildung unterschiedlicher Wohlfahrtsstaatstypen zugeschrieben werden kann (Lewis 1994; Morgan 2001). Vielfach wird die Relevanz von Geschlecht mit der Handlungsfähigkeit der Frauenbewegung gleichgesetzt; dieser wird ein gestalterischer Einfluss – wenn überhaupt – erst seit den 1970er Jahren zugebilligt.

Der Regime-Ansatz, so fruchtbar sich seine Rezeption in der feministischen Sozialpolitikforschung erwiesen hat, bietet m.E. ohnehin kaum Anknüpfungspunkte für eine Untersuchung kausaler Wirkungszusammenhänge. So beinhaltet zwar der Regimebegriff von Gøsta Esping-Andersen (1990) mit seiner Skizzierung der drei sozialpolitischen Entwicklungswege des liberalen, sozialdemokratischen und konservativen Wohlfahrtsstaates explizit eine Verknüpfung von politischen Machtkonstellationen, ideologischen Prinzipien und sozialpolitischen Regulationstypen. Das analytische Instrumentarium des Ansatzes ist jedoch wenig geeignet, politische Entwicklungen adäquat zu erfassen, und dies gilt umso mehr aus geschlechtersensibler Perspektive. Zwar insistiert der Regime-Ansatz, im Gegensatz zum in der vergleichenden Wohlfahrtsstaatsforschung lange Zeit dominierenden ökonomischen Strukturalismus, auf der Relevanz politischer

Handelns, er bleibt dabei jedoch mit vielfältigen epistemologischen Problemen behaftet (Skocpol 1992: 23ff.; Kulawik 1999: 24ff.). Dazu zählt die teleologische Auffassung politischer Entwicklungen: Implizit unterstellt wird, dass die politischen Akteure von Anfang an mit »objektiven« Zielen ausgestattet sind, die, abhängig von ihrer Stärke, nur noch zur Durchsetzung kommen müssen. Mit anderen Worten: Die Konzeptualisierung der Akteure gründet auf deterministischen Annahmen über politische Identitäten und Interessen, die unmittelbar aus der sozialen – und das heißt hier klassenmäßigen – Positionierung abgeleitet und nicht als realhistorische Formierungsprozesse untersucht werden. Problematisch ist diese klassentheoretische Fundierung nicht nur aufgrund der Simplifizierung politischer Konfliktkonstellationen, sondern auch aufgrund der Homogenisierung von Kategorien wie »Klasse«.

Hier zeigt sich eine methodische Problematik der Komparatistik, die nicht auf den Regime-Ansatz beschränkt ist, sondern generell das Variablen-Forschungsdesign betrifft. Untersuchungen, die ein größeres Länder-Sample umfassen – was gemäß der empirisch-deduktiven Epistemologie als Voraussetzung gilt, um überhaupt Kausalbeziehungen identifizieren zu können –, sind darauf angewiesen, politische Prozesse vereinfachend anhand weniger hochaggregierter Indikatoren abzubilden. Dieses Verfahren macht es unmöglich, solch komplexe Verschränkungen zwischen Klassenbildung, Rasse und Geschlecht, wie sie die feministische Forschung inzwischen dechiffriert hat, in die Untersuchung einzubeziehen (Williams 1995; Frader/Rose 1996). Geschlecht wird somit entweder völlig unsichtbar oder anhand frauenspezifischer Indikatoren operationalisiert.

Explizit auf die Erklärung von Policy-Variationen gerichtet ist der von den US-amerikanischen Politikwissenschaftlerinnen Amy Mazur und Dorothy Stetson propagierte Ansatz der so genannten Feminist-Comparative-Policy (FCP) (Mazur 2002; Stetson 2001). Mit dem Begriff »Feminist Policy« werden einerseits die Arenen staatlichen Handelns in frauenrelevanten Policy-Sektoren bezeichnet, andererseits die politisch-ideologischen Positionen von am Policy-Making-Prozess beteiligten AkteurInnen. Im Kern untersuchen die FCP-Studien den Zusammenhang zwischen (als mehr oder weniger feministisch klassifizierten) länderspezifischen Policy-Inhalten und der nach einer Skala bewerteten Einflussnahme von Frauen auf die Politikformulierung und -entscheidung sowie den Bestimmungsfaktoren ihres erfolgreichen Agierens. Mazurs Studie entwirft eine komplexe Topographie, die keine einfachen kausalen Zuschreibungen erlaubt.[2] So lasse sich kein linearer Zusammenhang zwischen der Präsenz von Frauen im Politikformulierungsprozess und frauenfreundlichen Politikinhalten feststellen. In den Ländern und über die Politikfelder hinweg werde eine breite Palette feministischer Positionen – radikale, liberale, sozialistische – artikuliert. In Deutschland sei der »social feminism« besonders pronociert (Mazur 2002: 181). Die Determinanten der »feminist policy formation« seien stark kontextabhängig, eher im jeweiligen Politikfeld angesiedelt als auf der übergreifenden nationalen Ebene. Feministische Policies werden tendenziell begünstigt durch linke Regierungen, strategische Partnerschaften zwischen Frauen in den Institutionen und außerparlamentarisch agierenden feministischen Gruppierungen sowie Allianzen mit nicht-feministischen Akteuren. Auch die institutionellen Strukturen wie Staatsaufbau und Regierungssystem seien bedeutsam, da sie den Zugang von Frauen zum Entscheidungsprozess beeinflussen (ebd.: 184ff.).

Der FCP-Ansatz leistet einen wichtigen Beitrag zur geschlechtersensiblen komparativen Policy-Forschung, indem er nationale Variationen für eine relativ große Länderzahl systematisch über ein breites Policy-Spektrum dokumentiert und die Komplexität ihrer Bestimmungsfaktoren verdeutlicht. Mazur selbst betont die Vorläufigkeit der Ergebnisse, die vornehmlich dazu dienen sollen, Hypothesen für weitere Studien zu generieren. Und zweifellos können die Resultate dieses Projekts wichtige Anregungen für weitere Untersuchungen, nicht zuletzt des Gender Mainstreamings, liefern. Unbeantwortet bleibt jedoch, wie Mazur selbst konstatiert, eine zentrale Frage, nämlich wie die Vielzahl von Determinanten miteinander verbunden ist. Sie selbst strebt eine quantitative Korrelationsanalyse an, um zu definitiven Aussagen zu gelangen. Ich bezweifle, dass die Korrelationsanalyse solch abschließende Ergebnisse liefern kann. Ihre Problematik bleibt – und das verdeutlicht die so umfassende vergleichende Wohlfahrtsstaatsforschung –, dass das Variablen-Forschungsdesign mit einem entschiedenen Mangel behaftet ist: Ihm gelingt es letztlich nicht, eine sinnvolle Verknüpfung zwischen den einzelnen Faktoren ohne Rückgriff auf historische Fallstudien herzustellen (Pierson 2000a). Kritiker bezeichnen die Ergebnisse von Korrelationsanalysen deshalb als »Trendaussagen« (Castels 1989: 6). Der Variablen-Ansatz kann zwar konstatieren, dass strategische Partnerschaften die Durchsetzung frauenfreundlicher Policies begünstigen oder dass die Strategien politischer AkteurInnen in Deutschland stärker vom »Differenz-Feminismus« und in Schweden vorrangig vom »Gleichheits-Feminismus« geprägt sind, er vermag jedoch nicht zu beantworten, *wie* es zur Herausbildung dieser Konstellationen und Identitäten kommt. Der Ansatz der *Feminist-Comparative-Policy* folgt in seiner methodischen Vorgehensweise den Grundpfeilern der herkömmlichen, positivistisch ausgerichteten Policy-Analyse, in der Erklärungen und somit Kausalbeziehungen als zeit- und kontextlose Generalisierungen konzipiert werden, die vornehmlich quantitativ zu untersuchen sind. Tatsächlich ermitteln jedoch statistische Korrelationen lediglich Wahrscheinlichkeiten und ermöglichen keine Aussagen über kausale Mechanismen (Fischer 2003: 157ff.).

2. Historischer Institutionalismus: Konfigurationen und Temporalität

Der institutionelle Ansatz gehört zu den klassischen Methoden der Politikwissenschaft. Im Gegensatz zur konventionellen Institutionenkunde der vergleichenden Regierungslehre gründet der »neue« Institutionalismus auf einem sozialwissenschaftlich dynamisierten Institutionenbegriff, der die Gewordenheit von Institutionen sowie ihre strukturierende Bedeutung in der Verschränkung von Staat und Gesellschaft thematisiert (March/Olsen 1984). Obwohl zahlreiche der unter dem Vorzeichen des Institutionalismus durchgeführten Forschungen sich in das breite Spektrum der so genannten *policy-studies* einordnen lassen, beschränkt sich der Institutionalismus weder auf Policy-Untersuchungen, noch teilt er die wissenschaftstheoretischen Grundannahmen der herkömmlichen Policy-Analyse. Letztere ist wie bereits erwähnt den Postulaten des Positivismus und vorwiegend einem pluralistischen Politikbegriff verpflichtet.[3] Der Institutionalismus dagegen, insbesondere in seiner historischen Variante, entstammt der neo-marxistischen Theorietradition (zu den jeweiligen Richtungen vgl. Hall/Taylor 1996). Im Anschluss an und in kritischer Auseinandersetzung mit den bahnbrechenden Arbeiten von Barrington Moore (1974) entstand in den 1970er Jahren vornehmlich in den USA eine sozialwissenschaftliche Forschungsrichtung, die sich der Analyse von Staatsbildungs- und Klassenformierungsprozessen aus vergleichender Langzeitperspektive zuwandte (Barkey/Parikh 1991; Katznelson 1997).

Die Wiederentdeckung der Institutionen erfolgte als Reaktion auf den in der US-amerikanischen Politikwissenschaft dominierenden Behavioralismus, aber auch als Abgrenzung zum Strukturfunktionalismus modernisierungstheoretischer und marxistischer Provenienz. Politikergebnisse, so das Credo des Institutionalismus, lassen sich weder als Resultat aggregierter individueller Einstellungen und Interessen begreifen, noch können sie auf soziale Erfordernisse zurückgeführt werden. Die Eigenständigkeit des Politischen gegenüber »gesellschaftszentrierten« Erklärungen zu behaupten, ist ein zentrales Anliegen des neuen Institutionalismus in der vergleichenden Politikforschung (paradigmatisch: Evans/Rueschemeyer/Skocpol 1986).

Die vergleichende Policy-Analyse in ihrer herkömmlichen und geschlechtersensiblen Variante zeichnet sich, wie oben skizziert wurde, durch zwei zentrale Probleme aus: einen Dualismus von Struktur und Handlung, der entweder deterministisch oder subjektivistisch aufgelöst wird, sowie ein verengtes Verständnis von Kausalität. Die institutionalistische Forschungstradition bietet wichtige theoretisch-methodologische Einsichten, um diese Defizite zu überwinden, indem sie einen reflexiven Handlungsbegriff konzipiert und eine Reformulierung von Kausalität vornimmt.

Im Gegensatz zu der in der bundesdeutschen Komparatistik von Manfred G. Schmidt (1993) propagierten »politisch-institutionalistischen Theorie« werden Institutionen innerhalb dieser Theorietradition explizit nicht additiv als weiterer Faktor einer quantitativen Indikatorenanalyse eingeführt. Der Institutionalismus beinhaltet eine erheblich weitergehende epistemologische Kritik, die gerade die Erforschung der *Vermittlung* von gesellschaftlichen Entwicklungen, politischen Institutionen und der Konstitution politischer Akteure anvisiert (Katznelson 1997; Immergut 1998). Die Überwindung des unergiebigen Dualismus zwischen Struktur und Handlung war zunächst in der historisch-empirischen Methode angelegt, die den Abschied von den »grand theories« und »big structures« besiegelte, die Hinwendung zu *intermediären Instanzen und Prozessen* begründete und als wesentliches Charakteristikum von Institutionen ihre Dauerhaftigkeit und Wandlungsfähigkeit ins Blickfeld rückte (Thelen/Steinmo 1992).

Der Ausgangspunkt der nunmehr als Institutionalismus etablierten Forschungstradition bestand zunächst in dem Bemühen, die eigenständige Rolle des Staates – seiner Struktur und Kapazität – bei der Politikgestaltung und somit für die Erklärung von länderspezifischen Policy-Variationen nachzuweisen. Deshalb wurde dieser Ansatz zunächst als *state-centered* apostrophiert. Maßgeblich hierfür war wiederum die Auseinandersetzung mit der neo-marxistischen Staatstheorie, der zwar dem Staat eine »relative Autonomie« zubilligte und seine »Binnenstrukturen« (Offe 1972) thematisierte, aber nur selten die theoretischen Entwürfe anhand historisch-vergleichender Analysen verifizierte. Innerhalb der staatszentrierten Perspektive wurde die Autonomie des Staates explizit zum Gegenstand empirisch fundierter Analysen gemacht. Dabei fungierte die als Resultat der historischen Formierung herausgebildete Kapazität des Staates – seine »Schwäche« respektive »Stärke«– als zentraler Erklärungsfaktor, um z.B. ökonomische Politiken zu erklären (Katzenstein 1978; Skocpol/Weir 1986; Barkey/Parikh 1991). Die Problematik dieser staatszentrierten Perspektive besteht darin, dass sie die politische Dynamik in ein technokratisches Ensemble aus Parteieliten, Experten und politischen Institutionen hineinverlegt und zugleich das Verhältnis zwischen Institutionen und politischen Akteuren eindimensional konzipiert. Deren Organisationsstärke und politische Handlungsfähigkeit erscheint nun ihrerseits durch die historische Formierung des Staates determiniert und nicht als Resultat eigener Strategien und Ziele (Rothstein 1990).

Die Kritik an diesem »bureaucratic determinism« (Skocpol 1992: 569 Fn. 90) führte zu einer Verschiebung, die den Nexus von Institutionen und politischer Handlungsfähigkeit ins Zentrum des Erkenntnisinteresses rückte. Damit geht eine veränderte Sicht auf politisches Handeln einher. Die Akteure werden nicht einfach durch die Institutionen wie durch einen objektiven Filter geschleust und sind dann mit spezifischen Zielen und Strategien ausgestattet. Im Verhältnis zwischen Institutionen und politischen Akteuren wird eine Distanz gesetzt und damit das deterministische Reiz-Reaktions-Schema aufgegeben. Den Akteuren selbst wird eine gewisse Kreativität zugebilligt; zugleich erhält die Formierung kollektiver Akteure, ihrer Identitäten und Kapazitäten eine eigenständige analytische Relevanz. Das Verhältnis zwischen Institutionen und politischen Akteuren wird somit als relationales, ja beinahe konstruktivistisches gefasst (Immergut 1998).

Der Gegensatz zwischen Struktur und Handlung als Gegenüberstellung von universalen Gesetzen und ihrer historisch-partikularen Realisierung ist somit zugunsten einer Konzeption von sozialer und politischer Ordnung als relationale Netzwerke und temporale Prozesse verflüssigt (Pierson 2000c; Thelen 2000). Epistemologisch fungieren Institutionen hiermit als Instanzen der Handlungskoordination in Raum und Zeit. Institutionen gelten nunmehr als *Bedingungen* von Handeln, das wiederum bestimmte Handlungen mehr oder weniger »angemessen« oder »erfolgsversprechend« macht, nicht jedoch als beschränkende *Determinanten* von Handeln. Die politikwissenschaftliche Analyse fokussiert in erster Linie die formelle Organisation von Staatlichkeit, u.a. Regierungstypus, Staatsaufbau, Parteiensystem, Verfahren des Gesetzgebungsprozesses, Verwaltungsaufbau, aber auch die informellen Routinen im Zusammenspiel zwischen Polity und Gesellschaft, z.B. die Offenheit gegenüber neuen politischen Akteuren oder ihre Repression sowie die Beteiligung von organisierten Interessen am Policyformulierungsprozess.

Um zwei Beispiele aus der Entwicklung des Wohlfahrtsstaates zu geben: Zu den wichtigsten Begründerinnen eines geschlechtersensiblen Institutionalismus zählt zweifellos die US-amerikanische Sozialwissenschaftlerin Theda Skocpol, die die institutionalistische Wende propagiert hat und mit ihrem Werk »Protecting Soldiers and Mothers« (1992) einen enorm wichtigen Beitrag geleistet hat, um die Kluft zwischen konventioneller und Geschlechterforschung zu überwinden. Skocpols Erkenntnisinteresse richtet sich darauf zu erklären, warum in den USA die Arbeiterversicherungspolitik so wenig erfolgreich war und wie es gelang, die – im Vergleich zu anderen Ländern – damals recht umfassenden maternalistischen Politiken durchzusetzen. Sie vermag zu zeigen, dass innerhalb der fragmentierten US-amerikanischen Staatsstruktur nur solche sozialpolitischen Initiativen Aussicht auf Erfolg hatten, die sich Einfluss auf die dezentralisierten Gesetzgebungsinstanzen verschaffen konnten. Das misslang den Protagonisten der Arbeiterversicherungspolitik. Der – so muss hinzugefügt werden: kurzfristige – Erfolg der maternalistischen Politik beruhte auf einer optimalen Mobilisierung der politischen Ressourcen der Frauenbewegung und einer historischen Situation, in der die verfolgten Strategien in die gerade bestehende Chancenstruktur der politischen Institutionen »hineinpassten«. Diese Situation war nach Skocpol durch geschwächte politische Parteien sowie eine größere Offenheit der gesetzgebenden Institutionen für moralische Politikstrategien als für die männliche Interessenpolitik gekennzeichnet. In der Skocpol'schen Politikerklärung spielen zwei Mechanismen eine zentrale Rolle: die Sequenz in der Erlangung politischer Rechte und die prinzipielle Offenheit politischer Institutionen für die Mobilisierung zivilgesellschaftlicher Akteure. Entscheidend für die Mobilisierung der bürgerlichen Frauenbewegung (aber für die Demobilisierung der männlichen Arbeiterklasse) waren die demokratische Verfasstheit und die frühe Einführung des allgemeinen Männerwahlrechts. Dies begründete eine Zweiteilung zwischen politisch-demokratischer Souveränität weißer Männer und feminisierten sozialen Fragen, die den US-amerikanischen bürgerlichen Frauen zwar – vor allem im Vergleich zum Großteil europäischer Staaten – beträchtlichen Einfluss verschaffte, sie aber auch auf eine starke maternalistische Identität festlegte.

Ein geschlechtersensibler Vergleich der Sozialstaatsgründung in Schweden und Deutschland demonstriert ebenfalls die Fruchtbarkeit des institutionalistischen Instrumentariums (Kulawik 1999). Die stark geschlechterdifferenzierten sozialen Rechte in Deutschland entstanden in einer politischen Konfiguration, die durch die *Gleichzeitigkeit* mehrerer Konfliktlinien, nämlich der nationalen, liberal-demokratischen und sozialen Frage gekennzeichnet war. Diese enorm konflikthafte Situation löste einen sich selbst verstärkenden Prozess der Vergeschlechtlichung aus. Dieser bezog sich zunächst auf die jeweiligen Klassenbildungsprozesse. Das deutsche Bürgertum kompensierte seine »Schwäche« gegenüber dem Staat und der sich mobilisierenden Arbeiterbewegung mit einem extremen maskulinen Selbstbehauptungshabitus. Die deutsche Arbeiterbewegung stand dem nicht nach. Verstärkend kam die Verschränkung von Klassenbildungsprozessen mit symbolisch hoch aufgeladenen Fragen der Nationalstaatsgründung und des Kulturkampfes hinzu. Die Konflikthaftigkeit und die Moralisierung der Politik – letztere insbesondere durch den politischen Katholizismus forciert – machte Geschlechterpolitik in Deutschland zum prädestinierten Terrain politischer Grenzziehungen. Insofern ist die deutsche Sozialstaatsgründung auch durch ein geschlechterpolitisches Paradox gekennzeichnet: Einerseits gehörte Deutschland zu den Pionieren frauenbezogener Sozialpolitik (Arbeitsschutz und Mutterschaftsleistungen), andererseits verfügte die Frauenbewegung über keinerlei Einfluss auf die Politikformulierung. Dies hat nicht nur die Ausgestaltung der Leistungen (berufsständisch, erwerbsbezogen) nachhaltig geprägt, sondern auch die Frauenbewegung selbst. Die deutsche Frauenbewegung ist vielfach für ihre »Schwäche« sowie ihre besondere Betonung von Mütterlichkeit und Geschlechterdifferenz gerügt worden. Bei aller berechtigter Kritik: Die Strategien der deutschen Frauenbewegung lassen sich nur auf dem Hintergrund der enormen

staatlichen Repression und der rigiden maskulinen Schließungsstrategien gegenüber Frauen adäquat bewerten.

Die schwedische Entwicklung ist ein Beispiel dafür, dass nicht einfach die
Stärke oder Schwäche bestimmter Akteure entscheidend für ihre Identität und
Gestaltungsfähigkeit sind, sondern die jeweiligen Relationen und Periodisierun-
gen. Ein strukturell betrachtet ähnlicher Modernisierungspfad, nämlich starker
Staat, schwaches Bürgertum, schnelle Mobilisierung der Arbeiterbewegung und
späte Demokratisierung führten in Schweden nicht zu ähnlich maskulinistisch
aufgeladenen politischen Identitäten. Die Teilung des Bürgertums, die Möglichkeit Klassen übergreifender Kompromisse zwischen den Liberalen und der Sozi-
aldemokratie, die politische Repräsentation der Bauern und ein relativ offener
Staat haben eine Konfiguration hervorgebracht, in der die Geschlechterdifferenz
sowohl für die Klassenbildungsprozesse wie für die politische Arena wenn auch
keineswegs unwichtig, so doch weniger bedeutsam war. Die schwedische Frauenbewegung verfügte über einen erheblich größeren Einfluss auf diese frühe
Sozialstaatsbildung. Charakteristisch für ihre Strategie war die Verknüpfung von
Maternalismus mit dem Anspruch auf ökonomische Unabhängigkeit.

Diese Beispiele illustrieren nicht nur den reflexiven Handlungsbegriff, den
die institutionalistische Tradition favorisiert, sondern auch einen, wie ich meine,
wichtigen Erkenntnisfortschritt, der aus der *Reformulierung des Konzepts der
Kausalität* resultiert. Während der Variablen-Ansatz Kausalbeziehungen als
Ausprägung (Stärke/Schwäche) eines bestimmten Indikators zu einem bestimmten Zeitpunkt untersucht und somit letztlich nichts über die länderspezifischen
Entwicklungen sagen kann, arbeitet der historische Institutionalismus induktiv;
im Vordergrund steht die Rekonstruktion und Erklärung unterschiedlicher län-
derspezifischer Konstellationen. Kausalität ist hiernach kein zeitloses Gesetz,
sondern kontextuell und historisch kontingent. Worauf es vergleichend ankommt
ist nicht das kausale Verhältnis zwischen Variablen, sondern die Konfiguration
einer länderspezifischen Konstellation von Elementen (Katznelson 1997: 99).
Mit dieser Konzeption von Kausalbeziehungen ist eine weitere zentrale epistemologische Einsicht verknüpft, die auf der *Theoretisierung von Temporalität*
gründet. Damit sind insbesondere zwei Dimensionen gemeint. Kausalität entsteht
nicht nur aus synchronen Beziehungen, sondern aus langfristigen Entwicklungen, die sich in der Zeit entfalten. Diachronische Kausalität zeigt sich darin, dass
die zeitliche Verortung (*timing*) und Sequenzierung die kausale Relevanz von
Variablen beeinflusst (Pierson 2000b). Die Signifikanz bestimmter Phänomene
resultiert nicht nur daraus, *was* sie sind, sondern *wann* sie sich ereignen und in
welcher Relation sie zu anderen Faktoren und Prozessen im Zeitverlauf platziert
sind.

Zeitlichkeit impliziert andererseits, dass politische Entscheidungen unter Bezugnahme auf vorangegangene Policies und deren Wirkungen gefällt werden. Dieser Rückkoppelungs-Mechanismus (*policy-feed-back*) kann eine Gegenreaktion und Revision von Policies auslösen oder selbstverstärkend sein und damit Pfadabhängigkeit konstitutieren. Wie aber solche Pfadabhängigkeiten konzeptualisiert werden können, ohne wiederum in deterministische Erklärungen zu verfallen, wird derzeit intensiv debattiert (Pierson 2000c; Thelen 2000). Der Grundgedanke umfasst ein machtpolitisches und ein lebensweltliches Argument. Institutionen – z.b. Sozialpolitik – haben eine selektive Wirkung darauf, welche Akteure politischen Einfluss erlangen können; zugleich schaffen sie Anreizstrukturen, nach denen Menschen ihr Leben ausrichten. Wenn eine größere Anzahl von Institutionen in eine ähnliche Richtung wirken, kommt es zu einer Schließung (*lock-in*), die es sehr schwer macht, einen eingeschlagenen Pfad zu verlassen. Ein illustratives Beispiel hierfür ist z.B. der deutsche Wohlfahrtsstaat, der über mehrere Regimewechsel hinweg das ursprüngliche institutionelle Charakteristikum, nämlich seine maskuline Statussicherung, bewahrt hat.

3. Forschungsstrategische Überlegungen

Die verstärkte Hinwendung zur Komparatistik korrespondiert mit einer Reorientierung feministischer Wissenschaft – weg von generellen zum Funktionalismus und Determinismus neigenden Denkmodellen, hin zu einer Theoriebildung, die die zeitlich und räumlich kontingente Varianz und damit auch die Mechanismen der Konstitution und Reproduktion von Geschlechterverhältnissen zu bestimmen sucht. Eine der wichtigsten Lehren, die das breite Feld vergleichender Studien für die Analyse von Gender Mainstreaming bereithält, ist wohl, dass es »das« Gender Mainstreaming nicht gibt. Obwohl es sich wie bei der Sozialpolitik letztlich auch um ein internationales Konzept handelt, hängt seine Umsetzung und Wirksamkeit vom jeweiligen landesspezifischen Kontext ab. Dass die Prinzipien des Gender Mainstreamings z.B. bei sozial- und arbeitsmarktpolitischen Maßnahmen – wie derzeit bei den so genannten Hartz-Reformen, die überproportional Frauen der Arbeitslosenhilfe berauben werden – nicht angewendet werden, hat nichts mit dem Konzept als solchem zu tun. Vielmehr drückt sich darin die Hegemonie des männlichen Ernährermodells in Deutschland sowie die Schwäche frauenpolitischer Akteure inner- und außerhalb der Institutionen aus.

Die geschlechtersensible Komparatistik verfolgt einen Theorie- und Methodenpluralismus, der – bei allen Einwänden gegenüber einzelnen Ansätzen – wichtig und erkenntnisfördernd ist. Variablen-Untersuchungen, die sich auf ein großes Länder-Sample beziehen, wie der Regime- oder der FCP-Ansatz, sowie systematische Fallstudien, wie sie dem Institutionalismus eigen sind, vermögen sich wechselseitig Fragestellungen und Hypothesen zu liefern. Ich halte den Institutionalismus in der Analyse des Gender Mainstreamings dennoch für vielversprechender, weil er konzeptionell besser gerüstet ist, Institutionalisierungsprozesse zu untersuchen. Gender Mainstreaming lässt sich so doppelt in den Blick nehmen: sowohl als Gegenstand politischer Entscheidungsprozesse wie auch als administrative Praxis.

Als sinnvoller Ausgangspunkt empfiehlt sich dabei zunächst die Analyse des historisch überlieferten Staatsapparates. Im Gegensatz zur monolithischen Sichtweise, die von der »Bürokratie« schlechthin ausgeht, unterscheiden sich einzelne Länder erheblich in ihrem Verwaltungsaufbau. So weist z.b. die schwedische Administration mehrere Besonderheiten auf – rechtliche Rahmensteuerung statt Detailregelung, korporatistische Verwaltungsstruktur, Abschaffung des Beamtenstatus und Juristenprivilegs in den 1970er Jahren – die vermutlich genauso wichtige Erklärungsfaktoren bei der aus diesem Land berichteten erfolgreichen Umsetzung des Gender Mainstreamings sind, wie die hohe politische Repräsentation von Frauen. Die vergleichende Bestandsaufnahme unterschiedlicher Verwaltungstypen und ihre Klassifikation nach jeweiliger Responsivität für geschlechterpolitische Reformen – gleichsam das bürokratische Geschlechter-Regime – würde einen erheblichen Erkenntnisgewinn beinhalten und ein Grundgerüst für weitere Studien liefern. Dabei könnte sich erweisen, dass Verwaltungsmodernisierung nicht, wie manche in Deutschland meinen, der Feind einer frauenfreundlichen Politik (Wetterer 2002), sondern geradezu ihre Voraussetzung ist.

Anmerkungen

1 Ausgespart ist hier die diskursanalytische Herangehensweise, die meines Erachtens eine fruchtbare Ergänzung des Institutionalismus darstellt (vgl. Kulawik 1999: 45ff.; auch Bothfeld in diesem Band).

2 Die Studie von Mazur (2002) umfasst 13 Länder und 7 Policyfelder. Die einzelnen Felder werden anhand ausgewählter Länderfallstudien, in der Regel vier pro Feld, untersucht.

3 Wenngleich nicht verschwiegen werden sollte, dass sich Policyanalyse heute durch eine Vielfalt an theoretischen und methodischen Herangehensweisen auszeichnet, was sich an so etablierten Feldern wie der Sozialpolitikforschung aber auch der neueren Umwelt- und Technologiepolitikforschung eindrücklich zeigt (Fischer 2003).

Literatur

Barkey, Karen/Parikh, Sunita 1991: Comparative Perspectives on the State, in: *Annual Review of Sociology*, Jg. 17, S. 523-549.

Beckwith, Karen 2000: Beyond compare? Womens' movements in comparative perspective, in: *European Journal of Political Research*, Jg. 37, H. 4, S. 431-468.

Behning, Ute 1999: *Zum Wandel der Geschlechterrepräsentationen in der Sozialpolitik: ein policy-analytischer Vergleich der Politikprozesse zum österreichischen Bundespflegegeldgesetz und zum bundesdeutschen Pflege-Versicherungsgesetz*, Opladen: Leske und Budrich.

Bergqvist, Christina 1998: Frauen, Männer und die politische Repräsentation in Schweden, in: Hoecker, Beate (Hg.): *Handbuch Politische Partizipation von Frauen in Europa*, Opladen: Leske und Budrich, S. 315-332.

Castles, Francis G. 1989: Introduction. Puzzles of Political Economy, in: ders. (Hg.): *The Comparative History of Public Policy*, Cambridge: Cambridge University Press, S. 1-15.

Esping-Andersen, Gøsta 1990: *The Three Worlds of Welfare Capitalism*, Cambridge: Polity Press.

Evans, Peter/Rueschemeyer, Dietrich/Skocpol, Theda (Hg.) 1986: *Bringing the State Back In*, Cambridge: Cambridge University Press.

Fischer, Frank 2003: *Reframing Public Policy. Discursive Politics and Deliberative Practices*, Oxford: Oxford University Press.

Frader, Laura L./Rose, Sonya (Hg.) 1996: *Gender and Class in Modern Europe*, Ithaca/London: Cornell University Press.

Hall, Peter A./Taylor, Rosemary C.R. 1996: Political Science and the Three New Institutionalism, in: *Political Studies*, Jg. 44, H. 5, S. 936-957.

Hoecker, Beate (Hg.) 1998: *Handbuch Politische Partizipation von Frauen in Europa*, Opladen: Leske und Budrich.

Immergut, Ellen M. 1998: The Theoretical Core of the New Institutionalism, in: *Politics and Society*, Jg. 26, H. 1, S. 5-34.

Katzenstein, Peter (Hrsg.) 1978: *Between Power and Plenty: Forgeing Economic Policies of Advanced Industrial States*, Madison: Unversity of Wisconsin Press.

Katznelson, Ira 1997: Structure and Configuration in Comparative Politics, in: Lichbach, Mark Irving/Zuckerman, Alain S. (Hg.): *Comparative Politics. Rationality, Culture, and Structures*, Cambridge: Cambridge of University Press, S. 81-112.

Kulawik, Teresa 1999: *Wohlfahrtsstaat und Mutterschaft: Schweden und Deutschland 1870-1912*, Frankfurt am Main/New York: Campus.

Kulawik, Teresa/Sauer, Birgit (Hg.) 1996: *Der halbierte Staat. Grundlagen feministischer Politikwissenschaft*, Frankfurt/M., New York: Campus.

Lewis, Jane 1994: Gender, the family and women's agency in the building of welfare states: the British case, in: *Social History*, Jg. 19, H. 1, S. 37-55.

Lovenduski, Joni/Norris, Pippa 1993: *Gender and Party Politics*, London u.a.: Sage.

March, James G./Olsen, Johan P. 1984: The New Institutionalism: Organisational Factors in Political Life, in: *The American Political Science Review*, Jg. 78, H. 3, S. 734-749.

Mazur, Amy G. 2002: *Theorizing Feminist Policy*, Oxford: Oxford University Press.

Moore, Barrington 1974 [1966]: *Soziale Ursprünge von Diktatur und Demokratie*, Frankfurt/M.: Suhrkamp.

Morgan, Kimberly 2001: Gender and the Welfare State. New Research on the Origins and Consequences of Social Policy Regimes, in: *Comparative Politics*, Jg. 34, H. 1, S. 105-124.

Offe, Claus 1972: *Strukturprobleme des kapitalistischen Staates*, Frankfurt a.M.: Suhrkamp.

Pfau-Effinger, Birgit 2000: *Kultur und Frauenerwerbstätigkeit in Europa: Theorie und Empirie des internationalen Vergleichs*, Opladen: Leske und Budrich.

Pierson, Paul 2000a: Three Worlds of Welfare State Research, in: *Comparative Political Studies*, Jg. 33, H. 6/7, S. 791-821.

Pierson, Paul 2000b: Increasing Returns, Path Dependence, and the Study of Politics, in: *American Political Science Review*, Jg. 94, H. 2, S. 251-267.

Pierson, Paul 2000c: Not Just What, but When: Timing and Sequence in Political Processes, in: *Studies in American Political Development*, Jg. 14, H. 1, S. 72-92.

Rothstein, Bo 1990: Marxism, Institutional Analysis and Working-Class Power: The Swedish Case, in: *Politics and Society*, Jg. 18, H. 3, S. 317-345.

Rothstein, Bo 1991: State Structure and Variations in Corporatism: The Swedish Case, in: *Scandinavian Political Studies*, Jg. 14, H. 2, S. 149-171.

Sainsbury, Diane (Hg.) 1999: *Gender and Welfare State Regimes*, Oxford: Oxford University Press.

Schmidt, Manfred G. 1993: Theorien in der international vergleichenden Staatstätigkeitsforschung, in: Héritier, Adrienne (Hg.): *Policy-Analyse. Kritik und Neuorientierung*, PVS-Sonderheft 24, Opladen: Westdeutscher Verlag, S. 371-393.

Skocpol, Theda 1992: *Protecting Soldiers and Mothers. The Political Origins of Social Policy in the United States,* Cambridge/Mass.: Harvard University Press.

Skocpol, Theda/Weir, Margaret 1986: State Structures and the Possibilities for ›Keynesian‹ Responses to the Great Depression in Sweden, Britain, and the United States, in: Evans, Peter/Rueschemeyer, Dietrich/Skocpol, Theda (Hg.): *Bringing the State Back In*, Cambridge: Cambridge University Press, S. 107-168.

Special Section 1997: A Discussion on Gender and Welfare Regimes, in: *Social Politics*, Jg. 4, H. 1, S. 160-207.

Stetson, Dorothy McBride 2001: *Abortion Politics, Women's Movements and the Democratic State. A Comparative Study of State Feminism*, Oxford: Oxford University Press.

Thelen, Kathleen 2000: Timing and Temporality in the Analysis of Institutional Evolution and Change, in: *Studies in American Poltical Development*, Jg. 14, H. 1, S. 101-108.

Thelen, Kathleen/Steinmo, Sven 1992: Historical Institutionalism in Comparative Politics, in: Steinmo, Sven et al. (Hg.): *Structuring Politics. Historical Institutionalism in Comparative Analysis*, Cambridge: Cambridge University Press, S. 1-32.

Thürmer-Rohr, Christina 2001: Gleiche unter Gleichen? Kritische Fragen zu Geschlechterdemokratie und Gender Mainstreaming, in: *Forum Wissenschaft*, H. 2, S. 34-37.

Wahl, Angelika von 1999: *Gleichstellungsregime: berufliche Gleichstellung von Frauen in den USA und in der Bundesrepublik Deutschland*, Opladen: Leske und Budrich.

Wetterer, Angelika 2002: Strategien rhetorischer Modernisierung. Gender Mainstreaming, Managing Diversity und die Professionalisierung der Gender-Expertinnen, in: *Zeitschrift für Frauenforschung und Geschlechterstudien*, Jg. 20, H. 3, S. 129-148.

Williams, Fiona 1995: Race/Ethnicity, Gender, and Class in Welfare States: A Framework for Comparative Analysis, in: *Social Politics*, Jg. 2, H. 2, S. 127-159.

Gender Mainstreaming im Kontext nationaler Geschlechterregime Welche Chancen – welche Hindernisse?

Regina-Maria Dackweiler

Das globale gleichstellungspolitische Handlungsprinzip Gender Mainstreaming gilt es einzubetten in nationalstaatliche Kontexte. Hierbei stößt es auf spezifische geschlechterpolitische Traditionen und Entwicklungspfade. Doch Gender Mainstreaming bewegt sich nicht nur in geschlechterpolitisch formbestimmten Institutionen staatlicher Politikfelder; es verfolgt die Absicht, diese für einen geschlechtergerechten Wandel zu bewegen. Anders formuliert: Gender Mainstreaming trifft auf vergeschlechtlichte (gendered) Institutionen und Organisation und soll diese re-organisieren – einerseits im politisch-normativen Horizont von Geschlechtergleichheit, Geschlechtergerechtigkeit und Geschlechterdemokratie, andererseits geleitet von wettbewerbsorientierten Modernisierungskriterien wie Effizienzsteigerung, Innovation und optimale Nutzung des Humanvermögens beider Geschlechter.

Da Gender Mainstreaming eingelassen ist in das EU-Politikparadigma der Chancengleichheit und deren Handlungsanreize in Gestalt von Sozial- und Strukturfonds, stehen für eine kritisch-feministische Analyse des Transformationspotenzials von Gender Mainstreaming die Felder von Sozial-, Familien-, Arbeitsmarkt- und Beschäftigungs- sowie Bildungspolitik im Zentrum der Aufmerksamkeit. Das gleichstellungspolitische Prinzip trifft hier auf ein historisch dicht gewobenes, vergeschlechtlichtes und vergeschlechtlichendes wohlfahrtsstaatliches Institutionengefüge. Dessen Architektur ist das Ergebnis von in Strukturen geronnenen historischen Entscheidungen politischer AkteurInnen entlang geschlechterideologischer Leitbilder, die ihrerseits ein widersprüchliches Amalgam aus Differenz- und Gleichheitsdiskursen der Geschlechter bergen.

Die institutionalisierten wohlfahrtsstaatlichen Geschlechterpraktiken und Geschlechterdiskurse in ihrer Gesamtheit bilden Geschlechterregime. Eingespannt in rechtliche, ökonomische, politische und soziokulturelle Konfigurationen regulieren nationale Geschlechterregime das jeweilige Verhältnis zwischen Staat, Wirtschaft, (Zivil-)Gesellschaft und Haushalten. Hierüber konstituieren sich Geschlechterverhältnisse und symbolische Geschlechterordnungen, welche verschränkt mit weiteren sozialstrukturellen Dimensionen ein jeweils mehr oder weniger dynamisches bzw. mehr oder weniger veränderungsresistentes Netz von Positionen der Gleichheit und Ungleichstellung der Geschlechter aufspannen.

Im Folgenden möchte ich den Bezugsrahmen des »Geschlechterregimes« fruchtbar machen für eine Analyse der Chancenstrukturen von Gender Mainstreaming. Hierfür führe ich zwei feministisch-politikwissenschaftliche Diskussionsstränge zusammen: zum einen die geschlechtersensible komparative Wohlfahrtsstaatsanalyse, die – anders als der Malestream – auch in den aktuellen Debatten über die ökonomische Internationalisierung und den Umbau kapitalistischer Wohlfahrtsstaaten die Bedeutung von Geschlecht im Zuge dieser Transformationsprozesse ausleuchtet. Zum anderen die unterdessen umfangreich gewordene deutschsprachige Auseinandersetzung mit Gender Mainstreaming, in deren Mittelpunkt bislang mehrheitlich entweder die Frage nach der Operationalisierung dieses Prinzips auf der Meso-Ebene von Organisationen und gesellschaftlichen Institutionen oder die auf der Ebene der EU-Mitgliedstaaten angesiedelte vergleichende Analyse der Auswirkungen im Feld der Beschäftigungspolitik steht.

Meine Überlegungen gliedern sich in drei Abschnitte: Zunächst gilt mein Interesse der Frage, welche Rolle die Tatsache spielt, dass die internationalen (UN) bzw. supranationalen Rechtsdokumente (EU), die Gender Mainstreaming zu einem verbindlichen Handlungsprinzip gestalten, in die jeweiligen Landessprachen »übersetzt« werden müssen. Auf dieser marginal wirkenden Ebene der Sprachen erweist sich die Relevanz einer nationalstaatliche Kontexte und Geschichte berücksichtigenden Analyse der Diskussions- und Implementationsprozesse von Gender Mainstreaming (1). Sodann verdeutliche ich die Problemebenen einer Geschlecht »vergessenden« Wohlfahrtsstaatsanalyse (2) als Scharnier für den abschließend skizzierten analytischen Bezugsrahmen der »Geschlechterregime« (3). Dieser Bezugsrahmen eröffnet Fragen nach den nationalen Kontexten, innerhalb derer Gender Mainstreaming umgesetzt wird, d.h., er bietet den Hintergrund für die Analyse der jeweiligen makro-politischen Chancenstrukturen für das gleichstellungspolitische Handlungsprinzip.

1. Lost in Translation?

In der deutschsprachigen frauen- und gleichstellungspolitischen Diskussion gilt der Begriff Gender Mainstreaming vielfach als fremd und sperrig, un- bzw. missverständlich (Rabe-Kleeberg 2002; Riedmüller 2002). So weist die Geschäftsführerin der »interministeriellen Arbeitsgruppe Gender Mainstreaming« der deutschen Bundesregierung noch in einer jüngeren Publikation darauf hin, dass vom Bundesministerium für Familie, Senioren, Frauen und Jugend (BMFSFJ), »Ideen und Vorschläge zu einer prägnanten und kurzen deutlichen Begrifflichkeit gerne entgegen genommen werden« (Schweikert 2002: 20).

Bis heute besteht keine Einigkeit darüber, was der Begriff bezeichnen soll, wird doch in den zahlreichen Publikationen zum Thema wahlweise von einer Strategie, Idee, Maxime oder Methode bzw. von einem Konzept, Instrument, Prinzip oder Prozess geredet. Und auch das Ziel von Gender Mainstreaming erscheint diffus, da von der Reichweite so Unterschiedliches wie (tatsächliche bzw. materielle) »Gleichheit«, (tatsächliche bzw. materielle) »Gleichstellung«, (tatsächliche bzw. materielle) »Chancengleichheit« sowie »Geschlechterdemokratie« (Blickhäuser 2002) ins Auge gefasst wird. Dass dies die Implementierung des Handlungsprinzips nicht gerade erleichtert, bringt Joke Swiebel prägnant auf den Punkt, indem sie von einer »Desorientierung der europäischen Emanzipationspolitik« spricht, die bereits seit längerer Zeit bestehe: »A clear vision is lacking (...) what is European emancipation policy really all about?" (Swiebel 1996, zitiert nach Woodward 2001: 21).

Auch wenn der anglophone Begriff Gender Mainstreaming in die jeweiligen Landessprachen übernommen wurde,[1] musste in der vergangenen Dekade doch mehr oder weniger treffend »übersetzt« werden, welches Tun in Bezug auf welche Realität, Objekte und Verhältnisse mit ihm verbindlich erklärt bzw. rechtlich verankert werden soll: zunächst für die einzelnen Mitgliedstaaten der Vereinten Nationen, für die Gender Mainstreaming im Rahmen der »Aktionsplattform« der Vierten Weltfrauenkonferenz in Peking 1995 politisch mandatiert wurde, und sodann für die EU-Mitglieder, für die der 1999 ratifizierte Amsterdamer Vertrag Gender Mainstreaming in das EU-Primärrecht einschrieb.

Die jeweiligen Übersetzungs- und somit Definitionsvarianten, die nationalstaatliche Geltung beanspruchen und Wirkungsmacht entfalten, sind aber nicht einfach nur im Wesentlichen bzw. im Detail »falsch« oder »richtig«. Sie sind vielmehr bezogen auf nationale geschlechterpolitische Traditionen und Institutionen, Konjunkturen von Frauenbewegungen und Frauenpolitik von Parteien und Regierungen, hegemoniale, sprich wirkungsmächtige Stränge akademischer Frauen- und Geschlechterforschung, also historisch gewachsene Rahmenbedingungen geschlechterpolitischer Aktivitäten und Erfahrungen, die jeweils durchaus interessengeleitet erfasst und vermittelt werden. Denn die verwandte Begrifflichkeit ist Teil dieser Traditionen, Geschichten und Verhältnisse, sie ist aber auch Definitions- und Deutungsmacht im Feld der nationalen Geschlechterpolitik, deren Genealogie zugleich auf- und verdeckt wird.

Hiervon ausgehend ist es eben nicht der Übersetzung geschuldet, dass in den Dokumenten des BMFSFJ zur Aktionsplattform der 4. Weltfrauenkonferenz nicht, wie in den englischen Fassungen, die Rede von »mainstream a genderequality perspective« gesprochen wird, sondern mehrheitlich von der »Einbeziehung einer geschlechterbezogenen Perspektive« (von Braunmühl 2001: 190). Auch ist die Verschiebung der Bedeutung der zentralen Dimension des »empowerment« (DAWN 1996: 115f.) für das Prinzip des Gender Mainstreamings im Deutschen von der Forderung nach einer kollektiv voranzutreibenden Transformation der Geschlechterverhältnisse hin zur Bedeutung individueller Handlungsermächtigung (Ruf 1996) nicht einer unzureichenden Übersetzung anzulasten. Und es scheint mir auch nicht ein »Übersetzungsfehler« (Mückenberger/Tondorf 2000: 5) zu sein, wie der für den Europarat erstellte Sachverständigenbericht »L'approche intégrée de l'égalité entre les femmes et les hommes« (Europarat 1998) in der deutschen Version in Erscheinung tritt. Vielmehr ist die deutschsprachige Übersetzung eingelassen in einen spezifischen geschlechterpolitischen Traditionszusammenhang, in welchem die Rede von der »geschlechtsspezifischen Sichtweise« anstelle von der »perspective de l'égalité« als anschlussfähig und politisch gewollt gelten kann.

Beispielhaft an den Ausführungen von Ulrich Mückenberger und Karin Tondorf lässt sich ein weiterer Aspekt der Definitions- und Deutungsmacht im geschlechterpolitischen Feld des Gender Mainstreamings illustrieren. Ihre Ausführungen entstanden im Auftrag des Niedersächsischen Ministeriums für Frauen, Arbeit und Soziales und wurden zum Bezugspunkt anderer Verständigungs- und Anleitungstexte über Gender Mainstreaming verschiedener Landesregierungen und Landeszentralen für politische Bildung (Freistaat Sachsen 2001; Erhardt/Jansen 2003). Die Publikation stellt daher eine autorisierte und autorisierende Fassung des Sprechens über Gender Mainstreaming in der BRD dar.

So beginnen die AutorInnen ihre Publikation mit dem Satz: »Die Beschäftigung mit der politischen und rechtlichen Ausgestaltung des Geschlechterverhältnisses ist relativ neu und wesentlich europäischen Ursprungs« (Mückenberger/Tondorf 2000: 5). Diese Aussage ist ebenso falsch wie an diesem Ort bedeutsam. Denn vielfach haben Akademikerinnen und Praktikerinnen aus Entwicklungspolitik und Entwicklungszusammenarbeit nachgezeichnet, dass Gender Mainstreaming mittels eines bereits in den 1970er Jahren begonnenen Diskussionsprozesses anlässlich der Weltfrauenkonferenz in Nairobi 1985 auf die Agenda der UN und der internationalen (Geber-)Organisationen gelangte (Wichterich 1996; von Braunmühl 2000; Callenius 2002). Es handelt sich bei Gender Mainstreaming weder um ein europäisches, noch um ein »von oben«, sprich von der Europäisches Kommission, erdachtes Prinzip. Vielmehr entstand es in einem langen kollektiven Lernprozess der transnationalen Frauenbewegung und ihrer Netzwerke im Zusammenwirken mit internationalen Entwicklungsorganisationen, also im politischen Wechselspiel von »unten« und »oben« sowie von »Norden« und »Süden«.

Pointiert formuliert Susanne Schunter-Kleemann in ihrer kritischen Analyse von Gender Mainstreaming das Ziel der Ausblendung und des Vergessenmachens der langen Geschichte und des Anteils der Frauenbewegung an dem Begriff und dem hiermit bezeichneten Handlungsprinzip. Sie geht davon aus, dass die EU-Kommission den Eindruck zu erwecken sucht, Gleichstellungspolitik sei wesentlich in ihren Institutionen entstanden, also ein Resultat suprastaatlicher Machtpolitik: »In einer solchen (unglücklichen) Ausübung von Definitionsmacht findet dann auch die Kombination von ›Gender‹ und ›Mainstreaming‹ ihre Plausibilität« (Schunter-Kleemann 2003: 23). Im Nachvollzug der Deutung der von »oben« über die EU-BürgerInnen gekommenen Gleichstellungs- bzw. Chancengleichheitspolitik werden auch in der bundesdeutschen Auseinandersetzung mit Gender Mainstreaming die Traditionslinien gekappt; und zwar sowohl die internationalen als auch die nationalen, entstand doch das Feld der Gleichstellungspolitik in den 1980er Jahren nicht durch EU-Vorgaben, sondern muss als die »andere Seite der Frauenbewegung« (Rudolph 1993) entziffert werden.

Es lässt sich resümieren: Kombiniert aus zwei, in feministisch-akademischen und bewegungspolitischen Debatten hoch voraussetzungsvollen und mit Dissens behafteten Substantiven – Gender und Mainstreaming –, die jeweils für sich aufgeladen sind als »Kampf- oder Bewegungsbegriffe« und zugleich den Anspruch erheben, »geschlechterkritische Herrschaftsanalyse wissenschaftlich zu begründen und methodisch anzuleiten« (Kreisky 2004: 25), hat Gender Mainstreaming eine annähernd 30 Jahre während internationale Begriffsgeschichte. In dieser haben sich Bedeutungen abgelagert und übereinander geschoben, sind aber auch Bedeutungsinhalte bei ihrer Einbettung in nationale Kontexte überlagert und verdrängt worden. Und längst gibt es aufseiten der beteiligten AkteurInnen in den politischen Kräftefeldern auf lokaler, nationaler und supranationaler Ebene den Versuch, Deutungsmacht darüber zu erlangen, was Gender Mainstreaming bezeichnet und wer reklamieren kann, dessen Ideengehalt mit welchen Zielen ins geschlechterpolitische Spiel gebracht zu haben.

Die politische Ideengeschichte von Gender Mainstreaming zu schreiben und somit nachzuzeichnen, wie dieser Begriff jeweils in nationale Kontexte »übersetzt« und auf spezifische Weise in das geschlechterpolitische Institutionengefüge eingelassen wird, steht noch aus. Hierbei könnte sichtbar gemacht werden, wann, wo und durch wen welche Verschiebungen des Bedeutungsgehaltes vorgenommen werden und welche Auswirkungen dies hat. Dann könnte herausgearbeitet werden, wer von den EU-Mitgliedern auch an den herrschaftskritischen Ideengehalt von Gender Mainstreaming, wie ihn die internationale Frauenbewegung generierte, anknüpft und wer in erster Linie an den neoliberal anpassungsfähigen Modernisierungsdiskurs der EU-Bürokratie zur chancengleichen Beschäftigung im globalen Wettbewerb.

2. Ausgeblendete Problemebenen einer geschlechtsblinden vergleichenden Wohlfahrtsstaatsanalyse

Analog zur konstatierbaren Abstinenz gegenüber dem elaborierten »feminist comparative policy«-Ansatz (Mazur 2001: 7) greift der politikwissenschaftliche Malestream nur in Ausnahmen die Forderung feministischer Sozialwissenschaftlerinnen auf, wohlfahrtsstaatliche Steuerung und deren sich verändernden Formen und Inhalte geschlechtersensibel zu analysieren. Doch eine geschlechtsblinde Wohlfahrtsstaatsanalyse vernachlässigt die Frage, wie durch wohlfahrtsstaatliche Institutionen auf den Feldern Sozial-, Arbeitsmarkt- und Beschäftigungs- sowie Familien- und Gleichstellungspolitik Lebens- und Unsicherheitslagen sowie spezifische Teilhabechancen und Konfliktkonstellationen der Geschlechter mit hergestellt werden. Unbefragt bleibt die empirisch eindringlich belegte fortbestehende Benachteiligung und Ungleichstellung von Frauen durch wohlfahrtsstaatliche Politik einerseits, aber auch die seit den 1970er Jahren in allen kapitalistischen Wohlfahrtsstaaten Westeuropas und Nordamerikas vergrößerte Partizipation an gesellschaftlichen Ressourcen und Autonomiezugewinne von Frauen mittels wohlfahrtsstaatlicher Maßnahmen und Regelungen andererseits. Unbefragt mit Blick auf Gender Mainstreaming bleibt somit das wohlfahrtsstaatliche geschlechterpolitische Institutionengefüge als jeweiliger Kontext, auf welchen das gleichstellungspolitische Handlungsprinzip stößt und in welches es implementiert werden soll, um es geschlechtergerecht zu verändern.

Vier zentrale Problemebenen bleiben mithin ausgeblendet und bilden Erkenntnisgrenzen einer geschlechtsblinden komparativen Analyse von Wohlfahrtsstaaten im Hinblick auf die Analyse der nationalen Chancenstrukturen für die Umsetzung von Gender Mainstreaming:

Erstens, dass und wie die Formierung wohlfahrtsstaatlicher Institutionen in Europa und Nordamerika seit Ende des 19. Jahrhunderts eingebettet war in und vorangetrieben wurde durch Traditionsbestände vormoderner sowie sich entfaltender moderner Geschlechterdifferenz-Diskurse und -Praktiken. Der Prozess der Ausgestaltung wohlfahrtsstaatlicher Politikfelder traf auf und dynamisierte historisch konstitutierte und insbesondere in den Rechtssystemen (Kirchenrecht, Ehe- und Familienrecht, Gewerbe- und Gesinderecht, Strafrecht, Bürgerrecht) institutionalisierte Formen der Geschlechterungleichstellung und Geschlechterherrschaft. Zugleich überschnitt sich die Ausgestaltung einer geschlechterhierarchisierenden Wohlfahrtspolitik mit den sozialen Kämpfen von Frauen um Gleichberechtigung und die volle Integration in den Staatsbürgerstatus, der sukzessive angereichert wurde um die Dimensionen sozialer Rechte. Dies bezeichne ich als die Problemebene der *Historizität* des herrschaftsförmigen Geschlechterverhältnisses.

Zweitens, dass jede wohlfahrtsstaatliche Aktivität von Beginn an entweder explizit auf die Regulierung des Geschlechterverhältnisses zielt(e), also ausdrücklich mithilfe von Gesetzen, Leistungen und Einrichtungen die Beziehungen der Geschlechter, die Verteilung von Ressourcen zwischen ihnen und die Teilhabe- und Repräsentationschancen reguliert(e) oder sich auf die geschlechtliche Ordnung und Normierung implizit auswirkt(e). Dies macht den Wohlfahrtsstaat zu einer zentralen gesellschaftlichen Institution für die Organisation, Reproduktion, aber auch Transformation des herrschaftsförmigen Geschlechterverhältnisses. Durch die ambivalente Gleichzeitigkeit von egalisierenden und hierarchisierenden Maßnahmen und Regelungen innerhalb und zwischen wohlfahrtsstaatlichen Handlungsfeldern tragen wohlfahrtsstaatliche Institutionen zu einer verkürzten Modernisierung des Geschlechterverhältnisses bei und vertiefen dessen Widersprüche. Dies bezeichne ich als die Problemebene der *Widersprüche* von wohlfahrtsstaatlicher Geschlechterpolitik.

Drittens, dass und wie wohlfahrtsstaatliche Institutionen, die das Geschlechterverhältnis aufrechterhalten und/oder verändern, in einem dialektischen Zusammenhang stehen mit sozialen, ökonomischen, politischen und kulturellen Verschiebungen, die von veränderten Geschlechterverhältnissen ausgehen, die wiederum unter anderem ausgelöst werden durch wohlfahrtsstaatliche Geschlechterpolitik und ihrerseits Veränderungsdruck auf wohlfahrtsstaatliche Politikfelder ausüben. Dies bezeichne ich als die Problemebene der Wechselwirkung von *Transformation* und *Persistenz* zwischen wohlfahrtsstaatlicher Geschlechterpolitik einerseits und gesellschaftlich organisierten Geschlechterverhältnissen andererseits.

Viertens, welche Bedingungen der Möglichkeit für eine Institutionalisierung sozialer BürgerInnenrechte im aktuellen Prozess der Umgestaltung wohlfahrtsstaatlicher Politik bestehen, die es erlauben, alte (wohlfahrtsstaatlich mit hervorgebrachte) geschlechtsspezifische Problem- und Unsicherheitslagen aufzuheben und neu entstehende aufzufangen. Für diese politisch-normative Ausrichtung von Wohlfahrtsstaatsforschung gilt es insbesondere, die Wechselwirkung zwischen feministischen zivilgesellschaftlichen und (wohlfahrts-)staatlichen AkteurInnen bei der Bedürfnisinterpretation sozialer Gruppen entlang der sich überschneidenden und kumulierenden Dimensionen sozialer Ungleichheit von Geschlecht, Klasse, ethnischer und nationaler Zugehörigkeit, sexueller Lebensweisen und Alter auszuleuchten. Dies bezeichne ich als die Problemebene der von *kollektiven AkteurInnen angestoßenen Institutionalisierung* von Geschlechtergerechtigkeit.

In Anknüpfung an die unterdessen empirisch reichhaltige geschlechtersensible vergleichende Wohlfahrtsstaatsanalyse möchte ich, von diesen vier Problemebenen ausgehend, abschließend einen analytischen Bezugsrahmen skizzieren, der es erlauben soll, die makro-politischen Rahmenbedingungen der Implementierung von Gender Mainstreaming zu markieren und somit deren Chancenstrukturen zu erfassen.

3. Geschlechterregime: Erkenntnischancen eines geschlechtersensiblen Bezugsrahmens für die Analyse der Chancenstrukturen von Gender Mainstreaming

Traten Frauen im Rahmen einer geschlechterreflektierten Analyse des wohlfahrtsstaatlichen Handelns in den 1970er und 1980er Jahren zunächst als Objekte eines »patriarchalen« (insbesondere Deutschland und Österreich) bzw. eines »frauenfreundlichen« Wohlfahrtsstaats (Schweden, Norwegen, Dänemark) in den Blick, regte die Diversifizierung der internationalen Forschungsergebnisse zu Beginn der 1990er Jahre einen Perspektivenwechsel feministischer Wohlfahrtsstaatsforschung an: Zum einen gelangen Frauen nun weniger als Objekte von Wohlfahrtsstaaten, sondern als Subjekte der Ausgestaltung, Entwicklung und Veränderung wohlfahrtsstaatlicher Maßnahmen und Regelungen in den Blick. Zum anderen wurde die Notwendigkeit geschlechterreflektierter vergleichender Wohlfahrtsstaatsforschung deutlich, um die Ursachen und Formen sowie Entwicklungspfade und -tendenzen nationalstaatlicher Differenzen und Ähnlichkeiten zu verstehen. Im Vordergrund steht nicht mehr der Nachweis, dass Wohlfahrtsstaaten patriarchale Geschlechterverhältnisse reproduzieren, sondern der Nachvollzug, *wie* deren institutionelle Gefüge auf spezifische Weise anhaltend herrschaftsförmige Verhältnisse konstituieren.

Hierbei wurde die einflussreiche vergleichende Forschung von Gøsta Esping-Andersen (1990) zu »Wohlfahrtsstaatsregimen« und sein Schlüsselkonzept der »Dekommodifizierung«, welches danach fragt, inwieweit soziale BürgerInnenrechte verankert werden, die es den Menschen erlauben, »to make their living standards independent of pure market forces« (ebd.: 3), zum Ausgangspunkt einer kritisch-feministischen Rekonzeptualisierung. Unter dem Begriff der »Geschlechterregime« (O'Connor 1993; Orloff 1993) ergänzen vergleichende Wohlfahrtsstaatsforscherinnen die Schlüsselkategorie der Dekommodifizierung zum einen um die analytische Dimension der Bedingungen des Zugangs zum Arbeitsmarkt von Frauen und zum anderen um die Dimension der Bedingungen der Möglichkeit von Frauen, einen autonomen Haushalt zu führen. Somit bemessen sie Geschlechterregime nach dem Grad der Unabhängigkeit von Frauen sowohl von einer Versorgerehe als auch von marktvermittelter Erwerbsarbeit.

Auf dieser Grundlage werden zwei idealtypisch zu unterscheidende historische »Logiken« von Geschlechterregimen in Bezug auf die wohlfahrtsstaatliche Regulierung des Geschlechterverhältnisses in Produktion und Reproduktion identifizierbar (Sainsbury 1997: 12): ein »male breadwinner-model«, das Frauen familialisiert, und ein »individual-model«, das zu ihrer (Arbeitsmarkt-)Individualisierung beiträgt. Darüber hinaus erlangt neben der Analyse der Inhalte wohlfahrtsstaatlicher Geschlechterpolitik in Gestalt von Maßnahmen und Regelungen

– also von Policies – die Auseinandersetzung mit politischen Prozessen – also Politics – aus einer geschlechtersensiblen Perspektive zentrale Relevanz (Busse-maker 1997; Dackweiler 2003). Intendiert ist ein Zugang, der es ermöglicht, wohl-fahrtsstaatliche »Governance-Institutionen« nationaler Politischer Ökonomien aus einer Geschlecht(er) integrierenden Perspektive auszuleuchten (Young 2000).

Von hier ausgehend möchte ich sechs Dimensionen eines analytischen Bezugs-rahmens skizzieren, der versucht, das vergeschlechtlichte und vergeschlecht-lichende wohlfahrtsstaatliche Institutionengefüge – das jeweilige Geschlechter-regime – als Kontext des zu implementierenden gleichstellungspolitischen Hand-lungsprinzips Gender Mainstreaming aufzugreifen und für eine Analyse seiner Chancenstrukturen fruchtbar zu machen:

Erstens bedarf es einer geschlechtersensiblen Auseinandersetzung mit den ungleich verteilten Zugängen zu Handlungs- und Gestaltungsmacht, um die Effekte wohlfahrtsstaatlicher Regulierungen für die Konstitution und Aufrecht-erhaltung von Geschlechterungleichheit im Zusammenhang mit anderen sozial-strukturellen Ungleichheitslagen zu analysieren. Zu fokussieren ist der Zugang von Frauen zum Arbeitsmarkt einerseits und die Möglichkeit der autonomen Haushaltsführung andererseits. Aufgespannt wird so auch der Zusammenhang von De-Familialisierung und Re-Familisierung im Zuge des Rückbaus wohl-fahrtsstaatlicher Leistungen (Leitner/Ostner/Schratzenstaller 2004).

Zweitens spielen die ideologischen Orientierungen politischer Parteien und sozialer Bewegungen als Arenen geschlechterpolitischer Auseinandersetzungen eine zentrale Rolle. Insbesondere gilt es zum einen sozialdemokratische/sozialis-tische, christlich-konservative und liberale Parteien sowie Gewerkschafts- und Arbeiterbewegungen auf ihre Geschlechterideologien und -praktiken hin zu ana-lysieren und daraufhin zu befragen, inwieweit sie Bündnispartnerinnen für eine egalitäre Geschlechterpolitik waren/sind bzw. Allianzen für die Aufrechterhal-tung herrschaftsförmiger Geschlechterverhältnisse eingingen/eingehen. Zum ande-ren müssen Frauenbewegungen und -organisationen sowohl historisch als auch aktuell als handlungsmächtige Subjekte bei der Ausgestaltung sozialer BürgerIn-nenrechte in den Blick gerückt werden. Ihre politischen Forderungen können ideal-typisch nach erwerbsarbeitsbezogenen Gleichheitsforderungen einerseits und Kompensationsforderungen für die Übernahme der Versorgungsökonomie ande-rerseits differenziert werden – Forderungen, die die Entwicklungspfade und die Transformation wohlfahrtsstaatlicher Steuerungsmodi mit orientier(t)en (Siim 2000).

Drittens bedarf es der Geschlechter reflektierenden Analyse industrieller Beziehungen und korporatistischer Regulierungsmuster zwischen Gewerkschaf-ten, Unternehmer- und Wirtschaftsverbänden sowie der Regierungen im Hin-blick auf die Frage nach der Förderung oder Behinderung egalitärer Geschlech-

terverhältnisse durch Wohlfahrtsstaats- und Arbeitsmarktpolitik. Im Mittelpunkt
steht hierbei die Frage nach der Offenheit bzw. Geschlossenheit tripartistischer
Aushandlungsmechanismen für die Partizipation von Frauen und die Integration
von Fraueninteressen. Zu bewerten ist entlang der Analyse von Partizipations-
chancen von Frauen und der damit verknüpften Interessenrepräsentation der
Grad von Androkratie und Androzentrismus korporatistischer Funktionärseliten
(Neyer 1996) bzw. die Bedingungen der Möglichkeit eines weniger ausgeprägten
geschlechterselektiven Korporatismus (Bergqvist et al. 1999).

Viertens rückt der jeweilige Demokratietypus eines wohlfahrtsstaatlichen
Geschlechterregimes in den Fokus der Aufmerksamkeit: Konkurrenz- oder Kon-
sens- beziehungsweise Konkordanzdemokratie, Instrumente direkter Demokratie
wie Volksbefragungen, -initiativen und -referenden in Verbindung mit einer von
Männern dominierten Elite-Kooperation bzw. mit geschlechterinklusiveren Ver-
handlungsarenen konfigurieren geschlechtsneutralere, geschlechtsimmunere oder
»maskulinistische« (Kreisky 1996) Konfliktregelungsmuster, die sich mehr oder
weniger zugänglich und responsiv für die geschlechtergerechte Ausgestaltung
von gesellschaftlichen Institutionen und Organisationen erweisen.

Fünftens gilt es das jeweilige Privat- und Familienrecht sowie das in diesen
Rechtskodizes verankerte Verständnis des Verhältnisses von Staat, Gesellschaft
und Familie (Ehe und Elternschaft) auf seine Geschlechterdifferenzen hervor-
treibenden und diese institutionalisierenden Dimensionen auszuleuchten bzw. die
Ansätze eines egalisierenden Rechts zu evaluieren. Verdeutlichen lässt sich
sodann die unterschiedliche politische Institutionalisierung von Familie als Kern
der Republik (z.B. Frankreich) und das hierüber generierte Verständnis der
öffentlichen Aufgabe der Sicherung von Familien einerseits und die Institutionalisierung von Familie als Kern der bürgerlichen Gesellschaft (z.B. Deutschland,
Österreich) und das somit fundierte Verständnis der Privatangelegenheit Familie,
d.h. das Subsidiaritätsprinzip andererseits (Veil 2001).

Sechstens rückt die »strategische Selektivität« des Staates aus einer feministischen Perspektive in den Fokus der Aufmerksamkeit (Sainsbury 1999: 270),
d.h. dessen Offenheit beziehungsweise Geschlossenheit im politischen Prozess
der Gesetzgebung, der Implementierung und der Ressourcenzuteilung. Denn der
Staat als institutionelles Ensemble wirkt ungleich auf die Fähigkeiten einzelner
sozialer Kräfte ein, ihre Interessen und Strategien innerhalb des Staates beziehungsweise mittels der Nutzung staatlicher Handlungsfähigkeit zu verfolgen.
Somit bietet der Staat auf selektive Weise jenen AkteurInnen, welche die
Geschlechterverhältnisse zu verändern suchen, mehr bzw. anderen weniger
Chancen, ihre Interessen zu organisieren und ihnen nachzugehen (Sauer 2002).

In der Synthese spannen diese sechs Dimensionen das jeweilige Geschlechterregime auf, das den nationalen Kontext für die Implementierung von Gender

Mainstreaming bildet. Eine vergleichende Analyse von Geschlechterregimen – so die hier verfolgte und empirisch zu überprüfende Überlegung – eröffnet in Bezug auf Gender Mainstreaming als »neuem« gleichstellungspolitischem Prinzip die Möglichkeit, unterschiedliche, historisch gewachsene Formationen und aktuelle Entwicklungen nationaler wohlfahrtsstaatlicher Geschlechterpolitik als Grundlage zu identifizieren für die Chancen bzw. für die Hindernisse, Gender Mainstreaming zu implementieren: Der Blick erweitert sich auf spezifische Chancenstrukturen der Umsetzung von Gender Mainstreaming. In politisch-praktischer Absicht lassen sich sodann Aussagen darüber treffen, was als strukturelle, auf der makro-politischen Ebene angesiedelte Barrieren bzw. als Begünstigungen des Transformationspotenzials von Gender Mainstreaming in den jeweiligen Geschlechterregimes markiert werden kann.

Der skizzierte Analyserahmen ist programmatisch zu verstehen. Er soll es erlauben, makro-politische Strukturen für die Chancen der Implementation von Gender Mainstreaming und dessen Transformationspotenzial auszuleuchten. Ein solches – durchaus anspruchsvolles – Forschungsprogramm ist ein kollektives Projekt, d.h., es bedarf der Forschungsnetzwerke, die mit den nötigen finanziellen Ressourcen ausgestattet werden.

Anmerkungen

1 Bislang hat einzig die schwedische Regierung mit dem Wort »jämställdhetsintegrering« versucht, ein »eigenes« Wort für das geschlechterpolitische Handlungsprinzip Gender Mainstreaming zu prägen, »das alle verstehen, das Identität stiftet, Weg und Ziel zu mehr Chancengleichheit legitimiert und erleichtert« (Pettersson 2004: 26f.). Dieses Wort – so die deutsche »Übersetzung« – bedeutet »auf gut schwedisch nichts anderes (...) als die Integration von Gleichberechtigung in alle Bereiche des Alltags« (ebd.).

Literatur

Bergqvist, Christina et al. (Hg.) 1999: *Equal Democracies? Gender and Politics in the Nordic Countries*, Oslo: Scandinavian University Press.

Blickhäuser, Angelika 2002: *Beispiele zur Umsetzung von Geschlechterdemokratie und Gender Mainstreaming in Organisationen*. Schriften zur Geschlechterdemokratie der Heinrich-Böll-Stiftung Nr. 3, Berlin.

Braunmühl, Claudia von 2001: Gender Mainstreaming Worldwide – Rekonstruktion einer Reise um die Welt, in: *Österreichische Zeitschrift für Politikwissenschaft*, Jg. 30, H. 2, S. 183-201.

Braunmühl, Claudia von 2000: Mainstreaming Gender zwischen herrschaftskritischem und bürokratischem Diskurs, in: Gabbert, Karin et al. (Hg.): *Jahrbuch Lateinamerika. Analysen und Berichte*, Bd. 24: Geschlecht und Macht, Münster: Westfälisches Dampfboot, S. 139-152.

Bussemaker, Jet 1997: Citizenship, Welfare State Regimes, and Breadwinner Arrangements: Various Backgrounds of Equality Policy, in: Gardiner, Frances et al. (Hg.): *Sex Equality Policy in Western Europe*, London/New York: Routledge, S. 180-196.

Callenius, Carolin 2002: Wenn Frauenpolitik salonfähig wird, verblasst die lila Farbe. Erfahrungen mit Gender Mainstreaming im Bereich internationaler Politik, in: Bothfeld, Silke/ Gronbach, Sigrid/Riedmüller, Barbara (Hg.): *Gender Mainstreaming – eine Innovation in der Gleichstellungspolitik. Zwischenbericht aus der politischen Praxis*, Frankfurt am Main/New York: Campus, S. 63-80.

Dackweiler, Regina-Maria 2003: *Wohlfahrtsstaatliche Geschlechterpolitik am Beispiel Österreichs. Arena eines widersprüchlich modernisierten Geschlechter-Diskurses*, Opladen: Leske und Budrich.

DAWN 1996: Das Erreichte sichern und ins 21. Jahrhundert vorwärtsgehen. Positionspapier für die 4. Weltfrauenkonferenz, in: Wichterich, Christa: *Wir sind das Wunder, durch das wir überleben. Die 4. Weltfrauenkonferenz in Peking*, Köln: Heinrich Böll-Stiftung, S. 108-116.

Ehrhardt, Angelika/Jansen, Mechthild M. (Hg.) 2003: *Gender Mainstreaming. Grundlagen, Prinzipien, Instrumente*. Hessische Landeszentrale für politische Bildung, Polis 36, Wiesbaden.

Esping-Andersen, Gøsta 1990: *The Three Worlds of Welfare Capitalism*, Princeton, New York: Princeton University Press.

Europarat 1998: *L'approche intégrée de l'égalité entre les femmes et les homes. Cadre conceptuel, méthodologique et présentation des ›bonnes pratiques‹*, 26. März 1998, Strasbourg.

Freistaat Sachsen (Hg.) 2001: *Gender Mainstreaming im Freistaat Sachsen. Konzept zur Umsetzung von Gender Mainstreaming auf unterschiedlichen Ebenen und in verschiedenen Bereichen*, Dresden.

Kreisky, Eva 1996: Diskreter Maskulinismus. Über geschlechtsneutralen Schein politischer Idole, politischer Ideale und politischer Institutionen, in: dies./Sauer, Birgit (Hg.): *Das geheime Glossar der Politikwissenschaft*, Frankfurt/M., New York: Campus, S. 161-213.

Kreisky, Eva 2004: Geschlecht als politische und politikwissenschaftliche Kategorie, in: Rosenberger, Sieglinde Katharina/Sauer, Birgit (Hg.): *Politikwissenschaft und Geschlecht*, Wien: UTB, S. 23-43.

Leitner, Sigrid/Ostner, Ilona/Schratzenstaller, Margit 2004: Einleitung: Was kommt nach dem Ernährermodell? Sozialpolitik zwischen Re-Kommodifizierung und Re-Familialisierung, in: dies. (Hg.): *Wohlfahrtsstaat und Geschlechterverhältnis im Umbruch. Jahrbuch für Europa- und Nordamerika-Studien*, Wiesbaden: VS Verlag für Sozialwissenschaften, S. 9-27.

Mazur, Amy G. 2001: *Theorizing feminist policy*, Oxford: Oxford University Press.

Mückenberger, Ulrich/Tondorf, Karin 2000: Das Konzept des Gender Mainstreaming, in: Niedersächsisches Ministerium für Frauen, Arbeit und Soziales (Hg.): *Gender Mainstreaming. Informationen und Impulse*, 1. Aufl., Hannover, S. 5-9.

Neyer, Gerda 1996: Korporatismus und Verbände. Garanten für die Stabilität eines sexistischen Systems?, in: Kulawik, Teresa/Sauer, Birgit (Hg.): *Der halbierte Staat. Grundlagen feministischer Politikwissenschaft*, Frankfurt/M., New York: Campus, S. 82-104.

O'Connor, Julia 1993: Gender, Class and Citizenship in the Comparative Analysis of Welfare State Regimes: Theoretical and Methodological Issues, in: *British Journal of Sociology*, Jg. 44, H. 3, S. 501-518.

Orloff, Ann Shola 1993: Gender and the Social Rights of Citizenship: The Comparative Analysis of Gender Relations and Welfare States, in: *American Sociological Review*, Jg. 58, H. 3, S. 303-328.

Pettersson, Gisela 2004: Drehbuch für Wachstum und nachhaltige Entwicklung. Über das verbindliche Etablieren der gesellschaftsverändernden Idee Gender Mainstreaming/Einblicke in die Strategien und politischen Alltags-Schritte der schwedischen Regierung, in: Lang, Klaus et al. (Hg.): *Die kleine große Revolution. Gender Mainstreaming – Erfahrungen, Beispiele, Strategien aus Schweden und Deutschland*, Hamburg: VSA, S. 25-43.

Rabe-Kleeberg, Ursula 2002: Hauptsache Geschlecht? – Gender, Doing Gender oder Gender Mainstreaming. Oder: Vom Begreifen zum Eingreifen, in: *Zeitschrift für Frauenforschung und Geschlechterstudien*, Jg. 20, H. 1+2, S. 8-10.

Riedmüller, Barbara 2002: Einleitung: Warum Geschlechterpolitik? In: Bothfeld, Silke/Gronbach, Sigrid/Riedmüller, Barbara (Hg.): *Gender Mainstreaming – eine Innovation in der Gleichstellungspolitik. Zwischenbericht aus der politischen Praxis*, Frankfurt/M., New York: Campus, S. 7-16.

Rudolph, Clarissa 1993: *Die andere Seite der Frauenbewegung. Frauengleichstellungsstellen in Deutschland*, Opladen: Leske und Budrich.

Ruf, Anja 1996: *Weltwärts Schwestern! Von der Weltfrauenkonferenz in die globale Zukunft*, Bonn: Dietz Verlag.

Sainsbury, Diana 1997: *Gender, Equality, and Welfare States*, Cambridge: Cambridge University Press.

Sainsbury, Diana 1999: Gender, Policy Regimes, and Politcs, in: dies. (Hg.): *Gender and Welfare State Regimes*, Oxford: Oxford University Press, S. 245-275.

Sauer, Birgit 2002: *Die Asche des Souveräns: Staat und Demokratie in der Geschlechterdebatte*, Frankfurt/M., New York: Campus.

Schweikert, Gabriele 2002: Ein Un-Wort wird zum Tu-Wort: Die Umsetzung von Gender Mainstreaming auf Bundesebene in Deutschlang – Hintergrund, Strategien und Zielsetzungen, in: Schön, Franz K. (Hg.): *Gender Mainstreaming. Standortbestimmung und Chancen*, Hannover: edition aej, S. 12-20.

Schunter-Kleemann, Susanne 2003: Was ist neoliberal am Gender Mainstreaming?, in: *Widerspruch, Beiträge zur sozialistischen Politik*, Jg. 23, H. 44, S. 19-33.

Siim, Birte 2000: *Gender and Citizenship: Politics and agency in France, Britain and Denmark*, Cambridge: Cambridge University Press.

Veil, Mechthild 2001: Neuorientierung der Wohlfahrtsstaaten in Zeiten der Globalisierung: Verluste und Gewinne, in: *Österreichische Zeitschrift für Politikwissenschaft*, Jg. 30, H. 2, S. 161-170.

Young, Brigitte 2000: Genderregime und Staat in der globalen Netzwerk-Ökonomie, in: Braun, Kathrin et al. (Hg.): *Feministische Perspektiven der Politikwissenschaft*, München, Wien: UTB, S. 388-413.

Wichterich, Christa 1996: *Wir sind das Wunder, durch das wir überleben. Die 4. Weltfrauenkonferenz in Peking*, Köln: Heinrich Böll Stiftung.

Woodward, Alison 2001: *Gender Mainstreaming in European Policy: Innovation or Deception?*, Discussion Papers FS I 01-103, Berlin: Wissenschaftszentrum Berlin für Sozialforschung.

Grenzen des politischen Lernens, Grenzen des Gender Mainstreamings

Silke Bothfeld

Die Politik muss lernen, will sie der Anforderung des Gender Mainstreamings gerecht werden und neue Maßnahmen und Regelungen auf ihre Wirkungen auf das Geschlechterverhältnis hin überprüfen. Gender Mainstreaming setzt daher voraus, dass geschlechterrelevantes Wissen vorhanden ist, die politischen Akteure Zugang dazu haben und es aufgenommen und verarbeitet wird. Die Verpflichtung der politischen Akteure zum Gender Mainstreaming ist deshalb als Aufforderung zum politischen Lernen zu verstehen. Der Erfolg des Instruments unterliegt somit zwei Bedingungen: der Lernfähigkeit der Akteure und dem Zugang zu geschlechterrelevantem Wissen. In Ansätzen des Politiklernens gelten Wissen und Lernen als zentrale Erklärungsfaktoren für Politikergebnisse. Für die Untersuchung von Prozessen des Gender Mainstreamings birgt diese Perspektive zwei Vorteile:

— Zunächst basiert das Konzept sozialen und politischen Lernens auf der Grundannahme, dass die Politikformulierung nicht vollständig durch die vorhandenen Strukturen wie institutionelle Gegebenheiten oder Normen determiniert ist und den politischen Akteuren demzufolge Handlungsoptionen offen stehen. Dabei können die individuellen Akteure ihren Spielraum durch ihre spezifische Interpretation von Sachverhalten vor dem Hintergrund persönlicher Erfahrung ausfüllen. In der unterschiedlichen Nutzung dieses Handlungsspielraums liegt die Quelle für die Kontingenz politischen Handelns.

— Anhand des Begriffs des sozialen oder politischen Lernens wird außerdem deutlich, dass in Prozessen der Politikformulierung die Auswahl der Optionen zweifach begrenzt ist. Zum einen ist die Partizipation am politischen Teildiskurs und damit die Selektion der Akteure, die überhaupt einen Beitrag zu einem politischen Lernprozess leisten können, institutionell durch das Regierungssystem und seine Repräsentationsformen geregelt. Daneben gibt es kognitive Grenzen: Neues Wissen muss soziale Geltung bei einer kritischen Masse erlangen, bevor es zu Lernprozessen führen kann. Dies bedeutet, dass soziales Lernen in der Regel nicht stattfindet, wenn das neue Wissen unplausibel oder normativ inakzeptabel erscheint.

In diesem Beitrag soll der Aspekt der sozialen und politischen Grenzen für Politiklernen in seiner theoretischen Dimension entwickelt und anhand eines geschlechterpolitischen Beispiels, der Reformen des deutschen und des französischen Elternurlaubs der Jahre 2000/01, illustriert werden. Ein Ziel beider Reformen war es, Väter stärker in die Familienarbeit einzubeziehen. Sowohl in Frankreich als auch in Deutschland kann dies als Anzeichen eines paradigmatischen Wandels in diesem Politikbereich gelten.[1]

Zunächst werden anhand bekannter Ansätze der Politikanalyse die Grundbegriffe des Politiklernens präsentiert. Anschließend werden diese Ansätze durch politiktheoretische Überlegungen erweitert. Dabei knüpfe ich an das Konzept des politischen Diskurses an, wie es von Jane Jenson und Nancy Fraser entwickelt wurde.[2] Drittens werden die Bedingungen diskutiert, die politische Lernprozesse im Rahmen von gesamtgesellschaftlichen oder Teildiskursen begünstigen bzw. verhindern können, und abschließend die Erkenntnisse mit der Frage nach den Erfolgsbedingungen für das Gender Mainstreaming zusammengebracht.

1. Dimensionen eines politiktheoretischen Lernbegriffs

1.1 Ansätze sozialen Lernens in der Politikanalyse

Die Policy-Analyse-Ansätze, die politisches Lernen in den Mittelpunkt rücken, wurden Anfang der 1990er Jahre maßgeblich von Paul Sabatier und seinen Kollegen sowie von Peter A. Hall ausformuliert.[3] Beide Ansätze sind dadurch gekennzeichnet, dass sie ideelle Elemente wie Wissen und Gestaltungsvorstellungen als Faktoren für Akteurshandeln hervorheben und Stufen des politischen Lernens unterscheiden. Beide zeigen schließlich Grenzen des Lernens sowie Rahmenbedingungen für Lernprozesse auf.

In seiner Darstellung des »Advocacy-Coalition«-Ansatzes arbeitet Sabatier mit dem Konzept der *belief systems* (Überzeugungssysteme). Überzeugungssysteme gliedern sich dreifach in unterschiedlich tief verwurzelte Annahmen. Zu den *core beliefs* oder Kernüberzeugungen gehören normative Grundansichten über den Charakter der Menschen, die Angemessenheit sozialer Ordnung u.Ä. Diese sind am tiefsten im Denken der Akteure verwurzelt und werden gegen Anfechtungen verteidigt. Der *policy core* (Politikkern) umfasst dagegen die konkreten Politikziele sowie kausale Annahmen über die Funktionsweise von Politikinstrumenten. Eine Quelle von Wissen hierfür sind wissenschaftliche ExpertInnen, die die Akteure damit gleichzeitig mit einer für sie zentralen Legitimationsressource versorgen. Die *sekundären Aspekte* beziehen sich, drittens, auf die konkrete und detaillierte Ausgestaltung von Instrumenten, wie die Anhebung sozialer Leistungen oder die Veränderung der Zugangsbedingungen zu diesen Leistungen. Dadurch, dass Akteursgruppen das gleiche Überzeugungssystem teilen, sind die Akteure bei Sabatier zuallererst Mitglieder von »Tendenzkoalitionen« und nicht RepräsentantInnen politischer Organisationen. Lernprozesse finden innerhalb dieser Tendenzkoalitionen statt und können Veränderungen der sekundären Aspekte oder des Politikkerns veranlassen. Aber auch Koalitionen übergreifendes Lernen ist in dieser Sichtweise möglich, wenn durch exogene Ereignisse Kernüberzeugungen in Frage gestellt werden. Solche exogenen Ereignisse können Regierungswechsel, aber auch veränderte Rahmenbedingungen wie etwa die konjunkturelle Lage sein. Von zentraler Bedeutung sind außerdem ExpertInnen, die als ›policy broker‹ zwischen den AkteurInnen vermitteln und neue Lösungen konsensfähig machen können. In Sabatiers Perspektive lernen AkteurInnen, weil sie nach höherer Legitimation streben. Diese erlangen sie, weil sie nach angemessenen und »richtigen« Problemlösungen suchen. Und sie bemühen sich um die Umsetzung dieser Lösungen, weil sie von deren Angemessenheit und »Richtigkeit« überzeugt sind. Wissenschaftliches Wissen, auf dem ihre Vorstellung von der besten Lösung beruht, wird dabei als eine neutrale Legitimationsressource gesehen.

Auch Hall vertritt einen dreistufigen Lernbegriff. Er benennt Lernprozesse erster Ordnung, bei denen die bestehenden Instrumente justiert werden, Lernprozesse zweiter Ordnung, bei denen es um die Einführung neuer Instrumente geht, und schließlich auf der dritten Ebene die Neuformulierung politischer Ziele, die er – in Anlehnung an den Kuhnschen Begriff des Paradigmas – als politischen Paradigmenwechsel beschreibt. Politische Paradigmen enthalten gleichermaßen kausale Annahmen über Funktionszusammenhänge wie normative Annahmen über die Angemessenheit von Politikergebnissen. Auch Hall sieht exogene Schocks als Anlass für Lernprozesse: Durch Veränderungen von Rahmenbedingungen oder das Auftreten von »Anomalien«, etwa die Verschlechterung der wirtschaftlichen Situation, werden geltende Paradigmen unterminiert und außer Kraft gesetzt. In Abgrenzung zu historisch-institutionalistischen Ansätzen betont Hall zudem, dass der Begriff des Akteurs nicht auf die staatlichen Akteure beschränkt bleiben darf, sondern weiter gefasst werden muss. Wie auch Sabatier plädiert er für die Einbeziehung von Journalisten und WissenschaftlerInnen, die sich an den Diskursen beteiligen.

Die Ansätze von Hall und Sabatier unterscheiden sich am deutlichsten in ihrem jeweiligen Wissensbegriff: Für Sabatier existiert empirisch überprüfbares wissenschaftliches Wissen, das durch Politikberatung vermittelt wird. Es gilt als unterscheidbar von materiellen und strategischen Interessen einerseits, aber auch von tieferen Werte- und Normvorstellungen andererseits; Expertenwissen wird

eine »*enlightment function*« zugesprochen,[4] die es zu einer gegenüber Alltagswissen und normativem Wissen höherwertigen Wissensform macht. In dieser
Sichtweise wird politisches Lernen als instrumentalistische Reaktion auf exogene Schocks verstanden und als Legitimitätsressource für Anpassungsprozesse
betrachtet. Hall hingegen zieht diese Trennlinie zwischen den Wissensformen
nicht. Paradigmatische Überzeugungen seien vielmehr als verinnerlichte Sichtwie-
sen zu sehen, die auch in der Terminologie, in der die Akteure kommunizieren,
zum Ausdruck kämen. Demzufolge beschreibt Hall den wirtschaftspolitischen
Paradigmenwechsel in Großbritannien als das Ergebnis eines Lernprozesses, in
dem die Akteure von der Lösung der britischen Wirtschaftsprobleme geleitet
gewesen seien. Vor dem Hintergrund dieser Grundannahmen definiert Hall politisches Lernen

»as a deliberate attempt to adjust the goals or techniques of policy in response to past expe-
rience and new information. Learning is indicated when policy changes as the result of such a
process.« (1993: 278)

Lernen bedeute dabei jedoch nicht, dass die Politik zwangsläufig besser oder
effizienter würde, sondern nur, dass der Versuch unternommen würde, Politik im
Hinblick auf neues Wissen zu verändern (ebd.).

1.2 Mehrwert und Grenzen der lerntheoretischen Ansätze

Für eine geschlechtersensible Analyse von Politikwandel ist die Betonung kog-
nitiver Kategorien – der Kernüberzeugungen bei Sabatier oder des Paradigmen-
begriffs bei Hall – sehr nützlich. Feministische PolitikwissenschaftlerInnen verweisen seit langem auf den *gender subtext* von institutionellen Regelungen und
Politikprogrammen, der die Grundauffassungen über die jeweilige Positionen der
Geschlechter widerspiegele (vgl. dazu die Beiträge im Sammelband Kreisky/Sauer
1997 sowie Sauer 2001). Ein Beispiel hierfür sind Erziehungsurlaubsregelungen
zur Vereinbarung von Beruf und Familie, die sich in den meisten EU-Mitgliedstaaten an Frauen wenden, denn sie ermöglichen eine mehrjährige Erwerbsunter-
brechung, die für männliche Erwerbsverläufe äußerst untypisch ist. Die Auffassungen über die geschlechtliche Arbeitsteilung, die dem Instrument des Elternurlaubs trotz seiner formal geschlechtsneutralen Ausformulierung zugrunde liegen,
können mit Hall und Sabatier als Kernüberzeugungen oder paradigmatische Auffassungen betrachtet werden. Die Veränderung dieser Kernüberzeugungen durch
Erfahrungen mit den Wirkungen der Maßnahme (Rückzug der Frauen vom Arbeitsmarkt) oder den Bedürfnissen der erwerbstätigen Männern und Frauen könnte
eine Ursache für den Politikwandel sein, der den Reformen des Erziehungsurlaubs in Frankreich und Deutschland vorausging.

Als Ausgangspunkt meiner Überlegungen möchte ich am von Hall geprägten Begriff des Lernens festhalten und ihn weiter konkretisieren. Politisches Lernen ist demnach als qualitative Verbesserung politischen Handelns durch einen *Zugewinn an Stringenz* zu verstehen. Dazu kann die systematische Einbeziehung (wissenschaftlichen) Wissens in politische Entscheidungen ebenso beitragen wie die Steigerung einer (nachhaltigen) sozialen Akzeptanz politischer Entscheidungen, aber auch die Veränderung des Akteursgefüges durch die Beteiligung neuer kollektiver Akteure. Ex negativo ist politisches Lernen gegeben, wenn die beobachtete Veränderung nicht ausschließlich auf strategische Entscheidungen zurückzuführen ist und sich nicht auf die bloße Anpassung an einen bisher anerkannten sozialpolitischen Bedarf beschränkt, sondern wenn neue Lösungsvorschläge sachlich konsistent begründet werden können.

Unter welchen Bedingungen findet nun aber politisches Lernen statt, das zu einem paradigmatischem Wandel von Politik führen kann? Bei Sabatier ist das Lernen durch plötzlich auftretende exogene Faktoren bedingt und damit rein reaktiv. Bei Hall werden soziale Lernprozesse durch auftretende »Anomalien« ausgelöst. Meine These dagegen ist, dass politisches Lernen nicht unbedingt als Reaktion auf politische Notwendigkeiten geschieht, sondern dass es eine Form des »endogenen« politischen Lernens gibt, die durch eine allmähliche – und paradigmatische – Verschiebung von Bedeutungssystemen im gesellschaftlichen Diskurs ausgelöst und gefördert wird. Die Bedingungen für einen politischen Wandel erschöpfen sich dann nicht mehr im Lernen aufgrund von Anpassungsdruck. Wäre politisches Lernen nur aufgrund von Handlungsdruck von außen möglich, wäre geschlechterpolitischer Wandel aufgrund fehlender »turbulenter Problemumwelten«,[5] die als Auslöser für politische Lernprozesse betrachtet werden, ziemlich unwahrscheinlich. Lernprozesse funktionieren weitaus weniger mechanistisch als Sabatier in seinen Arbeiten unterstellt. Vielmehr gilt es, eine »moderat konstruktivistische« Perspektive (Muller 1990) einzunehmen und zu zeigen, auf welche Weise Wissen produziert und geltend gemacht wird. Dies wird meines Erachtens mithilfe des Begriffs des politischen Diskurses möglich.[6]

2. »Diskurs« als Rahmen für politische Lernprozesse

Wie kann in Abgrenzung von politisch-strategischen Handlungsformen überhaupt von Lernprozessen gesprochen werden? Die interpretative Politikanalyse ist der Kritik ausgesetzt, für die Analyse von Makrophänomenen nicht geeignet zu sein und den Macht- und Gewaltaspekt zu vernachlässigen (Nullmeier 1996: 130). Hall räumt immerhin ein, dass Träger eines neuen Paradigmas über Autorität im

Politikprozess verfügen müssten (1993: 281) und Medien sowie Finanzmärkte Einflussmöglichkeiten hätten (ebd.: 289), aber er konzeptionalisiert diesen Einwand nicht theoretisch.[7] M.E. vermag der Diskursbegriff eine Brücke zwischen den interpretativen und den machtvermittelten Aspekten des Politikwandels zu schlagen.

Dabei lassen sich Diskurse ganz allgemein als »inhaltlich-thematisch abgrenzbare, strukturierte und institutionalisierte Formen der Bedeutungsproduktion« begreifen (Keller 1998: 2). Sie

»konstituieren einen Horizont von Sprecherpositionen und -praktiken sowie Vorstellungen von legitimen, faktisch angemessenen, moralisch-normativ vertretbaren, ästhetisch akzeptablen Handlungsweisen in der Welt. Diskursstrukturen gelten nicht aus sich heraus, sondern nur insoweit, wie sie von Akteuren stabilisiert werden« (ebd.: 4).

Diskurse bilden sich als Resultat historischer Prozesse heraus und verselbstständigen sich; sie bergen daher ein größeres Wissen in sich, als einem einzelnen Individuum bewusst ist (Landwehr 2001). In einem »gesamtgesellschaftlichen Diskurs« verschränken sich sektorielle Diskursstränge zu einem komplexen Gebilde.[8] Von den Beteiligten werden – möglicherweise voneinander abweichende – Diskurspositionen eingenommen, in denen sich die Verstrickung in die unterschiedlichsten Diskursstränge widerspiegelt. Voraussetzung für das Zusammenspiel der am Diskurs Beteiligten ist, dass diese sich bei abweichenden Diskurspositionen auf die gleiche diskursive Grundstruktur beziehen (Jäger 2000: 12). Ein Diskurs umfasst nicht nur Text und Rede, sondern viel grundsätzlicher menschliches Denken, Wissen und Bewusstsein, das seinen Ausdruck im Handeln der Individuen findet (ebd.: 9).

2.1 Das Diskursuniversum als Ort der Wissensproduktion

Für die fruchtbare Nutzung des Diskursbegriffs gibt es Vorbilder vor allem in der amerikanischen Politikwissenschaft. Jane Jenson zeigt mithilfe des Diskursbegriffs, dass politische Entscheidungen nicht durch makrosoziale Strukturen wie Kapitalismus oder Patriarchat determiniert, sondern Ergebnis von Problemdefinition und Politikformulierung in einem kompetitiven Kontext sind (1988: 155). Nach ihrer Auffassung sind politische Diskurse breite interpretative Rahmen, in denen soziale Beziehungen konstituiert werden (Jenson 1989: 234). Politische Akteure versuchen, sich einen Platz im Diskurs zu erkämpfen und damit Repräsentativität zu erlangen. Da die Akteure Träger kollektiver Identitäten sind, ist Politik damit auch ein Prozess der Formierung von Identitäten. Der Ort des Kampfes um Repräsentation ist das »Universum des politischen Diskurses«, in dem Bedeutungssysteme um Aufmerksamkeit und Legitimation konkurrieren.

Der politische Diskurs bei Jenson umfasst damit mehr als den jeweiligen politischen Sektor oder das Regierungssystem, und er ist mindestens ebenso vermachtet. Im Diskursuniversum sind nämlich nur die Annahmen der *relevanten* Akteure repräsentiert, wodurch die Auswahl der Alternativen, die als machbar gelten, begrenzt ist. Der Zugang zum Diskurs ist nicht allein durch formale Regeln gestaltet, sondern auch durch die Vorstellung der Akteure darüber, welche anderen Akteure relevant sind. Träger ökonomischer oder politischer Macht vermögen so den Diskurs zu schließen und damit alternative Positionen verschwinden zu lassen (Jenson 1988: 156). In ihren historischen Arbeiten zur Frauenerwerbstätigkeit in Frankreich, Großbritannien und den USA zeigt Jenson, wie Vorstellungen über Geschlechtergleichheit und -differenz die jeweilige Politik zur Bekämpfung der Säuglingssterblichkeit geprägt haben. In Frankreich wurden Erwerbstätigkeit und Mutterschaft als sich gegenseitig zwar nicht ausschließende, aber erschwerende Tätigkeiten betrachtet und daher Maßnahmen zur besseren Vereinbarung von beidem entwickelt (Jenson 1986). In Großbritannien ebenso wie in den USA galt dagegen beides als inkompatibel. Der Ausschluss von Frauen vom Arbeitsmarkt war durch die Wahrnehmung der Frauen als Konkurrenz zur männlichen Arbeitnehmerschaft motiviert und wurde sozialhygienisch und gesundheitlich begründet (Jenson 1986 und 1989). Jenson betont damit die Kontingenz staatlicher Politik, wonach für das gleiche Problem ganz unterschiedliche Lösungen gefunden werden können.[9]

In dieser Perspektive erlangen jedoch nicht alle Akteure gleichermaßen Aufmerksamkeit. Vielmehr hängt dies davon ab, inwiefern die Akteure in der Lage sind, zur Institutionalisierung eines Bedeutungssystems beizutragen. Dies wiederum ist davon abhängig, welches soziale Paradigma gültig ist (Jenson 1989: 238). Damit von Akteuren eingebrachte Diskurspositionen erfolgreich sein können, müssen sie möglichst anschlussfähig an implizite Normen und Werte einer Gesellschaft sein. Diese sind nur zum Teil in bestehende Institutionen eingelassen, so sind Abweichungen von »institutionellen Pfaden« möglich (Campbell 1998: 380). Jane Jenson hat dafür den wissenschaftstheoretischen Begriff des Paradigmas nutzbar gemacht, das gleichermaßen Deutungsmuster wie Praktiken enthält. Paradigmen legen gleiche und hierarchische Beziehungen sowie Institutionensysteme fest, sie integrieren Sichtweisen über die menschliche Natur und soziale Beziehungen. Wenn die Grundannahmen konsensual von allen Beteiligten geteilt werden, kann ein Paradigma hegemonial sein (Jenson 1989: 239). Hegemoniale Paradigmen haben auch exkludierenden Charakter: Sie wirken wie ein Schatten, der auf den politischen Diskurs fällt und alle Identitäten, die nicht im Paradigma repräsentiert sind, unsichtbar werden lässt. In hegemonialen Paradigmen gelten soziale Beziehungen als stabil (*in regulation*). In Krisenzeiten können kollektive Identitäten versuchen, ihre Bedeutungssysteme auszudehnen oder konkurrierende Identitäten annehmen, die der veränderten Situation angemessener erscheinen. Identitäten werden also nicht von Strukturen wie Kapitalismus oder Patriarchalismus geschaffen, sondern sie werden im politischen Diskurs produziert und reproduziert (vgl. dazu auch Sauer 2001: 40).

Auf diese Weise bietet das Diskurskonzept eine Folie zur Untersuchung von Wandel in der staatlichen Sozialpolitik. In der methodologischen Perspektive geht Jane Jenson konform mit Ansätzen des historischen Institutionalismus: Die Diskurspositionen der relevanten Akteure (Regierungen, Gewerkschaften, Rechtsprechung), die die Weichen für eine weitere Entwicklung stellten, lassen sich nur im jeweiligen historischen Kontext rekonstruieren.

2.2 Der Diskurs als Ort des Kampfes um die Anerkennung von Bedürfnissen

Nancy Fraser hat den Diskursbegriff um einen wichtigen Aspekt ergänzt: die Formulierung und Interpretation von Bedürfnissen. Damit schärft sie den Blick für die Verknüpfung von Geschlechtergleichheit mit Verteilungskämpfen und fokussiert das Problem der (Definitions-)Macht in politischen Diskursen. Möglicherweise lassen sich in dieser Perspektive Diskurspositionen im Vereinbarkeitsdiskurs tatsächlich als »Tendenzkoalitionen« nach Sabatier fassen. Fraser spricht allerdings nicht von Koalitionen, sondern von »oppositionellen« Reprivatisierungs- und Expertendiskursen, die miteinander konkurrieren (1994a: 241). In oppositionellen Diskursen werden Bedürfnisse »von unten politisiert« und führen zur Kristallisation neuer sozialer Identitäten und zur Prägung von Begrifflichkeiten. Daher können oppositionelle Diskurse auch als Praktiken der »Selbstkonstitution« neuer kollektiver Akteure verstanden werden (Fraser 1994b: 264f.). Reprivatisierungsdiskurse entstehen in Reaktion auf die oppositionellen Diskurse und haben zum Ziel, »davongelaufene Bedürfnisse« zu entpolitisieren und (wieder) unsichtbar zu machen. In der Sozialpolitik zielen die Reprivatisierungsdiskurse auf den Abbau von Sozialleistungen, auf Privatisierung und Deregulierung. Beide Diskurstypen definieren »eine Achse des Kampfes um die Bedürfnisse in der spätkapitalistischen Gesellschaft« (ebd.: 267). Expertendiskurse haben dabei vermittelnden Charakter, aber sie sind in Frasers Perspektive nicht neutral, sondern staatlich verankert und damit vorbelastet. In der Regel erreichen Expertendiskurse nur Teilöffentlichkeiten, aber sie können eine gewisse Durchlässigkeit gewinnen und zu Brücken-Diskursen werden, wenn ihre Rhetorik und ihr Vokabular auch von oppositionellen Diskursen aufgenommen werden. Durch die Übersetzung von politisierten in verwaltbare Bedürfnisse werden diese aus ihrem Entstehungskontext herausgelöst und in einen neuen übertragen: Dabei gehen Bedeutungen verloren und es werden Begrifflichkeiten zugeordnet, die der Verwaltungssprache entsprechen, aber nicht alle Dimensionen des ursprünglichen Bedürfnisses abdecken. In der Gleichstellungspolitik gibt es dafür ein prominentes Beispiel: Im Zuge der verwaltungstechnischen Implementation hat der Begriff des Gender Mainstreamings seine politisch zentrale und im Kontext der feministischen Entwicklungszusammenarbeit entstandene Dimension verloren. Der Aspekt des *empowerment*, der auf die Steigerung der Autonomie der Betroffenen zielte, spielt in der Verwaltungspraxis keine Rolle mehr. Gender Mainstreaming ist nunmehr ein technisches Verwaltungsinstrument, das ohne die systematische Rückkopplung mit den Betroffenen implementiert wird. Möglicherweise haben ExpertInnendiskurse nicht zwangsläufig die entpolitisierende Wirkung, die Fraser beschreibt. Allerdings hat sich gerade im Bereich der Sozialpolitik ein Diskurs herausgebildet, der einseitig die Eigenverantwortung der BürgerInnen hervorhebt und die Leistung der und des Einzelnen aus Gründen der gesamtgesellschaftlichen Solidarität einfordert. Der alte gesellschaftliche Konsens über das Grundprinzip der Solidargemeinschaft im Sozialstaat wird zunehmend von dem Diskurs über die spezifischen Gerechtigkeitsformen (Generationengerechtigkeit, Leistungsgerechtigkeit etc.) verdrängt, in dem eine Neujustierung der gesamtgesellschaftlichen Verteilung gefordert wird. Gleichzeitig schwindet mit der aktiven Frauenbewegung der 1970er Jahre auch die Überzeugung, dass Frauen im modernen Wohlfahrtsstaat diskriminiert sind und dass somit politische Instrumente entwickelt werden müssen, um auf eine Gleichstellung von Frauen und Männer hinzuwirken. Jenseits des Fraserschen Begriffspaares »oppositionell« und »reprivatisierend« ist es daher für eine geschlechtersensible Politikanalyse mehr denn je unabdingbar, politische Diskurse entlang einer Achse zu untersuchen, anhand derer Aussagen über das Verhältnis zwischen staatlicher – also öffentlicher – und individueller – also privater – Verantwortung getroffen werden.[10]

Gesamtgesellschaftliche Diskurse oder Diskursstränge bilden also den Rahmen für politisches Lernen und spiegeln zugleich die Machtstrukturen in einem Politikfeld oder der Gesellschaft wider. Im politischen Diskurs, werden soziale Identitäten gebildet und Kämpfe um die Anerkennung von Bedürfnissen ausgetragen. Insofern vermittelt ein solches Diskursverständnis zwischen kognitiven Konzepten und traditionellen politikwissenschaftlichen Kategorien (Macht, Herrschaft, Institutionen) und füllt damit eine politiktheoretische Lücke (Nullmeier/ Rüb 1993: 26).[11]

3. Diskurs als politische und kulturelle Praxis

Welche Mechanismen entscheiden nun über den Zugang zum politischen Diskurs? Und welches Wissen hat die Chance, im Diskurs Geltung zu erlangen? Dieser Frage wollen wir uns empirisch nähern. Wenn politisches Lernen nicht auf die Prozesse innerhalb des Regierungssystems beschränkt ist, sondern auch »das Gesellschaftliche« (Fraser 1994b) als Quelle und Filter für neues Wissen dient, dann sind als Orte der sozialen Bedeutungsproduktion drei Ebenen zu untersuchen: die politische Repräsentation, die wissenschaftliche Politikberatung und die gesellschaftlichen Bereiche der Medien, der Kultur und der Bildung.[12] Am deutsch-französischen Vergleich wird deutlich, dass der Zugang zum Diskurs und dessen Inhalte sehr unterschiedlich gestaltet sein können.

3.1 Politische Repräsentation als Zugangsregel zum politischen Diskurs

Politische Sektoren wie die staatliche Familien- oder Frauenpolitik sind der zentrale Ort für die Formung politischer Interessen und Identitäten. Im politischen Teilsystem der Familien- und Gleichstellungspolitik sind die Belange von Müttern und Vätern auf deskriptive und substanzielle Weise repräsentiert (McBride Stetson/Mazur 1999). *Deskriptive Repräsentation* bedeutet, dass Frauen in den politischen Institutionen ihr Geschlecht als eine soziale Gruppe vertreten und entsprechende politische Ämter ausfüllen. Nur auf diese Weise können die RepräsentantInnen ihren jeweiligen sozialisationsbedingten Erfahrungshintergrund bei der Definition von Problemen und der Formulierung von Politik einbringen. Die weit gehende Unterrepräsentanz von Frauen in politischen Ämtern ist allgemein bekannt; auch in Deutschland ist trotz aller Fortschritte der letzten Legislaturperiode eine Persistenz des Problems zu beobachten: Insbesondere die ›harten‹ Politikbereiche Arbeit, Wirtschaft, Finanzen und Außenpolitik verbleiben nach wie vor in Männerhand. Das Problem einer unzureichenden deskriptiven Repräsentation von Frauen in politischen Ämtern ist in Frankreich sogar noch stärker ausgeprägt, auch wenn unter Premierminister Jospin mit Martine Aubry eine Frau an die Spitze des Superministeriums für Arbeit und Soziales bestellt wurde.[13] Während in allen großen deutschen Parteien mittlerweile Quotierungsbeschlüsse gefasst wurden und diese weitgehend akzeptiert sind, taten sich die französischen BürgerInnen mit der Akzeptanz solcher Maßnahmen schwer. Nach wie vor ist mit dem Paritäts-Gesetz, nach dem die KandidatInnenlisten zu gleichen Teilen mit Frauen und Männern besetzt werden sollen, eine Stigmatisierung der Frauen verbunden. Dennoch ist anzunehmen, dass die Präsenz von Frauen in den politischen Institutionen und Organisationen zweierlei Wirkungen auf die

Vereinbarkeitsdiskurse hat: Zum einen bringen diese als politische AkteurInnen ihren Erfahrungshintergrund ein und füllen die vorhandenen Handlungsspielräume tendenziell anders aus als Männer ihrer Altersgruppe. Zum Zweiten werden die männlichen Akteure vermehrt mit Erfahrungen konfrontiert, die ihnen bislang fremd waren. Durch die Zusammenarbeit mit Frauen, die für die Lösung ihres persönlichen Vereinbarkeitsproblems zuständig sind, eröffnen sich für die männlichen Kollegen neue Horizonte und die Möglichkeit, Probleme, die sie selbst nicht haben, wahrzunehmen.

Der Begriff der *substanziellen Repräsentation* bezieht sich nicht auf die Vertretung sozialer Gruppen, sondern auf die Förderung bestimmter Belange durch die politischen Akteure. Daher stellt sich die Frage, inwiefern die Bedürfnisse der Betroffenen (Mütter, Väter, ArbeitnehmerInnen) in den Organisationen bzw. in den politischen Gremien repräsentiert sind. In Deutschland werden familien- und frauenpolitische Anliegen vor allem über die Fachreferate der Fraktionen, der Parteien und der Gewerkschaften und in geringerem Ausmaß direkt über entsprechende Verbände eingebracht. Da die deutsche Frauenbewegung weit gehend in die politische Sphäre integriert ist, wirken die großen Organisationen als die zentralen Transformatoren frauen- und familienpolitischer Bedürfnisse.[14] In Frankreich ist dies nur zum Teil der Fall. Zwar weisen Parteien und Gewerkschaften ebenfalls besondere frauenpolitische Gremien auf, dennoch ist die französische Frauenbewegung insgesamt ein schwacher Faktor in der parlamentarischen oder gewerkschaftlichen Willensbildung (Jenson 1990). Die familienpolitischen Verbände wie auch die nicht-gewerkschaftlichen Berufsverbände hingegen spielen eine zentrale Rolle und verfügen über eine relativ große Mobilisierungsmacht. Eine Einbindung der familienpolitischen Verbände wird daher seit einigen Jahren in Frankreich durch eine jährlich stattfindende Familienkonferenz versucht (vgl. dazu Letablier et al. 2002; Steck 2002).

Die Vermittlung frauenpolitischer Positionen erfolgt jedoch nicht nur über die formale Repräsentation frauenpolitischer Verbände im Regierungssystem, sondern auch über die internen spezifischen frauenpolitischen Strukturen in den Ministerien, wie z.B. Fachabteilungen oder Gleichstellungsbeauftragte.[15] Außerdem soll Gender Mainstreaming politisches Lernen fördern, indem geschlossene Diskurse geöffnet und Geschlechterwissen auch in solche Ressorts eingespeist wird, die nicht direkt mit Fragen der Gleichstellung befasst sind (Bothfeld/Gronbach 2002b).

Familienpolitische Verbände sind zumindest in Frankreich weitaus erfolgreicher in der Vermittlung ihrer Positionen und ihres Wissens. Allerdings hat es bis zur Regierungsübernahme durch Jospin in Frankreich kein selbstständiges Familienministerium als Adressat der Verbandspolitik gegeben. Zu Beginn der Amtszeit Jospins war das Ressort Familienpolitik als Abteilung in das Sozialministerium integriert. Dennoch ist es den französischen Familienverbänden in den 1990er Jahren gelungen, ihre Positionen einzubringen und etwa den Umbau des französischen Familienlastenausgleichs in Richtung bedarfsabhängiger Gewährung von Familienbeihilfen zu verhindern. Inwiefern es den AkteurInnen in den frauen- und familienpolitischen Strukturen gelingt, »hegemoniale« Diskurse zu beeinflussen und neue Identitäten wie etwa Frauen als Erwerbstätige *und* Mütter sichtbar zu machen, ist also auch eine empirische Frage.

Eine vergleichende Untersuchung politischer Lernprozesse muss in Rechnung stellen, dass aufgrund der Unterschiede in der politischen (deskriptiven und substanziellen) Repräsentation die Bedingungen für Lernprozesse ganz unterschiedlich gestaltet sind. Weil in Deutschland parteipolitische Positionen zumindest der beiden Volksparteien auf einem breiten Konsens der Mitglied- und WählerInnenschaft beruhen, sind politische Lernprozesse vermutlich langwieriger, aber auch nachhaltiger, weil eine höhere Akzeptanz erreicht werden kann. Zentraler Gegenstand der Untersuchung wären in Deutschland damit die organisationsinternen Prozesse politischen Lernens.[16]

In Frankreich dagegen ist das zentrale Laboratorium für neue Ideen die Regierung. Entscheidungen können, weil einerseits weniger AkteurInnen beteiligt sind und andererseits kein breiter Konsens erreicht werden muss, schneller getroffen werden. Die zentralen Instanzen politischen Lernens sind hier der Premierminister und seine MinisterInnen mit ihren Kabinetten.

3.2 Wissenschaftliche Politikberatung als Legitimation von Diskurspositionen

Die Produktion und Vermittlung von politikfähigem wissenschaftlichem Wissen sind weitere Voraussetzungen für politische Lernprozesse. In der Vereinbarkeitspolitik lassen sich vier Momente identifizieren, in denen neues sozialwissenschaftliches, ökonomisches oder pädagogisches Wissen in den politischen Prozess eingespeist wird.

Erstens akkumulieren die Angehörigen einer politischen Elite selbstständig und unabhängig vom direkten politischen Geschehen Wissen über die Vereinbarkeit von Beruf und Familie. Die Autonomie und das Reflexionsvermögen der Mitglieder politischer Eliten sind aufgrund individueller Sozialisation, aber auch nationaler Traditionen in Ausbildung und Rekrutierung von Eliten unterschiedlich ausgebildet. Im deutsch-französischen Vergleich zeigt sich schon auf den ersten Blick ein bedeutsamer Unterschied: Während sich die politische und die Verwaltungselite in Frankreich fast vollständig aus den AbsolventInnen der Nationalen Verwaltungshochschule ENA rekrutiert, sind die Zugangswege in

Deutschland nicht durch eine einheitliche Ausbildung determiniert. Zwar haben die Verwaltungseliten wie Staatssekretäre und Abteilungsleiter meist eine Verwaltungslaufbahn oder ein Jurastudium absolviert (Beyme 1993); das Bildungsniveau und der sozio-kulturelle Hintergrund der Machtelite sind jedoch weniger homogen, sodass die deutschen Eliten einen größeren Teil der Bevölkerung repräsentieren als ihr französisches Pendant.

Zweitens ist der parlamentarische Prozess ein Prozess der Akkumulation und der Selektion von Wissen. Wissenschaftliche Dienste der Parlamente, ReferentInnen in den Fraktionen und Parteiapparaten und ExpertInnenanhörungen vermitteln durch ihre Zuarbeit gezielt wissenschaftliches Wissen an die politischen AkteurInnen. In Deutschland verfügen zudem die Parteien und der Deutsche Gewerkschaftsbund über die Unterstützung durch politische Stiftungen. Der Bundestag kann außerdem zu besonderen Themen Kommissionen einrichten, in denen WissenschaftlerInnen mit der Erarbeitung von Stellungnahmen beauftragt werden.[17] Vage oder implizite Programme werden durch die Arbeit im Bundestag in Gesetzesform gegossen. Der Bundestag ist jedoch kein zentraler Wissensmarkt (Bleses/Rose 1998), weil das Parlament nur selektiv Diskursstränge aufgreift und somit eher als Katalysator für die politischen Ideen der Parteien wirkt. Das französische Parlament wird dem Anspruch, ein Wissensmarkt zu sein, wohl noch weniger gerecht, da es weit gehend beratende Funktion hat und ohne eine Vorlage der Regierung keine haushaltsrelevanten Gesetze verabschieden kann (Duverger 1990: 369). Die französischen unterscheiden sich von den deutschen Parteien außerdem in Form und Funktion erheblich: Sie beruhen weder auf einer breiten Mitgliedschaft, noch unterhalten sie große Parteiapparate mit entsprechenden Fachabteilungen (ebd.: 468ff.).

Die Produktion von Wissen erfolgt *drittens* in den Fachabteilungen der Ministerien und den Arbeitsstäben der Fachminister, wo amtliche Daten – zum Beispiel über den Bezug des Erziehungsgeldes – zusammengeführt und ausgewertet werden. Über die eigenen Personalressourcen hinaus werden Forschungsaufträge an wissenschaftliche Institute vergeben. Die familienpolitischen Studien des Deutschen Jugendinstituts oder der in jüngster Zeit für das Frauenministerium erstellte Bericht über die Einkommenssituation von Frauen in Deutschland (Bundesregierung 2002) sind prominente Beispiele für angeforderte externe Beratung. Schließlich lassen sich die deutschen Bundesministerien durch spezielle Beiräte unterstützen; im Familienbericht des wissenschaftliche Beirates des Familienministeriums etwa werden regelmäßig spezielle Themen der Familienforschung abgearbeitet.[18] Diese Verwissenschaftlichung der Sozialpolitik knüpft im Übrigen an die Tradition der Weimarer Republik an, wo die sozialpolitische Expertise unter sozialdemokratischem Einfluss entstand (Raphael 1998). So sind zumindest in der Bundesrepublik die Fachabteilungen der Ministerien die wichtigsten

Archive für politisches Wissen, aus denen – zumindest theoretisch – die Lernprozesse der Regierungsmitglieder gespeist werden können.

Eine *vierte* Quelle politikrelevanten wissenschaftlichen Wissens sind (unabhängige) wissenschaftliche Kommissionen, in denen nicht nur die »sekundären
Aspekte« diskutiert, sondern zunehmend die Richtlinien der Politik insgesamt
neu verhandelt werden. In Frankreich etwa gibt es eine ausgeprägte »Kultur der
hohen Räte«. Weil in der französischen Familien- und Sozialpolitik die Regierung die zentrale Instanz der Produktion von Gesetzen ist, gehört zu den Aktivitäten einer neuen Regierung die Einsetzung von Kommissionen und die Anforderung von Berichten zu konkreten Reformprogrammen. Zwar gibt es auch in
Deutschland eine Vielzahl von wissenschaftlichen und politischen Beiräten und
Kommissionen; die Tradition, WissenschaftlerInnengremien mit handlungslei-
tenden Gutachten zu beauftragen, ist jedoch erst im Entstehen begriffen (vgl. auch
Emundts 2002). In Frankreich existiert dagegen eine Vielzahl wissenschaftlicher
Gremien, von denen regelmäßig Stellungnahmen und Gutachten eingefordert
werden. Insbesondere unter der Regierung Jospin wurden gezielt WissenschaftlerInnen mit der Erarbeitung familienpolitischer Expertisen beauftragt.[19] Die bereits
erwähnte französische Familienkonferenz, die noch unter der konservativen Regierung Juppé eingesetzt wurde, hatte eine Doppelfunktion: Zum einen sollte sie die
Legitimation der Regierungspolitik durch die Partizipation der Verbände erhöhen und zum anderen sollte sie ein Forum für wissenschaftliche Expertise sein.
Die Entscheidung, einen zweiwöchigen bezahlten Vaterschaftsurlaub einzuführen, wurde im Juni 2001 im Rahmen dieser Konferenz unter Leitung der neuen
Familienministerin Ségolène Royal getroffen.

Möglicherweise hat die wissenschaftliche Expertise in der Politik zur Vereinbarkeit von Beruf und Familie eher eine Legitimations- als eine Aufklärungsfunktion (Weiss 1991). Dennoch können SozialwissenschaftlerInnen – Frasers
Skepsis zum Trotz – durchaus die Funktion des »*giving voice*« (Ragin 1994) in
der Sozialpolitik einnehmen, indem sie durch ihre Forschungsaktivitäten politisch marginalisierte Identitäten sichtbar machen. Die Frage ist nur, ob diese
WissenschaftlerInnen, die nicht zum Mainstream ihrer Disziplin gehören, von
den politischen AkteurInnen auch als BeraterInnen angefordert werden, denn erst
dann finden ihre Positionen Eingang in den politischen Diskurs und es kann von
ihnen gelernt werden.[20]

Es gibt weitere Quellen, aus denen politische Akteure ihr Wissen beziehen.
Dazu gehören auch Politikberatungsinstitute (*think tanks*), die in Deutschland
und Frankreich jedoch einen geringeren Stellenwert einnehmen als in den USA
(vgl. dazu Stone 1996; für eine Übersicht über deutsche Denkfabriken siehe Thunert 1999: 861). Besonders wichtige Bezugspunkte für das Vereinbarkeitsthema
in den europäischen Staaten bilden jedoch die umfassende Berichterstattung der

Europäischen Kommission sowie der direkte Austausch zwischen den Verwaltungsbeamten und politischen Akteuren in den Gremien der EU. Durch die fortschreitende Integration der EU-Beschäftigungspolitik werden außerdem gemeinsame Ziele festgeschrieben und deren Einhaltung durch die nationalen Beschäftigungspläne regelmäßig kontrolliert. Die Förderung der Frauenerwerbstätigkeit u.a. durch den Ausbau der Kinderbetreuung oder die Verkürzung der Arbeitszeit sind zentrale Themen der europäischen Beschäftigungsstrategie (Behning 2000) und bieten Anlass und Anregung für Lernprozesse bei der Entwicklung der nationalen Politiken zur Vereinbarkeit von Familie und Beruf. EU-Gremiensitzungen, aber auch ministeriale Fachabteilungen, die die Schnittstelle zwischen der EU und dem nationalen Regierungssystem darstellen, sind zu Orten von Diskursen geworden, aus denen Anstöße aus anderen Mitgliedsstaaten in das nationale Regime diffundieren. Dadurch wird der Vergleich mit anderen Beschäftigungssystemen angeregt. »Diffusion« oder »policy borrowing« sind politikwissenschaftliche Konzepte, mit denen diese transnationale Verbreitung von Wissen untersucht wird (Stone 1996; Cox 1999).

3.3 »Das Gesellschaftliche« als autonome Quelle sozialen Wissens

Dass Diskurse durch Repräsentation von Interessen oder wissenschaftliche Politikberatung geprägt sind, ist eine wenig überraschende Erkenntnis. Politisches Lernen ist jedoch nicht auf diese Quellen beschränkt, sondern wird auch durch den gesamtgesellschaftlichen Diskurs beeinflusst. Die lerntheoretischen Ansätze unterschätzen diesen Einfluss. Wie lässt sich nun aber das »Gesellschaftliche« in einer geschlechtersensiblen Politikanalyse berücksichtigen? Zunächst ist im gesellschaftlichen Diskurs die Gesamtheit aller denkbaren Optionen vorhanden, die sich den AkteurInnen als Politikoptionen anbieten. Insofern ist dieser eine unerschöpfliche Quelle für neues Wissen, das bei den AkteurInnen Lernprozesse auslösen könnte. Andererseits begrenzen Grundregeln, die im gesamtgesellschaftlichen Diskurs wirken, gleichzeitig die Auswahl des Wissens, das AkteurInnen aufnehmen und zu politischen Problemen und Lösungen verarbeiten können. Diese Grundregeln werden auf der Ebene der kulturellen Praxis sichtbar – dem Ort, an dem Diskurse zu sozialen Tatsachen werden (Bublitz 1999: 10). Für die Vereinbarkeitspolitik schlage ich vor, vor allem drei Ebenen der kulturellen Praxis zu betrachten: das soziale Umfeld der Akteure, die Massenmedien und die Sphären der Kultur und der Bildung.

Auf der *ersten* Ebene, in den Diskursen, die zum sozialen Umfeld der AkteurInnen gehören, wird »anekdotisches« oder Alltagswissen über die Vielfalt der Alltagspraxis von BürgerInnen reflektiert. Die Grundregel, die im sozialen Kontext die Offenheit für neues Wissen bestimmt, ist das *Vertrauen*. Der soziale Kontext, zu dem u.a. der Familien-, Freundes- und KollegInnenkreis gehören, ist maßgeblich durch Vertrauensbeziehungen geprägt. Was hier behauptet oder praktiziert wird, sei es eine egalitäre oder geschlechtsspezifische Arbeitsteilung in der Familie, der Wunsch nach Arbeitszeitverkürzung von KollegInnen, Berichte über Einstellungs- oder Entlassungspraxis befreundeter Unternehmer oder die persönliche Kommunikation mit den WählerInnen, ist für individuelle politische Akteure eine wichtige, weil glaubwürdige Quelle. Emotionale Bindungen oder gemeinsame Identifikation schaffen Bereitschaft zum Zuhören und Glauben. Insofern »lernen« individuelle AkteurInnen direkt von ihrem sozialen Umfeld.[21]

Die mediale Öffentlichkeit ist die *zweite* zentrale Ebene gesellschaftlicher Diskurse. Hier wird die öffentliche Meinung reflektiert, an der politische AkteurInnen den Erfolg ihres Handelns messen. Zum anderen werden politische Entscheidungen in den Diskursen nicht nur interpretiert, sondern durch die Medienvermittlung überhaupt erst wahrgenommen (Jarren/Arlt 1998). Dadurch sind die AkteurInnen gezwungen, die Botschaften, die aus ihren Entscheidungen gelesen werden können, auf ihre soziale Akzeptanz *ex ante* zu prüfen. Medienstrategien bestimmen zunehmend das politische Geschehen, weil diese letztendlich dem Transport von Legitimation und Glaubwürdigkeit dienen (Nullmeier/Saretzki 2002). Die Strategiefähigkeit politischer Akteure, d.h. ihre Fähigkeit, ihr Handeln in den Medien vorteilhaft zu präsentieren, ist eine bisher unterschätzte politikwissenschaftliche Kategorie, und die Grundregel auf dieser Ebene des gesamtgesellschaftlichen Diskurses, die die Lernfähigkeit der Akteure beeinflusst. Der Strategiefähigkeit politischer Akteure sind zwei Arten von Grenzen gesetzt: die Anschlussfähigkeit der Politikvorschläge an die dominierenden Diskurse sowie die Verständlichkeit und Plausibilität der Vorschläge.

Über die Anschlussfähigkeit bestimmen zum einen die eingebrachten Diskurspositionen selbst: Positionen, die neue soziale Phänomene benennen, wie etwa der Wunsch von Männern nach Teilzeitarbeit, vermögen kaum kollektive Deutungen zu aktivieren, weil sie nicht zum allgemeinen Wertekanon gehören und daher von nur wenigen Akteuren verstanden werden. Das in Deutschland viel diskutierte Konzept der »Wahlfreiheit« dagegen beruht auf einem positiven gesamtgesellschaftlichen liberalen Konsens darüber, dass Eltern die Form der Betreuung ihrer Kinder frei wählen können. Mit dem Begriff der »Wahlfreiheit« versuchen jedoch alle politischen Parteien, die WählerInnen von Programmen zu überzeugen, die unvereinbare Zielsetzungen aufweisen.[22] In Frankreich hat der in den Medien viel verwendete Begriff der »*parité parentale*«, der »Gleichheit in der Elternschaft« meint und politische Gleichheit assoziiert, den Weg für die Einführung neuer Maßnahmen geebnet, indem er die Forderung nach einer stärkeren Beteiligung der Väter legitimierte. Gesellschaftliche Diskurse können auf diese

Weise Legitimation für politische Entscheidungen schaffen, ohne dass systematisch kausale Zusammenhänge ermittelt und daraus politische Lösungsvorschläge erarbeitet werden. Diskursiver Wandel führt also nicht automatisch zu politischen Lernprozessen, aber er begünstigt ihre Geschwindigkeit, wenn er konkurrierende Normen produziert und damit neue Leitbilder und Instrumente legitimiert.

Verständlichkeit ist die zweite Bedingung, die über den Eingang neuer Diskurspositionen entscheidet. Weil auch die Medien ökonomischen Zwängen unterliegen, bestimmt die »Ökonomie der Aufmerksamkeit« darüber, welche Diskurspositionen transportiert werden (Jarren/Arlt 1998). Weil die Aufmerksamkeit des Auditoriums oder der LeserInnen eine beschränkte Ressource ist, müssen Medienbotschaften unterhaltsam, plausibel und knapp sein, um im Wettbewerb mit anderen Botschaften bestehen zu können (Kuhn 2002). In den Massenmedien geführte Diskurse eignen sich daher kaum für die Vermittlung von komplizierten Sachverhalten und Fachwissen. Generell haben komplizierte Sachverhalte geringere Durchsetzungschancen im gesamtgesellschaftlichen Diskurs als einfache (Campbell 1998). Nancy Fraser hat die Formulierung politischer Bedürfnisse als die Herstellung von Argumentationsketten (»um-zu-Ketten«) beschrieben. In diesen Argumentationsketten sind normative Setzungen mit analytischen Erklärungen verknüpft. Diese Argumentationsketten weisen eine Komplexität auf, die sie für die Verwendung durch die Massenmedien ungeeignet machen: Das von Kommunikationstheorien beschriebene Kriterium der Einfachheit und Eingängigkeit (»parsemony«) von Botschaften verbietet damit die Präsentation von politischen Forderungen in den Medien, die das Publikum oder die LeserInnen nicht verstehen.[23] Wie aufnahmefähig oder komplex Mediendiskurse sein können und sollen, ist zugleich eine demokratietheoretische wie empirische Frage.[24] Tradition und Kultur sind vermutlich Erklärungsfaktoren für die Ausgestaltung der Mediensysteme und den Stellenwert von Lernen und Wissen darin. In Frankreich etwa spiegelt sich auch in den Medien die wissenszentrierte Kultur wider; Aufklärung und Belehrung der BürgerInnen werden dort auch als Aufgaben der Medien gesehen.

Die kulturelle Sphäre, zu der Geisteswissenschaften und Künste gehören, ist die *dritte* Ebene, auf der sich der Diskurs einer Gesellschaft abbildet. Intellektuelle Debatten lassen die Komplexität zu, der sich Massenmedien verschließen. Ihr Anliegen ist es gerade, Komplexität nicht zu reduzieren, sondern die zugrunde liegenden normativen Konzepte herauszuschälen und zum Gegenstand des Diskurses werden zu lassen. In der Literatur, im Theater, im Film oder im Kabarett werden politische oder alltagsweltliche Phänomene interpretiert und verarbeitet; Diskurspositionen können explizit gemacht werden oder implizit bleiben. Bildende Künste vermitteln, was unsagbar erscheint; sie kommunizieren über Metaphern und Bilder und nutzen dabei eine vielfältige Formensprache. Kulturelle

Praxis produziert Identifikation von sozialen Gruppen als solche. Die Regeln, nach der kulturelle Diskurse selektieren, sind die Grundwerte bzw. die *Ethik*, die allein über die Akzeptanz von Diskurspositionen bestimmt. Zwar determiniert Kultur nicht das politische Handeln der Akteure, aber Handlungs*strategien* von Individuen werden durch kulturelle Erfahrungen geprägt. Kultur kann sozusagen als »Werkzeugkasten« mit Symbolen, Geschichten, Ritualen und Weltbildern betrachtet werden, die AkteurInnen benutzen, um Probleme zu lösen (Swidler 1986: 273).

Mein zentrales Argument ist, dass die Grundregeln Vertrauen, Strategiefähigkeit und Ethik nicht nur die Kommunikation auf den drei Ebenen der kulturellen Praxis regeln, sondern gleichermaßen eine Barriere für Lernprozesse darstellen. Eine weitere Barriere, deren Wirkungsweise ich an dieser Stelle nur andeuten, aber nicht vertiefen kann, muss in den hegemonialen Strukturen gesehen werden. Das Konzept der Hegemonie, das zuerst von Gramsci beschrieben wurde und die Subjektivität von Staatlichkeit hervorhebt (Sauer 2001: 80), ist verschiedentlich in der feministischen Theoriebildung aufgenommen worden, um die Geschlossenheit des staatlichen Diskurses für frauenpolitische Anliegen als hegemonial männlich zu beschreiben (Pringle/Watson 1992; Behning 1999; Sauer 1999). Der französische Politikwissenschaftler Pierre Muller verwendet diesen Begriff zur Beschreibung von Formen politischer Führung, die auf einem im politischen Diskurs hergestellten Konsens beruhen und durchaus mit Formen der Führung auf Basis des staatlichen Gewaltmonopols wie Hierarchie und Dominanz konkurrieren können (1990: 66). In einem hegemonialen Diskurs wird Einigkeit über deskriptives und normatives Wissen hergestellt, das dann als legitime Handlungsmotivation betrachtet wird.

4. Diskurse als Rahmenbedingungen für politisches Lernen

Eine Politikanalyse, die Wissen und Lernen als erklärende Faktoren einbezieht, bietet die Möglichkeit, die Sicht auf politische Prozesse in einer Form zu erweitern, die den Ansprüchen feministischer Policy-Forschung entspricht. Kognitive Strukturen wie Wissen und Wertvorstellungen werden sichtbar gemacht und rücken ins Zentrum der Analyse. Allerdings, so mein erstes Argument, muss auch eine wissenspolitologische oder lerntheoretische Analyse der Bedingungen politischen Handelns die gesellschaftliche Ebene mitberücksichtigen. Dabei kann sie das Konzept des Diskurses – politikwissenschaftlich gefüllt – nutzen, um die sozialen Handlungsspielräume der Akteure zu erfassen und den »androzentristischen Kode staatlicher Institutionen« (Sauer 2001: 13) zu identifizieren. Mit einem diskursiven Politikbegriff lassen sich die Zugangsregeln nicht nur als formal-institutionelle Regeln, sondern auch als ›kognitive‹ Regeln fassen. Der Zugang zum »Universum des politischen Diskurses«, ist im politischen System durch die Regeln der formalen (deskriptiven und substanziellen) Repräsentation geregelt. Eine wichtige Bedeutung haben außerdem die wissenschaftliche Politikberatung und die gesellschaftlichen Teilbereiche der Medien, der Kultur und der Bildung. Bei Letzteren sind die Zugangsregeln weitaus weniger konkret, aber dafür umfassender und nicht verhandelbar: Die Grundkategorien des Vertrauens, der Strategiefähigkeit und der Ethik unterliegen eigenen Wandlungsbedingungen, die sich der gesellschaftlichen Steuerungsfähigkeit entziehen. Und sie bilden damit die Grenzen für Prozesse des politischen Lernens in einem bestimmten sozialen und historischen Kontext.

Politisches Lernen ist also eine sehr voraussetzungsvolle Handlungsstrategie, deren Rahmenbedingungen bisher noch nicht umfassend beschrieben sind.[25] Wenn der Erfolg des Gender Mainstreamings von politischer Lernfähigkeit abhängig ist und ein Vehikel für politisches Lernen sein soll, entfaltet sich die ganze Ambition des Projekts. Durch Gender Mainstreaming soll gezielt Geschlechterwissen in den politischen Prozess eingebracht werden; nachhaltiges politisches Lernen aber geht, wie hier deutlich wurde, weit über die »Beschulung« ausgewählter AkteurInnen hinaus. Um nachhaltige Lerneffekte im Hinblick auf die Gleichstellung der Geschlechter zu erzielen, muss auch weiterhin auf die Veränderung männlich geprägter Repräsentationsformen hingewirkt, die Ergänzung der Produktion und Vermittlung wissenschaftlicher Erkenntnisse um feministische Fraugen gefordert und die Auseinandersetzung in den gesellschaftlichen Teilbereichen wie Medien, Kultur und Bildung gesucht werden. Wenn Gender Mainstreaming nur mehr die Reichweite eines Verwaltungsinstruments hat, wird es das »alte« gesellschaftspolitische Projekt des Feminismus, den Umbau gesellschaftlicher und politischer Strukturen, nicht ersetzen können.

Anmerkungen

1 In Deutschland wurde 2000 die gesamte Dauer des Erziehungsurlaubs individualisiert und zudem die Möglichkeit des Teilzeit-Elternurlaubs verbessert, so dass Elternurlaub unter diesen Bedingungen für Männer eine sehr viel realistischere Option darstellt als die frühere Regelung. In Frankreich wurde 2001 ein zweiwöchiger bezahlter Vaterschaftsurlaub eingeführt. Die Möglichkeit der gleichzeitigen und teilzeitigen Anspruchnahme bestand schon vorher (dazu ausführlich Bothfeld 2004).

2 Damit folge ich der Anregung von Teresa Kulawik, die schon 1997 die Begrifflichkeit Jane Jensons als »wegweisend« für die Entwicklung eines »reflexiven Modells des Politischen« erachtete (1997: 300) (vgl. dazu auch die Ausführungen von Birgit Sauer [2001: 40f.]).

3 Für die Darstellung der Ansätze vgl. Sabatier/Jenkins-Smith 1993; Hall 1993 und Sabatier 1993.

4 Eine wegweisende Unterscheidung von Formen wissenschaftlichen Wissens stammt von Carol H. Weiss, die wissenschaftlichen Daten eine technokratische (engeneering) Funktion, wissenschaftlich fundierten Ideen eine Aufklärungsfunktion (enlightment) und politisch motivierten wissenschaftlichen Erkenntnissen eine Argumentfunktion zuschreibt. Anders als bei Sabatier hat bei Weiss »Aufklärungswissen« jedoch keine direkte und messbare Wirkung, sondern wirkt erst durch langwieriges »Einsickern« in die politischen Diskurse (Weiss 1991).

5 Diese Hypothese wird auch in der deutschen Politikwissenschaft vertreten, etwa durch Roland Czada, der im Bereich der Vereinigungspolitik von »Institutionellem Transformationslernen« spricht und exogene Schocks als Quelle für die Erweiterung der Handlungsmöglichkeiten der Akteure durch Lernen betrachtet (1995).

6 Auch Birgit Sauer empfiehlt in ihrer feministischen Staatstheorie einen »methodologischen Paradigmenwechsel« hin zu einem kulturalistischen oder diskursiven Zugang zu Politik (2001: 40).

7 Halls Vorschlag, den Akteursbegriff zu erweitern, um WissenschaftlerInnen und JournalistInnen einzubeziehen, möchte ich nicht folgen, weil ihnen, zumindest im deutschen Regierungssystem, kein systematischer Platz im Prozess des Policy-Making zugeordnet werden kann.

8 Jägers Unterscheidung zwischen »gesamtgesellschaftlichem Diskurs« und »Diskurssträngen« (2000) kommt der Begrifflichkeit von Pierre Muller nahe, der zwischen »dem Globalen« und »dem Sektoriellen« unterscheidet und die Interpretation der Beziehungen zwischen beidem, als »Referenzsystem« (référentiel) der Akteure zu seiner zentralen Kategorie erhebt (Muller 1990).

9 Die Unterschiede im staatlichen Handeln ließen sich letztendlich auf die unterschiedlichen Bedingungen der kapitalistischen Produktion, das Gleichgewicht der politischen Kräfte und die Strategien der politischen Akteure zurückführen (Jenson 1986).

10 Sauer beobachtet eine diskursive Verschiebung von Öffentlichkeit und Privatheit und beschreibt diese anhand von fünf Privatisierungsdiskursen (2001: 301ff.).

11 Auch Nancy Fraser sieht in der Verknüpfung diskursiver mit strukturellen Analysen ein zentrales Anliegen der feministischen Theoriebildung (1993: 149; zitiert nach Sauer 2001: 41). Dementsprechend haben auch andere AutorInnen schon den Begriff der »diskursiven Arenen« (Pringle/Watson 1992) oder der »Foren« (Jobert 1994) geprägt.

12 Bei Jenson sind die TeilnehmerInnen im »Universum des politischen Diskurses« neben den klassischen politischen Akteuren auch GewerkschafterInnen, RichterInnen und Frauenvereine. Fraser verortet oppositionelle Diskurse in lokalen frauenpolitischen Netzwerken und die Reprivatisierungsdiskurse bei den InhaberInnen politischer Ämter und in der Verwaltung.

13 Martine Aubry galt durchaus als eine starke Ministerin, die sich zudem nicht scheute, für die Zuordnung zusätzlicher wirtschaftspolitischer Kompetenzen zu ihrem Bereich mit dem Wirtschaftsminister zu streiten. Aber sie erwies sich als wenig sensibel für frauenpolitische Belange. So war die 35-Stundenwoche als das größte Reformprojekt der Ministerin zunächst nicht mit dem Ziel verknüpft, die Vereinbarkeit von Beruf und Familie für Frauen zu verbessern. Vielmehr wurde dieses politische Ziel erst im zweiten Gesetz nachgeschoben (Letablier 2002).

14 Besonders Sauer hat darauf verwiesen, dass die Frauenbewegung und staatliche Gleichstellungspolitik in Deutschland eng verknüpft sind. Insgesamt habe der Keynesianische Wohl-

fahrtsstaat eine androzentrische Integration von Frauen in die politische Sphäre gewährleistet (1999: 89f.). Für einen Überblick über die frauenpolitischen Strukturen in Deutschland siehe Biegler (2001).

15 Amy Mazur und Dorothy McBride Stetsons haben zur Beschreibung der Gesamtheit frauenpolitischer Strukturen den Begriff des »State feminism« geprägt (McBride Stetson/ Mazur 1999).

16 Diese Frage ist der empirische Gegenstand meiner Dissertationsschrift »Politikwandel durch politisches Lernen? Die Reform des deutschen Erziehungsurlaubs im Spannungsfeld arbeitsmart-, familien- und gleichstellungspolitischer Zielsetzungen«, die voraussichtlich im Frühjahr 2005 erscheinen wird.

17 Eine Enquete-Kommission zum Thema »Frau und Gesellschaft« arbeitete zwischen 1977 und 1980 (vgl. den Bericht dazu in BT-Drs. 8/4461).

18 Zur Funktion der Familienberichterstattung siehe Lüscher 1999, für geschlechterpolitische Leitbilder in diesen Berichten siehe Behning 1996.

19 Vgl. dazu den familienpolitischen Bericht, der zu Beginn der Amtszeit von Jospin vorgelegt wurde (Thélot/Villac 1998)

20 Zur Resistenz der rechtspolitischen Debatte gegen die Öffnung für sozialwissenschaftlichen Wissens in der Debatte um ein Antidiskriminierungsgesetz siehe Krautkrämer-Wagner/ Meuser (1988).

21 Renn vertritt die Auffassung, dass die Aufmerksamkeit bei politischen Akteuren auch für wissenschaftliches Wissen größer ist, wenn persönliche Beziehungen zwischen Beratendem und Beratenen bestehen (1999).

22 In der Regel wird kaum spezifiziert, worin die Grundprinzipien von Wahlfreiheit bestehen. Dass freie Wahlentscheidungen etwa die Autonomie der Betroffenen implizieren müssen, wird kaum bedacht (Bothfeld/Gronbach 2002a).

23 Ein weiteres Problem besteht darin, dass in diese Argumentationsketten zudem Ansprüche eingeschlossen sind, z.B. die Forderung nach der Realisierung eines bestimmten Gerechtigkeitskriteriums, das möglicherweise nicht an sich, jedoch im Hinblick auf das politische Ziel konsensfähig wäre. Eine »Entwirrung« der Argumentationsketten führt allerdings nicht zwangsläufig zur Reduzierung, sondern möglicherweise zu einer Verschärfung von Meinungsverschiedenheiten (Fraser 1994b: 252).

24 Vgl. dazu auch die Kritik von Sabine Lang an Rational-Choice-Ansätzen und der systemtheoretischen Betrachtung von politischer Öffentlichkeit (1997: 50f.).

25 In meiner Studie über die Reform des Erziehungsurlaubs in Deutschland habe ich den Versuch unternommen, im Reformprozess Momente des politischen Lernens zu identifizieren. Ich halte politische Lernprozesse im Sinne Halls durchaus für möglich, wobei strategische Überlegungen und Verteilungsfragen dem politischen Lernen im sozialpolitischen Bereich enge Grenzen setzen (Bothfeld im Erscheinen).

Literatur

Behning, Ute 1996: Zum Wandel des Bildes »der Familie« und der enthaltenen Konstruktionen von »Geschlecht« in den Familienberichten 1968 bis 1993, in: *Zeitschrift für Frauenforschung*, Jg. 14, H. 3, S. 146-156.

Behning, Ute 1999: *Zum Wandel der Geschlechterrepräsentation in der Sozialpolitik. Ein policy-analytischer Vergleich der Politikprozesse zum österreichischen Bundespflegegeldgesetz und zum bundesdeutschen Pflege-Versicherungsgesetz*, Opladen: Leske und Budrich.

Behning, Ute 2000: Der europäische Integrationsprozess als Chance: Geschlechterverhältnisse, Arbeit und soziale BürgerInnenrechte, in: Altvater, Elmar/Mahnkopf, Birgit (Hg.): *Ökonomie eines friedlichen Europa. Ziele – Hindernisse – Wege*, Münster: agenda, S. 139-144.

Beyme, Klaus von 1993: *Die politische Klasse im Parteienstaat*, Frankfurt/M.: Suhrkamp.

Biegler, Dagmar 2001: *Frauenverbände in Deutschland. Entwicklung, Strukturen, politische Einbindung*, Opladen: Leske und Budrich.

Bleses, Peter/Rose, Edgar 1998: *Deutungswandel der Sozialpolitik. Die Arbeitsmarkt- und Familienpolitik im parlamentarischen Diskurs*, Frankfurt/M., New York: Campus.

Bothfeld, Silke 2004: Vom ›Stop and Go‹ in der Vereinbarkeitspolitik, in: Oppen, Maria/ Simon, Dagmar (Hg.): *Verharrender Wandel. Institutionen und Geschlechterverhältnisse*, Berlin: Sigma, S. 231-254.

Bothfeld, Silke (im Erscheinen): *Politikwandel durch politisches Lernen? Die Reform des Bundeserziehungsgeldgesetzes im Spannungsfeld familien-, gleichstellungs- und arbeitsmarktpolitischer Ziele*, Berlin: Dissertation Freie Universität.

Bothfeld, Silke/Gronbach, Sigrid 2002a: Autonomie und Wahlfreiheit – neue Leitbilder für die Arbeitsmarktpolitik?, in: *WSI-Mitteilungen*, Jg. 55, H. 4, S. 220-226.

Bothfeld, Silke/Gronbach, Sigrid 2002b: Vom Kopf auf die Füße: Politisches Lernen durch Gender Mainstreaming?, in: dies./Riedmüller, Barbara: *Gender Mainstreaming – eine Innovation in der Gleichstellungspolitik. Zwischenberichte aus der politischen Praxis*, Frankfurt/M., New York: Campus, S. 231-254.

Bublitz, Hannelore 1999: *Foucaults Archäologie des kulturellen Unbewussten. Zum Wissensarchiv und Wissensbegehren moderner Gesellschaften*, Frankfurt/M., New York: Campus.

Bundesregierung 2002: *Bericht der Bundesregierung zur Berufs- und Einkommenssituation von Frauen und Männern*, Berlin: Deutscher Bundestag.

Campbell, John L. 1998: Institutional Analysis and the Role of Ideas in Political Economy, in: *Theory and Society*, Jg. 27, H. 3, S. 377-409.

Cox, Robert H. 1999: *Ideas, Policy Borrowing and Welfare Reform*. Conference Paper, Florence, European University Institute. http://www.uni-tuebingen.de/uni/spi/wip-05.pdf (Zugriff: 10.6.2004)

Czada, Roland 1995: Kooperation und institutionelles Lernen in Netzwerken der Vereinigungspolitik, in: Mayntz, Renate/Scharpf, Fritz W. (Hg.): *Gesellschaftliche Selbstregelung und politische Steuerung*, Frankfurt/M., New York: Campus, S. 299-327.

Duverger, Maurice 1990: *Le système politique français*, Paris: Presses Universitaires de France.

Emundts, Corinna 2002: *Politik als lernendes System. Zwischen Globalisierung und gesellschaftlichen Interessen müssen Regierende zuzugeben lernen, dass sie nicht alles wissen – bei Rot-Grün zeichnete sich ein neuer Stil schon ab*, in: Frankfurter Rundschau v. 23.9.2002.

Fraser, Nancy 1994a: Die Frauen, die Wohlfahrt und die Politik der Bedürfnisinterpretation, in: dies.: *Widerspenstige Praktiken. Macht, Diskurs, Geschlecht*, Frankfurt/M.: Suhrkamp, S. 222-248.

Fraser, Nancy 1994b: Der Kampf um die Bedürfnisse: Entwurf für eine sozialistisch-feministische Theorie der politischen Kultur im Spätkapitalismus, in: dies.: *Widerspenstige Praktiken. Macht, Diskurs, Geschlecht*, Frankfurt/M.: Suhrkamp, S. 249-291.

Hall, Peter 1993: Policy Paradigm, Social Learning and the State, in: *Comparative Politics*, Jg. 25, H. 3, S. 275-296.

Jäger, Siegfried 2000: Theoretische und methodische Aspekte einer Kritischen Diskurs- und Dispositivanalyse, Manuskript (21 S.), http://www.uni-duisburg.de/DISS/ Internetbibliothek/ Artikel/Aspekte_einer_Kritischen_Diskursanalyse.htm (Zugriff: 27.10.2000).

Jarren, Otfried/Arlt, Hans-Jürgen 1998: Über den Umgang mit einer wählerischen Klientel. Politik entsteht heute erst durch Medienvermittlung oder: die modernen Regeln der Öffentlichkeitsarbeit, in: *Frankfurter Rundschau* v. 12. Januar 1998, S. 7.

Jenson, Jane 1986: Gender and Reproduction: Or, Babies and the State, in: *Studies in Political Economy*, H. 20, S. 9-46.

Jenson, Jane 1988: The Limits of ›and the‹ Discourse. French Women as Marginal Workers, in: Jenson, Jane/Hagen, Elisabeth/Reddy, Ceallaigh (Hg.): *Feminization of the Labor Force, Paradoxes and Promises*, Cambridge: Polity Press, S. 155-172.

Jenson, Jane 1989: Paradigms and Political Discourse: Protective Legislation in France and the United States Before 1914, in: *Canadian Journal of Political Science*, Jg. 22, H. 2, S. 234-257.

Jenson, Jane 1990: Representations of Difference: The Varieties of French Feminism, in: *New Left Review*, H. 180, S. 127-160.

Jobert, Bruno (Hg.) 1994: *Le tournant néo-libéral en Europe*, Paris: L'Harmattan.

Keller, Reiner 1998: *Zum methodischen Vorgehen bei der Diskursanalyse am Beispiel der Umweltpolitik.* Vortrag bei der Arbeitstagung »Diskursanalysen und politisches Lernen« der Ad-hoc-Gruppe »Politik und Kognition« der DVPW 30.10.-1.11.1998 in Hamburg, unveröff. Ms.

Krautkrämer-Wagner, Uta/Meuser, Michael 1988: Juristische Schutzwälle gegen Frauengleichstellungspolitik. Zur Funktion sozialwissenschaftlichen Wissens in unterschiedlichen Relevanzsystemen, in: *Zeitschrift für Rechtssoziologie*, Jg. 9, H. 2, S. 229-246.

Kreisky, Eva/Sauer, Birgit (Hg.) 1997: *Das geheime Glossar der Politikwissenschaft. Geschlechtskritische Inspektion der Kategorien einer Disziplin*, Frankfurt/M., New York: Campus.

Kuhn, Fritz 2002: Strategische Steuerung der Öffentlichkeit?, in: Nullmeier, Frank/Saretzki, Thomas (Hg.): *Jenseits des Regierungsalltags. Strategiefähigkeit politischer Parteien*, Frankfurt/M., New York: Campus, S. 85-98.

Kulawik, Teresa 1997: Jenseits des – androzentrischen – Wohlfahrtsstaates? Theorien und Entwicklungen im internationalen Vergleich, in: Kreisky, Eva/Sauer, Birgit (Hg.): *Geschlechterverhältnisse im Kontext politischer Transformation*, Opladen: Westdeutscher Verlag, S. 293-310.

Lang, Sabine 1997: Geschlossene Öffentlichkeit. Paradoxien der Politikwissenschaft bei der Konstruktion des öffentlichen Raums, in: Kreisky, Eva/Sauer, Birgit (Hg.): *Das geheime Glossar der Politikwissenschaft*, Frankfurt/M., New York: Campus, S. 46-69.

Landwehr, Achim, 2001: *Geschichte des Sagbaren. Einführung in die Historische Diskursanalyse*, Tübingen: edition diskord.

Letablier, Marie-Thérèse 2002: Kinderbetreuungspolitik in Frankreich und ihre Rechtfertigung, in: *WSI-Mitteilungen*, Jg. 55, H. 3, S. 169-175.

Letablier, Marie-Thérèse et al. 2002: *L'action publique face aux transformations de la famille en France. Rapport de Recherche: Improving Policy Responses and Outcomes to Socio-Econo-mic Challenges and Changing Family Structures*, Brüssel: Europäische Kommission – DGV.

Lüscher, Kurt 1999: *Familienberichte: Aufgabe, Probleme und Lösungsversuche der Sozialbe-richterstattung über die Familie.* Universität Konstanz, Sozialwissenschaftliche Fakultät, Forschungsschwerpunkt »Gesellschaft und Familie«, Arbeitspapier Nr. 32.

Mayntz, Renate/Scharpf, Fritz W. 1995: Der Ansatz des akteurszentrierten Institutionalismus, in: dies. (Hg.): *Gesellschaftliche Selbstregelung und Politische Steuerung*, Frankfurt/M., New York: Campus, S. 39-72.

McBride Stetson, Dorothy/Mazur, Amy 1999: Frauenpolitische Behörden und Repräsentation. Geschlecht in Policy-Debatten in den USA und Frankreich, in: Abels, Gabriele/Sifft, Stefanie (Hg.): *Demokratie als Projekt. Feministische Kritik an der Universalisierung einer Herrschaftsform*, Frankfurt/M., New York: Campus, S. 104-131.

Muller, Pierre 1990: *Les Politiques Publiques*, Paris: Presses Universitaires de France.

Nullmeier, Frank 1993: Wissen und Policy-Forschung. Wissenspolitologie und rhetorisch-dialektisches Handlungsmodell, in: Héritier, Adrienne (Hg.): *Policy-Analyse. Kritik und Neu-orientierung*, Opladen: Westdeutscher Verlag, S. 175-196.

Nullmeier, Frank 1996: Interpretative Ansätze in der Politikwissenschaft, in: Benz, Arthur/ Seibel, Wolfgang (Hg.): *Theorieentwicklung in der Politikwissenschaft – eine Zwischen-bilanz*, Baden-Baden: Nomos, S. 101-144.

Nullmeier, Frank/Rüb, Friedbert W. 1993: *Die Transformation der Sozialpolitik. Vom Sozial-staat zum Sicherungsstaat*, Frankfurt/M., New York: Campus.

Nullmeier, Frank/Saretzki, Thomas (Hg.) 2002: *Jenseits des Regierungsalltags. Strategiefähig-keit politischer Parteien*, Frankfurt/M., New York: Campus.

Pringle, Rosemary/Watson, Sophie 1992: Women's Interests and the Post-Structuralist State, in: Barrett, Michèle/Philipps, Anne (Hg.): *Destabilizing Theory. Contemporary Feminist Debates*, Oxford, Cambrigde: Polity Press, S. 53-73.

Ragin, Charles 1994: *Constructing Social Research: The Unity and Diversity of Method*, Thou-sand Oaks u.a.: Pine Forge Press.

Raphael, Lutz 1998: Experten im Sozialstaat, in: Hockerts, Hans Günter (Hg.): *Drei Wege deutscher Sozialstaatlichkeit: NS-Diktatur, Bundesrepublik und DDR im Vergleich*, Mün-chen: Oldenbourg, S. 231-258.

Renn, Ortwin 1999: Sozialwissenschaftliche Politikberatung: gesellschaftliche Anforderungen und gelebte Praxis, in: *Berliner Journal für Soziologie*, Jg. 9, H. 4, S. 531-548.

Sabatier, Paul A. 1993: Advocacy-Koalitionen, Policy-Wandel und Policy-Lernen: Eine Alter-native zur Phasenheuristik, in: Héritier, Adrienne (Hg.): *Policy-Analyse. Kritik und Neu-orientierung*, Opladen: Westdeutscher Verlag, S. 116-148.

Sabatier, Paul A./Jenkins-Smith, Henk C. (Hg.) 1993: *Policy Change and Learning. An Advo-cacy Coalition Approach*, Boulder: Westview Press.

Sauer, Birgit 1999: Demokratisierung mit oder gegen den Staat? Sieben Thesen zu einer femi-nistischen Revision staatstheoretischer Ansätze, in: Abels, Gabriele/Sifft, Stefanie (Hg.): *Demokratie als Projekt. Feministische Kritik an der Universalisierung einer Herrschafts-form*, Frankfurt/M., New York: Campus, S. 79-103.

Sauer, Birgit 2001: *Die Asche des Souveräns. Staat und Demokratie in der Geschlechterdebatte.* Frankfurt/M., New York: Campus.

Steck, Philippe 2002: Les conférences de la famille et l'évolution de la politique familiale, in: *Droit social*, H. 6, S. 582-588.

Stone, Diane 1996: *Capturing the Political Imagination. Think Tanks and the Policy Process.* London/Portland: Frank Cass.

Swidler, Anne 1986: Culture in Action: Symbols and Strategies, in: *American Sociological Review*, Jg. 51, H. 2, S. 273-286.

Thélot, Claude/Villac, Michel 1998: *Politique familiale. Bilans et perspectives.* Rapport à la ministre de l'emploi et de la solidarité et au ministre de l'économie, des finances et de l'industrie, Paris: Ministère de l'économie, des finances et de l'industrie.

Thunert, Martin 1999: Think Tanks als Ressourcen der Politikberatung. Bundesdeutsche Rahmenbedingungen und Perspektiven, in: *Forschungsjournal Neue Soziale Bewegungen*, Jg. 12, H. 3, S. 10-19.

Weiss, Carol Hirschon 1991: Policy research: data, ideas or arguments?, in: Wagner, Peter et al. (Hg.): *Social Sciences and Modern States: National Experiences and Theoretical Crossroads*, Cambridge: Cambridge University Press, S. 306-332.

Europäisierung wohlfahrtsstaatlicher Geschlechterarrangements und Gender Mainstreaming Forschungs- und Evaluierungsperspektiven

Ute Behning

1. Einleitung

Welchen Effekt hat die europäische Integration auf die Ausgestaltung von Institutionen in den Mitgliedstaaten der Europäischen Union (EU)? So lautet die zentrale Frage der Europäisierungsforschung, die sich der Analyse von Top-down-Wirkungen der Politik im europäischen Mehrebenensystem verschrieben hat (z.B. Schmidt 1996; Hooghe 1996; Cowles/Carporaso/Risse 2001; Héritier et al. 2001; Knill 2001; Börzel 2002). Der relativ junge Forschungsstrang[1] fokussiert mitgliedstaatliche Institutionen als abhängige Variablen. Vergleichend wird untersucht, ob sich mitgliedstaatliche Institutionen durch den Einfluss supranationaler Politik wandeln. Für diese Analysen werden die Instrumente der Policy-Forschung und ihre theoretischen, institutionenorientierten Erklärungsansätze adaptiert.

Unlängst sind auch die ersten Gendering-Ansätze für die Europäisierungsforschung vorgelegt worden (Liebert 2003). Im Zentrum der Arbeiten steht die Analyse der Wirkungen von EU-Gleichstellungspolitiken auf die Institutionen der EU-Mitgliedstaaten. Auffällig ist, dass die vorgelegten Studien die top-down etablierte Gleichstellungsstrategie der EU – das Gender Mainstreaming – vernachlässigen. Nachfolgend wird am Beispiel der wohlfahrtsstaatlichen Geschlechterforschung erläutert, warum Gender Mainstreaming im Kontext von Europäisierungsstudien Berücksichtigung finden sollte. Nach einer kritischen Erörterung der Gender-Mainstreaming-Strategie werden die Grundlagen der Europäisierungsbemühungen wohlfahrtsstaatlicher Geschlechterarrangements und des Gender Mainstreamings in der EU dargelegt. Darauf folgt eine theoretische Reflexion der Frage, ob eine Konvergenz wohlfahrtsstaatlicher Geschlechterarrangements in der EU realisierbar und wahrscheinlich ist. Abschließend werden Forschungsperspektiven für die Evaluation von Gender-Mainstreaming-Prozessen in der EU im Kontext von Europäisierungsstudien eröffnet.

2. Gender Mainstreaming oder: geschlechtssensible Reflexivität politisch Handelnder

Kommt es zur Thematisierung von Gender Mainstreaming, scheint die Verwirrung groß. Bereits der Begriff und noch viel mehr die Implementation von Gender Mainstreaming verursacht Probleme (Hilfen bieten z.b. Stiegler 2000 und 2002), nicht zuletzt bei den AkteurInnen, die zur Implementation aufgefordert sind (Behning/Serrano Pascual 2001b). Der Hintergrund der Unklarheiten kann beleuchtet werden: Gender Mainstreaming stellt kein Instrument der Gleichstellungspolitik im klassischen Sinne dar, das mit klaren Zielvorgaben wie etwa Quoten arbeitet. Vielmehr handelt es sich beim Gender Mainstreaming um eine weitreichende, wenn auch bislang wenig ausgearbeitete Strategie (z.b. Bothfeld/ Gronbach/Riedmüller 2002), die wie folgt definiert ist:

>»Gender Mainstreaming besteht in der (Re-)Organisation, Verbesserung, Entwicklung und Evaluierung politischer Prozesse mit dem Ziel, eine geschlechterbezogene Sichtweise in alle politischen Konzepte auf allen Ebenen und in allen Phasen durch alle an politischen Entscheidungen beteiligte Akteure und Akteurinnen einzubeziehen« (Europarat 1998).[2]

Diese Definition des Gender Mainstreamings verwundert, denn wie wir durch die sozialwissenschaftlichen Forschungsergebnisse im Bereich der Geschlechterforschung wissen, ist politischen AkteurInnen ihr »doing gender« (West/Zimmermann 1991: 14) und die daraus resultierende Etablierung von geschlechtsspezifischen Strukturen und Institutionen vielfach nicht bewusst. Die von ihnen vertretenen politischen Inhalte enthalten Geschlechterleitbilder, die auf persönlichen Erfahrungen der AkteurInnen aufbauen und zudem durch kulturell dominante Prägungen des Geschlechterverhältnisses beeinflusst sind (detaillierter Behning 1999a: 19ff.). Vor diesem Hintergrund muss die angeführte Definition des Gender Mainstreamings präzisiert werden: Während der Europarat fordert, dass eine geschlechtsbezogene Sichtweise in allen Phasen und von allen an politischen Prozessen beteiligten AkteurInnen einzubeziehen ist, bleibt mit Rekurs auf die Ergebnisse der Geschlechterforschung hervorzuheben, dass dies implizit bereits immer der Fall ist. Beim Gender Mainstreaming sollte es vielmehr um die *geschlechtssensible Reflexivität* politisch Handelnder in politischen Prozessen und deren Evaluation gehen.

Voraussetzung für die Etablierung von Gender Mainstreaming ist deshalb, dass alle AkteurInnen in allen politischen Prozessen ihr Denken und Handeln reflexiv auf das Ziel der Gleichstellung von Männern und Frauen ausrichten. Ihre Reflexivität ist im Hinblick auf die impliziten, geschlechtsspezifischen Effekte von zu gestaltenden Policies in einzelnen Politikfeldern erforderlich. Die Implementation der Strategie des Gender Mainstreamings verlangt von AkteurInnen somit nicht nur erhebliche politikfeldspezifische Kenntnisse, sondern insbesondere Wissen über geschlechtsspezifische Effekte von Policies. Entsprechend besteht das Ziel der Gender-Mainstreaming-Strategie in einem Institutionenwandel, der zur Gleichstellung von Männern und Frauen führt.

Doch gerade hier liegt der Teufel im Detail. Mit dem Terminus »Gleichstellung von Männern und Frauen« kann Unterschiedlichstes gemeint sein. Während z.b. politische AkteurInnen der nordischen Wohlfahrtsstaaten versuchen, dieses Ziel über die Förderung des egalitären Zugangs zum Erwerbsarbeitsmarkt herzustellen, leg(t)en die AkteurInnen der kontinentalen Wohlfahrtsstaaten den Schwerpunkt auf die Begünstigung des männlichen Ernährermodells. D.h. wohlfahrtsstaatliche Policies sind strukturell so ausgerichtet, dass Männer einer Vollzeiterwerbstätigkeit nachgehen, während Frauen vornehmlich Ehe- und Hausfrauen sein sollen und außerdem für die privat zu organisierende Pflege von Kindern und Pflegebedürftigen verantwortlich zeichnen. Diese private Fürsorgearbeit wurde in den kontinentalen Wohlfahrtsstaaten in den letzten Jahren u.a. mit dem Argument »Gleichstellung von Männern und Frauen« durch sozialpolitische Maßnahmen ökonomisiert (z.B. Behning 1997).

Wie wir durch die Ergebnisse der vergleichenden Wohlfahrtsstaatsforschung wissen, führen die strukturell unterschiedlich ausgerichteten wohlfahrtsstaatlichen Institutionen beispielsweise zu geschlechtsspezifischen Differenzen in den Partizipationsraten am Erwerbsarbeitsmarkt, in der Einkommensverteilung und beim Zeitbudget. An dieser Stelle soll weder das nordische Modell, welches auf die *soziale Gleichheit der Geschlechter* ausgerichtet ist, noch das kontinentale Modell, welches die *soziale Differenz der Geschlechter* unterstreicht, normativ privilegiert werden.[3] Für den vorliegenden Beitrag ist vielmehr von Belang, ob die geschlechtspezifischen Ausprägungen der unterschiedlichen Wohlfahrtsstaatstypen durch Europäisierung und Gender Mainstreaming langfristig verändert werden können. Um sich dieser Frage anzunähern, sollen zunächt die auf europäischer Ebene erarbeiteten Zielvorstellungen zur geschlechtsspezifischen Ausrichtung von Wohlfahrtsstaatsinstitutionen sowie die rechtliche Grundlage des Gender Mainstreamings in der EU betrachtet werden.

3. Grundlagen der geschlechtsspezifischen Europäisierung von Wohlfahrtsstaaten und des Gender Mainstreamings in der EU

Die nachstehende Vision *eines* neuen Gesellschaftsvertrages zwischen den Geschlechtern in der EU bildet die Basis einer Entschließung des Europäischen Rates über die Teilhabe von Frauen und Männern am Berufs- und Familienleben.

»Der Beginn des 21. Jahrhunderts ist ein symbolischer Zeitpunkt für die Formulierung eines neuen Gesellschaftsvertrags zwischen den Geschlechtern, in dem die faktische Gleichstellung von Frauen und Männern im öffentlichen und im privaten Leben von der Gesellschaft als Bedingung für Demokratie, Staatsbürgertum sowie individuelle Autonomie und Freiheit anerkannt wird und dem in allen Politiken der Europäischen Union Rechnung zu tragen ist« (Europäischer Rat 2000: 1).

Der im Amtsblatt der Europäischen Gemeinschaften publizierte Text lässt deutlich hervortreten, dass sich die Regierungen der Mitgliedstaaten auf europäischer Ebene einigten, ihre kulturellen und institutionalisierten Geschlechterarrangements zu transformieren und hierbei eine gemeinsame Zielvorstellung zu verfolgen. Sowohl Männer als auch Frauen werden als Vollzeitarbeitende gesehen, die im Falle von Betreuungsverpflichtungen – die zu gleichen Teilen von Männern und Frauen wahrzunehmen sind – ihre Erwerbstätigkeit reduzieren und dabei staatliche Unterstützung erhalten (ebd.; zu dessen Analyse Behning 2004).

Diese einheitliche Zielvorstellung der nationalen Regierungen spiegelt wider, was durch Artikel 23 der Charta der Grundrechte der Europäischen Union seit Dezember 2000 als rechtliche Grundlage der Gleichstellungspolitik in der EU festgeschrieben ist.[4] *De jure* ist demnach die *soziale Gleichheit der Geschlechter* in der EU zu garantieren. Artikel 23 lautet:

»Die Gleichheit von Männern und Frauen ist in allen Bereichen, einschließlich der Beschäftigung, der Arbeit und des Arbeitsentgeltes, sicherzustellen. Der Grundsatz der Gleichheit steht der Beibehaltung oder der Einführung spezifischer Vergünstigungen für das unterrepräsentierte Geschlecht nicht entgegen« (Rat der Europäischen Union 2001: 40).

Mit Artikel 23 der EU-Grundrechtscharta ist die Ausrichtung der Gleichstellungspolitik – und damit auch der Strategie des Gender Mainstreamings – in der EU konkretisiert worden. Seither sind alle AkteurInnen aller politischen Prozesse in der EU dazu verpflichtet, die *soziale Gleichheit der UnionsbürgerInnen* durch ihr Handeln herzustellen. Da supranationales Recht dem nationalen Recht vorgeht, gilt dies seit Beginn des 21. Jahrhunderts auch für die mitgliedstaatlichen Ebenen der EU. Die einheitliche gleichstellungspolitische Rechtsgrundlage soll auf den mitgliedstaatlichen Ebenen ebenfalls mittels der Strategie des Gender Mainstreamings umgesetzt werden.

Festzuhalten ist, dass der allgemeine Ansatz des Gender Mainstreamings in den 1990er Jahren noch Spielraum für Konstruktionen ließ, die sowohl die soziale *Gleichheit* als auch die soziale *Differenz* der Geschlechter kulturell und institutionell fördern. Die Formulierung von Artikel 23 präferiert nun eindeutig die Herstellung sozialer Gleichheit. Entsprechend herrscht gleichstellungspolitischer Konsens darüber, dass Geschlechtszuschreibungen und nicht zuletzt geschlechtszuschreibende Institutionen in der EU aufzubrechen, ja aufzulösen sind. Soziale Gleichheit soll nun über die *Individualisierung von sozialen Uni-*

onsbürgerInnenrechten angestrebt werden. Im Mittelpunkt der Aufmerksamkeit stehen dabei mitgliedstaatliche Wohlfahrtsstaatsinstitutionen, die die Ausgestaltung von geschlechtsspezifischer Arbeitsteilung regulieren. Die Transformation der alten und die Ausrichtung auf ein neues EU-Geschlechterarrangement sind zwar auf supranationaler Ebene beschlossen worden, die Umsetzung soll aber primär auf den mitgliedstaatlichen Ebenen erfolgen.

Diese Entwicklung macht deutlich, dass es zukünftig verstärkt vergleichender Europäisierungsanalysen wohlfahrtsstaatlicher Reformprozesse in den Mitgliedstaaten der EU bedarf. Untersucht werden sollte, ob die wohlfahrtsstaatlichen Institutionen der Mitgliedstaaten das supranationale Leitbild des *Uni-Gendered-Individuums*[5] strukturell verankern, was gleichzeitig ein Indiz für die erfolgreiche Implementation von Gender Mainstreaming in der EU auf den nationalstaatlichen Ebenen wäre.

Aufschlüsse über die Realisierbarkeit der postulierten Vision *eines* neuen Gesellschaftsvertrages zwischen den Geschlechtern in der EU oder, anders formuliert, die Konvergenz der mitgliedstaatlichen wohlfahrtsstaatlichen Geschlechterarrangements in der EU kann die theoretische Literatur zum Thema Institutionenwandel erbringen. Unter welchen Bedingungen ein Verlassen von tradierten Wohlfahrtsstaatspfaden möglich ist und ob diese Bedingungen in der EU vorzufinden sind, wird im Folgenden mit Rekurs auf die theoretischen Debatten um die Pfadabhängigkeit von institutionellem Wandel erörtert.

4. Pfadabhängigkeit oder: wann Institutionenwandel möglich wird

4.1 Ursprung und Wandel von Institutionen

Im Zentrum der theoretischen Debatten um Pfadabhängigkeit,[6] die dem Theoriestrang des historischen Institutionalismus zugeordnet werden können (Thelen 1999), stehen Ursprung und Wandel von Institutionen (Pierson 2000c: 475). Grundannahme aller Debattenteilnehmenden ist, dass die Vergangenheit die Zukunft bestimmt, historische Betrachtungsweisen für die Analyse von Institutionenwandel dementsprechend essenziell sind und einmal eingeschlagene institutionelle Lösungen eine Persistenz gegenüber Wandlungsprozessen aufweisen.

Der Fokus der empirischen Beiträge zum Thema Pfadabhängigkeit – zumeist sind es (vergleichende) Fallstudien – richtet sich auf die Analyse von Politikprozessen. Untersucht wird, ob ein Institutionenwandel stattfindet und, wenn ja, ob er dem zuvor eingeschlagenen institutionellen Pfad entspricht oder Abweichungen hervorbringt. Hierzu werden einzelne Politiksequenzen herausgelöst.[7] Zwei Typen pfadabhängigen Institutionenwandels werden unterschieden: selbstverstärkende und reaktive Sequenzen (Mahoney 2000: 508).[8] Die Literatur zur Pfadabhängigkeit zeigt, dass Bemühungen um Institutionenwandel immer nur dann erfolgreich sind, wenn sie Elemente des alten Institutionensettings respektieren und damit das vorhandene Institutionengefüge nicht ignorieren (Mahoney 2000).[9] Eine baldige Realisierung der Konvergenz der wohlfahrtsstaatlichen Geschlechterarrangements in der EU erscheint vor diesem theoretischen Hintergrund fragwürdig.

Dass von »außen« gesetzte Impulse in unterschiedlichen Wohlfahrtsstaaten jedoch eine Wirkung der »divergenten Konvergenz« erzeugen können, hat Martin Seeleib-Kaiser (2001) am Beispiel der Effekte ökonomischer Globalisierung auf den innerstaatlichen Institutionenwandel belegt. Er weist nach, dass unterschiedliche, historisch gewachsene Schwerpunktsetzungen von Wohlfahrtssystemen zwar nicht aufgegeben werden, ein Institutionenwandel innerhalb des jeweiligen Settings aber sehr wohl stattfindet. Die Reaktionen auf den Impuls führen zu divergenten Verschiebungen in den jeweiligen Wohlfahrtsstaatsarrangements. Ein Vergleich der Entwicklungen lässt ferner eine latente Konvergenz der Wohlfahrtssysteme erkennen (ebd.).

Betrachtet man die Gender-Mainstreaming-Strategie im Rahmen der Europäisierungsbemühungen um wohlfahrtsstaatliche Geschlechterarrangements ebenfalls als von »außen« – oder besser: supranational – gesetzten Impuls, der seine Wirkungen auf die nationalen Wohlfahrtssysteme der Mitgliedstaaten hat, so lässt sich die These formulieren, dass langfristig eine »divergente Konvergenz« der wohlfahrtsstaatlichen Geschlechterarrangements in der EU zu beobachten sein wird. Derartige Europäisierungseffekte bleiben beim jetzigen Stand der realpolitischen Entwicklung im hypothetischen Bereich und bedürfen der näheren wissenschaftlichen Betrachtung. Bei der Konzeption und Begründung von Untersuchungen über Europäisierung durch Gender Mainstreaming kann die Literatur zur Pfadabhängigkeit abermals dienlich sein.

4.2 Bedingungen für Institutionenwandel

Die Pfadabhängigkeitsdebatte rekurriert auf vier, unterschiedlichen theoretischen Strängen zuzuordnende Erklärungsmomente für institutionellen Wandel: Während Utilitaristen Wandel als Folge zunehmenden Konkurrenzdrucks sehen, machen Funktionalisten als primäre Ursache für das Verlassen von Pfaden exogene Schocks aus, die die Transformation der Systemanforderungen verlangen. Vertreter der Machtressourcen-Ansätze beobachten institutionellen Wandel, wenn

Eliten geschwächt werden. Und *last but not least* verorten demokratietheoretische Erklärungsmuster, die die Legitimität von Entscheidungen im Blickfeld haben, in den Veränderungen von Werten oder subjektiven Überzeugungen von AkteurInnen eine Möglichkeit zur Abkehr von historisch gewachsenen Pfaden (Mahoney 2000: 517-526).

Mit Bezug auf den supranational vereinbarten neuen Gesellschaftsvertrag zwischen den Geschlechtern und insbesondere seine supranational koordinierte Realisierung durch die »Methode der offenen Koordinierung« (open method of coordination; OMC) in den Bereichen der Wohlfahrtspolitik lassen sich alle vier Momente identifizieren, die gemäß der oben genannten Theorien zu einem pfadabhängigen Institutionenwandel führen können: Durch die EU-weite Evaluation »der Besten« mittels OMC wird ein Konkurrenzdruck zwischen den Mitgliedstaaten erzeugt, den es zuvor nicht gegeben hat. Als exogener – wenn auch »hausgemachter« – Schock wirkt die Wirtschafts- und Währungsunion (WWU) auf die nationalen Wohlfahrtsstaaten ein. Denn durch die WWU sind den Mitgliedstaaten in der Ausgestaltung ihrer Wirtschafts- und Beschäftigungspolitiken Grenzen gesetzt.[10] Dies gilt insbesondere für die Geldpolitik, die mit der Europäischen Zentralbank gänzlich auf die europäische Ebene verlagert ist und damit zur Schwächung der wohlfahrtspolitischen Handlungsspielräume der nationalen Eliten beiträgt. Zudem impliziert die Aktivierungspolitik mit der primären Zielgruppe Frauen zumindest in den kontinentalen Mitgliedstaaten eine Notwendigkeit der Veränderung von Werten und subjektiven Überzeugungen von AkteurInnen hinsichtlich ihres Verständnisses von geschlechtsspezifischer Arbeitsteilung. Somit kann die Hypothese formuliert werden, dass insbesondere in den kontinentalen Mitgliedstaaten die Chancen für eine Modifikation der tradierten institutionalisierten Wohlfahrtsstaatspfade hinsichtlich der strukturellen und kulturellen Ausgestaltung der wohlfahrtsstaatlichen Geschlechterarrangements günstig stehen.

Demzufolge besteht durch die Europäisierungsbestrebungen von wohlfahrtsstaatlichen Geschlechterarrangements im Bereich der vergleichenden wohlfahrtsstaatlichen Geschlechterforschung multipler empirischer Forschungsbedarf. Insbesondere die Europäisierungsforschung kann hierzu Beiträge liefern, die beispielsweise zur Prüfung der skizzierten theoretischen Erkenntnisse der Policy-Forschung für die Analyse von institutionellem Wandel dienlich sind. Derartige Studien können zur Zeit zwar konzipiert werden, ob sich bereits jetzt ein maßgeblicher Institutionenwandel in den Mitgliedstaaten feststellen lässt, bedarf der Analyse.

M.E. ist die Analyse der Persistenz oder des Wandels der Werte und subjektiven Überzeugungen von AkteurInnen hinsichtlich ihrer Konstruktionen von *sozialem Geschlecht* bei vergleichenden Untersuchungen ins Zentrum zu stellen.

Diese Art der Forschung würde nicht nur eine Ergänzung der Evaluationsmethoden des Gender Mainstreamings in der EU darstellen, sondern auch die Geschlechterforschung im Bereich der (vergleichenden) Policy-Forschung herausfordern. Für die Evaluation der Implementation von Gender Mainstreaming in den wohlfahrtsstaatlichen Reformprozessen kann, wie abschließend gezeigt werden soll, auf die Erkenntnisse und Untersuchungsansätze der vergleichenden wohlfahrtsstaatlichen Geschlechterforschung zurückgegriffen werden.

5. Forschungs- und Evaluierungsperspektiven

Neuere politikwissenschaftliche Arbeiten der vergleichenden Geschlechterforschung haben verdeutlicht, dass es in Politikprozessen, die zur Bildung oder zum Wandel von Institutionen führen, maßgeblich darauf ankommt, welche Geschlechterleitbilder bzw. geschlechtsspezifischen Codes von deutungsmächtigen AkteurInnen repräsentiert werden (Behning 1999a und 1999b). Die Geschlechterleitbilder der deutungsmächtigen AkteurInnen prägen die strukturelle Ausrichtung von Institutionen nicht unwesentlich. Im analytischen Vordergrund dieser Studien steht das Nachzeichnen der akteursspezifischen geschlechtsspezifischen Diskurse (Behning 1999a; Kulawik 1999). Die historischen Untersuchungen veranschaulichen, dass geschlechtsspezifische Ausprägungen von Institutionen durch politische AkteurInnen erzeugt sind. Für diesen Erkenntnisgewinn und die Identifizierung der KonstrukteurInnen und Konstruktionen von geschlechtsspezifischen Institutionen zeichnet die Hinwendung zur politikwissenschaftlichen Handlungsanalyse und damit zum Instrumentarium der Policy-Forschung verantwortlich (z.B. Behning 1999b; Ostendorf 1999).

Insbesondere die akteursspezifische Analyse des »doing gender« in politischen Prozessen ist m.E. notwendig, um die Implementation von Gender Mainstreaming zu evaluieren. Aus politikwissenschaftlicher Sicht kann es hierbei nicht nur darum gehen, Geschlechtskonstruktionen transparent zu machen. Ein Erkenntnisgewinn ist auch im Hinblick auf geschlechtsspezifische theoretische Ableitungen zum Thema Institutionenwandel zu erwarten. Überträgt man diese Art der Untersuchung zudem auf die Evaluation des Gender Mainstreamings in der EU, so lassen sich vielfach Anknüpfungspunkte finden. Ziele derartiger Studien könnten z.B. sein:

— die Basis für eine gezielte Reflexion der an politischen Prozessen Beteiligten im Bereich des »doing gender« zur Verfügung zu stellen,
— die Entstehung, Reproduktion und/oder den Wandel von Institutionen aus geschlechtsspezifischer Perspektive zu beleuchten,

— die Auseinandersetzung um geschlechtsspezifisches Wissen zu erhellen und damit AkteurInnen Grundlageninformationen für die Erhöhung ihrer Wirkungsmächtigkeit bereitzustellen.

Doch damit sind die Chancen, die mit der Evaluation von politischen Prozessen verbunden sind, noch nicht ausgeschöpft. M.E. wäre es besonders zielführend, wenn Gender Mainstreaming in der EU durch politikprozessbegleitende Studien mit geschildertem Charakter supervidiert würde, um geschlechtsspezifische Wirkungen frühzeitig zu reflektieren und gegebenenfalls zu korrigieren. Eine Evaluierung der Implementation von Gender Mainstreaming in der EU erscheint, wie herausgearbeitet, insbesondere im Bereich der Analyse der Europäisierung wohlfahrtsstaatlicher Geschlechterarrangements wünschenswert.

Anmerkungen

1 Eine der wenigen Systematisierung bietet Börzel (2002: 16).

2 Dieses Zitat kursiert vielfach als EU-Definition von Gender Mainstreaming, obwohl es vom Europarat stammt, der nicht zu den Institutionen der EU gehört. Weil diese Definition von Gender Mainstreaming aber dennoch die meist zitierte im europäischen Raum darstellt, dient sie in diesem Beitrag als Ausgangspunkt für die weiteren Erörterungen.

3 Meine Position zum Umbau von Arbeitsgesellschaften habe ich in Behning/Leitner (1998) sowie in Behning/Serrano Pascual (2001a) dargelegt. Zur Debatte um Gleichheit und Differenz vgl. Maihofer (1995).

4 Die Charta der Grundrechte der Europäischen Union kann – trotz ihrer Nicht-Inkorporation in die Verträge – vom Europäischen Gerichtshof als Rechtsbehelfsquelle herangezogen werden. Die Grundrechtscharta ist gleichzeitig Teil des vom Verfassungskonvent ausgearbeiteten EU-Verfassungsentwurfes. Erst nach der Verabschiedung der EU-Verfassung erlangt die EU-Grundrechtscharta volle Rechtsgültigkeit.

5 Mit diesem Begriff ist die sozialrechtliche Verankerung der Figur des Individuums angesprochen, das sowohl erwerbsarbeit- wie auch betreuungs- und hausarbeitsorientiert sein soll.

6 Obwohl die Literatur zur Pfadabhängigkeit keine einheitliche Definition des Begriffs festschreibt, so stimmen doch alle Expertisen mit Sewell (1996) überein, der folgende Definition von Pfadabhängigkeit vornimmt: »[T]hat what happened at an earlier point in time will affect the possible outcomes of a sequence of events occurring at a later point in time« (Sewell zitiert nach Pierson 2000a: 252).

7 Zur Problematik der auszuwählenden zeitlichen Sequenzen und deren Überlappung vgl. Pierson (2000b) und Thelen (2000).

8 Im Kontext der politikwissenschaftlichen Antizipation der Debatten um Pfadabhängigkeit erscheinen jedoch selbstverstärkende Sequenzen, die sich insbesondere durch ›increasing returns‹ oder – leidlich übersetzt – zunehmende Wiederkehreffekte auszeichnen, von stärkerer Relevanz zu sein (z.B. Pierson 2000a und 2000b; Thelen 2000). Sie werden wie folgt definiert: »With increasing returns, an institutional pattern – once adopted – delivers

increasing benefits with its continued adoption, and thus over time it becomes more and more difficult to transform the pattern or select previously available options, even if these alternative options would have been more ›efficient‹« (Mahoney 2000: 508).

9 Im Zusammenhang mit wohlfahrtsstaatlichem Institutionenwandel bleibt somit zu beachten, dass die Grundfesten der jeweiligen, historisch gewachsenen Wohlfahrtsstaats-strukturen von handlungsmächtigen, reformwilligen Akteuren nicht vernachlässigt werden dürfen – so sie erfolgreich sein wollen.

10 Für die Inklusion der europäischen Beschäftigungsstrategie in die Verträge kann nicht zuletzt die WWU verantwortlich zeichnen. Das Beschäftigungskapitel ist als sozialer Ausgleich zur WWU in den Vertrag von Amsterdam aufgenommen worden.

Literatur

Behning, Ute (Hg.) 1997: *Das Private ist ökonomisch. Widersprüche der Ökonomisierung privater Familien- und Haushalts-Dienstleistungen*, Berlin: edition sigma.

Behning, Ute 1999a: *Zum Wandel der Geschlechterrepräsentationen in der Sozialpolitik. Ein policy-analytischer Vergleich der Politikprozesse zum österreichischen Bundespflegegeld-gesetz und zum bundesdeutschen Pflege-Versicherungsgesetz*, Opladen: Leske und Budrich.

Behning, Ute 1999b: Zur Rekonstruktion von »Geschlecht« durch politikwissenschaftliche Analysen. Erläuterungen am Beispiel von Sozialstaatspolitik, in: Bauhardt, Christine/von Wahl, Angelika (Hg.): *Gender und Politics. »Geschlecht« in der feministischen Politikwis-senschaft*, Opladen: Leske und Budrich, S. 199-213.

Behning, Ute 2004: Implementation von Gender Mainstreaming auf europäischer Ebene: Geschlechtergleichstellung ohne Zielvorstellung?, in: Meuser, Michael/Neusüß, Claudia (Hg.): *Gender Mainstreaming*, Bonn: Bundeszentrale für politische Bildung, im Erscheinen.

Behning, Ute/Leitner, Sigrid 1998: Zum Umbau der Sozialstaatssysteme Österreichs, der Bundesrepublik Deutschland und der Schweiz. Eine vergleichende Analyse der sozialstaat-lichen Regelungen von Familienarbeit, in: *WSI-Mitteilungen*, H. 11, S. 787-799.

Behning, Ute/Serrano Pascual, Amparo 2001a: Comparison of the adaptions of gender main-streaming in national employment strategies, in: dies. (Hg.): *Gender Mainstreaming in the European Employment Strategy*, Brussels: ETUI-Press, S. 321-345.

Behning, Ute/Serrano Pascual, Amparo (Hg.) 2001b: *Gender Mainstreaming in the European Employment Strategy*, Brussels: ETUI-Press.

Börzel, Tanja 2002: *States and Regions in the European Union. Institutional Adaptation in Germany and Spain*, Cambridge: Cambridge University Press.

Bothfeld, Silke/Gronbach, Sigrid/Riedmüller, Barbara (Hg.) 2002: *Gender Mainstreaming – eine Innovation in der Gleichstellungspolitik. Zwischenberichte aus der politischen Praxis*, Frankfurt/M., New York: Campus.

Cowles, Maria Green/Carporaso, James A./Risse, Thomas (Hg.) 2001: *Transforming Europe: Europeanization and Domestic Change*, Ithaca/New York: Cornell University Press.

Europäischer Rat 2000: Entschließung des Rates und der im Rat vereinigten Minister für Beschäftigung und Sozialpolitik vom 29. Juni 2000 über die Teilhabe von Frauen und

Männern am Berufs- und Familienleben (2000/C 218/02), *Amtsblatt der Europäischen Gemeinschaften* C 218/5 vom 31.7.2000.

Europarat 1998: *Gender Mainstreaming. Konzeptioneller Rahmen, Methodologie und Beschreibung bewährter Praktiken*, Straßburg: Europarat.

Héritier, Adrienne et al. 2001: *Differential Europe: New Opportunities and Restrictions for Policy Making in Member States*, Lanham: Rowman and Littlefield.

Hooghe, Liesbet (Hg.) 1996: *Cohesion Policy and European Integration: Building Multi-level Governance*, Oxford: Oxford University Press.

Knill, Christoph 2001: *The Europeanisation of National Administrations. Patterns of Institutional Change and Persistance*, Cambridge: Cambridge University Press.

Kulawik, Teresa 1999: *Wohlfahrtsstaat und Mutterschaft. Schweden und Deutschland 1870-1912*, Frankfurt/M., New York: Campus.

Liebert, Ulrike (Hg.) 2003: *Gendering Europeanisation*, Brüssel: Peter Lang.

Mahoney, James 2000: Path dependence in historical sociology, in: *Theory and Society*, Jg. 29, H. 4, S. 507-548.

Maihofer, Andrea 1995: *Geschlecht als Existenzweise*, Frankfurt: Ulrike Helmer.

Ostendorf, Helga 1999: Die Konstruktion des Weiblichen durch politisch-administrative Institutionen, in: Bauhardt, Christine/von Wahl, Angelika (Hg.): *Gender und Politics. »Geschlecht« in der feministischen Politikwissenschaft*, Opladen: Leske und Budrich, S. 149-170.

Pierson, Paul 2000a: Increasing Returns, Path Dependence, and the Study of Politics, in: *American Political Science Review*, Jg. 94, H. 2, S. 251-267.

Pierson, Paul 2000b: Not Just What, but When: Timing and Sequence in Political Processes, in: *Studies in American Political Development*, Jg. 14, H. 1, S. 72-92.

Pierson, Paul 2000c: The Limits of Design: Explaining Institutional Origins and Change, in: *Governance: An International Journal of Policy and Administration*, Jg. 13, H. 4, S. 475-499.

Rat der Europäischen Union 2001: *Charta der Grundrechte der Europäischen Union. Text der Erläuterungen zum vollständigen Wortlaut der Charta*, Dezember 2000, Luxemburg: Amt für amtliche Veröffentlichungen der Europäischen Gemeinschaften.

Schmidt, Vivien A. 1996: *From State to Market? The Transformation of French Business and Government*, Cambridge: Cambridge University Press.

Seeleib-Kaiser, Martin 2001: *Globalisierung und Sozialpolitik. Ein Vergleich der Diskurse und Wohlfahrtssysteme in Deutschland, Japan und den USA*, Frankfurt/M., New York: Campus.

Stiegler, Barbara 2000: *Wie Gender in den Mainstream kommt: Konzepte, Argumente und Praxisbeispiele zur EU-Strategie des Gender Mainstreaming*, http://www.fes.de/fulltext/asfo/00802toc.htm, Zugriff: 7.7.2004.

Stiegler, Barbara 2002: *Gender Macht Politik. 10 Fragen und Antworten zum Konzept Gender Mainstreaming*, hg. vom wirtschafts- und sozialpolitischen Beratungszentrum der Friedrich-Ebert-Stiftung, Bonn.

Thelen, Kathleen 1999: Historical Institutionalism in Comparative Politics, in: *Annual Review of Political Science*, H. 2, S. 369-404.

Thelen, Kathleen 2000: Timing and Temporality in the Analysis of Institutional Evolution and Change, in: *Studies in American Political Development*, Jg. 14, H. 1, S. 101-108.

West, Candace/Zimmermann, Don H. 1991: Doing Gender, in: Lorber, Judith/Farell, Susan A. (Hg.): *The Social Construction of Gender*, Newbury Park, London, New Delhi: Sage Publ., S. 13-37.

Empirische Befunde
gendersensibler Begleitforschung

Umbau des Geschlechter-Wissens von ReformakteurInnen durch Gender Mainstreaming?

Sünne Andresen und Irene Dölling

Als neues gleichstellungspolitisches Instrument hat Gender Mainstreaming derzeit Konjunktur in Deutschland. Welches die Ziele von Gender Mainstreaming sind, mittels welcher Schritte und Methoden Gender Mainstreaming in das Organisationshandeln implementiert werden kann, wie in Gender-Trainings Führungskräfte ›gendersensibilisiert‹ werden können – dazu gibt es mittlerweile eine Fülle von Literatur, Handreichungen und Trainingsangeboten. Obwohl in den entsprechenden Publikationen der Hinweis nicht fehlt, dass die Implementierung von Gender Mainstreaming einer genauen Kenntnis der Besonderheiten der jeweiligen Organisation, der konkreten objektiven wie subjektiven Bedingungen ›vor Ort‹ bedarf, gibt es bislang kaum Studien, die – gestützt auf empirische Analysen – reflektieren, mit welchen Voraussetzungen bei der Umsetzung von Gender Mainstreaming in Organisationen gerechnet werden muss.

In unserem Beitrag wollen wir *eine* dieser Voraussetzungen diskutieren. Von 2000 bis 2002 haben wir in einem (Ost-)Berliner Bezirksamt untersucht, ob die Reform der kommunalen Verwaltung Chancen für den Abbau bestehender Geschlechterhierarchien in der Organisation eröffnet.[1] Wir haben in unserer Studie u.a. erforscht, über welches Geschlechter-Wissen die Führungskräfte in der Organisation verfügen. Die empirischen Befunde wollen wir im Folgenden vorstellen und herausarbeiten, welche subjektiven Wahrnehmungs- und Deutungsmuster das Handeln der AkteurInnen in der Organisation orientieren. Daran knüpfen wir die Frage, was daraus für Gender-Trainings von Führungskräften – als einem wichtigen Baustein zur Implementierung von Gender Mainstreaming – geschlussfolgert werden kann.

1. Die Reformierung der öffentlichen Verwaltung – eine Chance für den Abbau von Geschlechterhierarchien?

Seit mehr als einem Jahrzehnt findet auch in Deutschland eine Modernisierung der öffentlichen Verwaltung statt. Sie hat zum Ziel, durch die Einführung betriebs-

wirtschaftlicher Steuerungsinstrumente und unternehmensähnlicher Organisationsstrukturen sowohl das Angebot an Dienstleitungen zu qualifizieren, als auch eine
größere Effizienz und Leistungsfähigkeit der Verwaltung zu erreichen. Nach außen
soll das Image der Verwaltung durch mehr ›Bürgernähe‹ und ›Kundenfreund-
lichkeit‹ verbessert werden. Nach innen, also bezogen auf die Organisation ›Verwaltung‹ selbst, geht es darum, durch den Aufbau einer dezentralen Führungs-
und Organisationsstruktur, durch die Einführung ergebnisorientierter Verfahren
sowie durch innerbetrieblichen Wettbewerb das Verwaltungshandeln und seine
institutionelle Verfasstheit zu ökonomisieren. Flache Hierarchien in der Arbeits-
organisation und die Dezentralisierung von Leitungs- und Entscheidungsprozessen, eine Flexibilisierung von Arbeitszeiten und Karrierewegen, d.h. von beruflichen Aufstiegsmöglichkeiten, die stärker als bisher an individueller Leistung
(-sfähigkeit) und weniger am Laufbahn- und Anciennitätsprinzip orientiert sind,
eine Führungskultur und ein Personalmanagement, die auf Teamarbeit und Moti-
vierung der MitarbeiterInnen, auf die Entwicklung und optimale Nutzung ihrer
Handlungspotenziale zielen, gehören zu den zentralen Eckpunkten der Reform.

Eingebettet in das Konzept des ›aktivierenden Staates‹, das die Aufgaben der
Verwaltung nach außen wie nach innen neu bestimmt, stellt die Reform einen
Teil gesamtgesellschaftlicher Umbauprozesse dar, in denen es um die Neube-
stimmung und praktisch-institutionelle Neukonfiguration des Verhältnisses von
Gesellschaft, Staat und Markt geht, wie sie sich zunehmend unter der Hegemonie
neoliberaler Gesellschaftsentwürfe vollziehen.

Zu der betriebs- und marktwirtschaftlichen Orientierung des Reformkonzeptes
steht die Verpflichtung zu Gender Mainstreaming als neuem gleichstellungspolitischem Instrument in einem widersprüchlichen, potenziell auch gegenkonjunktu-
rellen Verhältnis. Mit der Implementierung von Gender Mainstreaming wird die
Hoffnung verknüpft, dass sich »Gleichstellungspolitik zu einem integralen
Bestandteil der Verwaltungsmodernisierung« (Krell/Leutner 1998: 38) entwickeln
und als »Unternehmensziel« bzw. als »Gemeinschaftsaufgabe« (Wiechmann/
Kißler 1997: 85) verankern lässt.

1.1 Grundannahmen unserer Untersuchung

In unserem Forschungsprojekt gehen wir davon aus, dass die Frage, ob die Umsetzung der Reformziele zu einem Abbau bestehender Geschlechterhierarchien in
der Organisation ›Verwaltung‹ führt, bzw. ob sich mit der Reform die Chancen
für eine erfolgreiche Gleichstellungspolitik erhöhen oder eher verringern, *praktisch* entschieden wird, d.h. *im Handeln der beteiligten AkteurInnen unter konkreten Feldbedingungen.*

Ausgehend von dieser Grundannahme haben wir unserer empirischen Studie folgende konzeptionellen Überlegungen zugrunde gelegt:

1. Organisationen sind als Institutionen moderner Gesellschaften zu verstehen. D.h., es müssen strukturelle Homologien zwischen gesellschaftlichen (Umbau-) Prozessen und dem Institutionenwandel, zwischen gesellschaftlichen Modi der Trennung zum einen und der Hierarchisierung und Klassifizierung in der Organisation zum anderen in den Blick genommen werden (Türk 1989 und 2000), um die vielfältigen ökonomischen, politischen, kulturellen – die strukturellen und akteursgebundenen – Dimensionen, die im Prozess der Verwaltungsreform wirksam werden, angemessen zu berücksichtigen.

2. Organisationen sind Arenen mikropolitischer, interessengeleiteter Auseinandersetzungen von AkteurInnen (Ortmann et al. 2000), die unterschiedlich mit (Macht-)Ressourcen ausgestattet und entsprechend unterschiedlich in den Auseinandersetzungen um die ›richtige‹ Umsetzung der Reformziele, um ›legitime‹, ›moderne‹ usw. Klassifikationen und Bewertungen von Anforderungen, Leistungskriterien, organisationalen Abläufen etc. positioniert sind. In Anlehnung an **Bourdieus** Feld-Habitus-Konzept (Bourdieu/Wacquant 1996) verstehen wir das **Ost-Berliner Bezirksamt AB** als (strukturiertes) Feld, das beständig durch das **Handeln** relational aufeinander bezogener AkteurInnen reproduziert (bzw. **modifiziert**) wird; deren habituelle Wahrnehmungs- und Deutungsmuster ermöglichen ›passende‹ Stellungnahmen durch Klassifikationen, die in der Organisation (mehr oder weniger) *common sense* sind, d.h. ›Trümpfe‹ im Spiel um die **Bewahrung** bzw. Verbesserung der eigenen Position im Feld bei der Umsetzung der Reformziele darstellen.

3. Organisationen, genauer: strukturiertes Feld und Habitus der AkteurInnen sind vergeschlechtlicht (Acker 1990; Britton 2000; Wilz 2001). Entsprechend arbeiten wir mit einem mehrdimensionalen Begriff von ›Vergeschlechtlichung‹. Er umfasst sowohl objektivierte Formen sozialer Praxen wie die Verteilung von **Männern** und Frauen auf unterschiedliche Positionen im Feld (*sex composition*) und die Bewertungen von Arbeitstätigkeiten, von Anforderungen, Leistungskriterien und Leitbildern der (neuen) Verwaltungskultur (*gender typing*), als auch das Klassifizieren nach dem (hierarchisierenden) Modus der Zweigeschlechtlichkeit im alltäglichen Organisationshandeln der AkteurInnen (d.h. das interaktive **Herstellen** von Geschlecht z.B. in der Bewertung konkreter Handlungen und Entscheidungen, im Fällen positiver oder negativer Urteile, in Zustimmungen zu oder Zurückweisungen von Anforderungen).

Wir begannen unsere Untersuchungen zu einem Zeitpunkt, zu dem die vom Berliner Senat beschlossene Fusion von Bezirken zum 1.1.2001 in unserem Feld zur Zusammenlegung der zwei Ost-Berliner Bezirke A und B zu einer Verwaltung geführt hatte. Das erforderte u.a. die Neubesetzung der ersten Leitungsebene. Hierfür war im neuen Bezirksamt AB ein gruppenbezogenes Auswahlverfahren durchgeführt worden, durch das – neben der Berücksichtigung fachlicher Qualifikationen und Leistungen – insbesondere die sozialen Kompetenzen als Merkmale einer neuen Führungskultur getestet und in die Entscheidung über die Vergabe der Leitungspositionen einbezogen wurden. Obwohl die Verteilung der neuen Führungspositionen an Frauen und Männer fast paritätisch ausgefallen war,[2] erschien uns nach ersten Expertengesprächen die Rekonstruktion dieses Auswahlverfahrens als ein geeigneter Ausschnitt aus dem praktischen Umbauprozess der Organisation Bezirksamt, um Vergeschlechtlichungen in den verschiedenen Dimensionen auf die Spur und der Beantwortung unserer zentralen Forschungsfrage ein Stück näher zu kommen.

Entsprechend unserem mehrdimensionalen Verständnis von ›Vergeschlechtlichung‹ richtete sich unser Forschungsinteresse *erstens* darauf, ob und in welcher Weise die Etablierung einer neuen Führungskultur in der Organisation ›Verwaltung‹ und deren konkrete Umsetzung in ›neue‹ Anforderungen an die Führungskräfte Anzeichen für eine Umschrift hierarchisierender – vergeschlechtlichender – Klassifizierungen aufweisen. Dies schien uns wichtig, da die in Leitbildern ins Spiel gebrachten Klassifizierungen die Deutung und Aneignung der ›neuen‹ Führungskultur durch die AkteurInnen vorstrukturieren und damit auch beeinflussen, inwiefern hierbei vergeschlechtlichende Hierarchisierungen re/produziert werden, bzw. ob sich die Chancen für eine gendersensible Sicht auf das (reformierte) Verwaltungshandeln erhöhen. *Zweitens* ging es uns darum zu analysieren, wie die AkteurInnen selbst im Sprechen über das Auswahlverfahren die Reform(-ziele), insbesondere die angestrebte neue Führungskultur, deren RepräsentantInnen sie gewissermaßen sind, wahrnehmen und bewerten. Wir wollten wissen, ob die angestrebten Veränderungen ein Anlass für sie sind, bisherige Sichtweisen auf ›ihre‹ bzw. in ›ihrer‹ Organisation zu verändern, also Vorstellungen darüber, was ›richtig‹ und ›passend‹ ist, in Frage zu stellen. Vor allem interessierte uns, ob sich hier ›Brüche‹, d.h. grundlegende Nichtübereinstimmungen zwischen habituellen Klassifikationsmustern und neuen Anforderungen ausmachen lassen oder ob sich eher Kontinuitäten dahingehend abzeichnen, dass die organisationalen Umbauprozesse lediglich von einer ›Umschrift‹ tradierter (und vergeschlechtlichender) Klassifikationen begleitet werden, die (neue) Hierarchien, Grenzziehungen, Ein- und Ausschlüsse legitimieren. Insbesondere mit dem zweiten Analyseschritt wollten wir – entsprechend unserer Ausgangsthese, dass die Reform im praktischen Handeln von AkteurInnen entschieden wird – Erkenntnisse darüber gewinnen, was in den Köpfen der Führungskräfte ›ist‹, d.h., welche (vergeschlechtlichenden) Klassifikationen, Wahrnehmungs- und Deutungsmuster sie in ihrem Handeln ›ins Spiel‹ bringen. In einer sowohl fallspezifischen, biografisch orientierten, als auch einer feldspezifischen Analyse[3] aller Interviews haben wir deshalb herausgearbeitet, über welches ›Geschlechter-Wissen‹ die AkteurInnen verfügen. Denn die Rekonstruktion dieses Wissens stellt *eine* wichtige Grundlage für die empirische Beantwortung der Frage dar, ob dieses Wissen eine Ressource für eine gendersensible Gestaltung des Umbauprozesses in der Verwaltung ist, d.h., ob die Umsetzung der Reformziele praktisch mit einem Abbau von Geschlechterhierarchien bzw. genereller, von hierarchisierenden Vergeschlechtlichungen verbunden wird.[4]

Im Folgenden erläutern wir zunächst, was wir unter ›Geschlechter-Wissen‹ verstehen und stellen anschließend die wichtigsten Ergebnisse unserer Analyse zu den Gemeinsamkeiten und Unterschieden im Geschlechter-Wissen von ReformakteurInnen dar.

2. Das Geschlechter-Wissen der ReformakteurInnen

2.1 Was verstehen wir unter ›Geschlechter-Wissen‹?

In modernen Gesellschaften gehört die klassifikatorische Unterscheidung in ›männlich‹ und ›weiblich‹ zu den ›Basisklassifikationen‹. Es gilt der Modus des zweigeschlechtlichen Klassifizierens. D.h., es gibt zwei und nur zwei Geschlechter, diese sind durch eine unhintergehbare biologische Differenz voneinander unterschieden und zugleich relational und hierarchisch aufeinander verwiesen. Eine Dimension der Vergesellschaftung von Individuen ist die habituelle Aneignung und Inkorporierung dieses Modus der Wahrnehmung und Deutung der sozialen Welt, ihrer strukturellen Teilungen und der Verortung von unterschiedlichen AkteurInnen darin. Der Modus des zweigeschlechtlichen Klassifizierens wird in einer Fülle von kollektiven kulturellen Produktionen beständig in anschaulicher, sprachlicher wie bildhafter Gestalt lebendig gehalten, reproduziert bzw. aktualisiert.

Entsprechend verwenden wir den Begriff ›Geschlechter-Wissen‹ *erstens* für die verschiedenen Arten kollektiven Wissens, die in einer Gesellschaft jeweils über den Geschlechterunterschied, die Begründungen seiner ›Selbstverständlichkeit‹ und Evidenz, die (vor-)herrschenden normativen Vorstellungen über die ›richtigen‹ Beziehungen und Arbeitsteilungen zwischen Männern und Frauen kursieren.[5] *Zweitens* schließt der Begriff des Geschlechter-Wissens die individuell-biografisch angeeigneten Klassifikationen und kollektiven Wissensformen ein, die die Individuen als sozial und geschlechtsgebunden unterschiedlich positionierte AkteurInnen in ihrem praktischen Handeln in ihren unterschiedlichen Tätigkeitsfeldern strategisch zum Einsatz bringen.[6]

Ausgehend von diesen allgemeinen Bestimmungen des von uns verwendeten Begriffs des Geschlechter-Wissens haben wir vor der Auswertung der Interviews – bezogen auf unser Untersuchungsfeld und die Positionierung unseres Samples darin – einige konkretisierende Annahmen formuliert:

1. Seit über 30 Jahren, insbesondere seit Entstehen der Frauenbewegung und der – zunächst unmittelbar mit ihr verbundenen – Frauenforschung gibt es in unserer Gesellschaft einen öffentlichen Diskurs über die Benachteiligung von Frauen bzw. über ›Geschlecht‹ als einen diskriminierenden, Ungleichheit erzeugenden Faktor. Ein Ergebnis der in Politik wie Wissenschaft geführten und über die Massenmedien popularisierten diskursiven Auseinandersetzungen ist ein stark gewachsenes, durchaus heterogenes kollektives Wissen um die ›Frauen‹- bzw. Geschlechterfrage und über Ursachen und Folgen der Zuordnung jedes Menschen zu einer Genusgruppe. Dieses Wissen ist nicht nur teilweise in den Bestand von Alltagswissen und -kultur eingegangen, es hat auch dazu beigetragen, dass ›Geschlecht‹ als ein sozialer Unterscheidungs- und Diskriminierungsfaktor auf unterschiedlichen Ebenen delegitimiert wurde. Als Resultat politischer Aushandlungen wurden – exemplarisch im öffentlichen Dienst – Gesetze erlassen und Verfahrensweisen eingeführt, die darauf abzielen, Benachteiligungen und Ungleichheiten qua Geschlecht zu beseitigen. So gibt es z.B. in Berlin für den öffentlichen Dienst ein Landesgleichstellungsgesetz.

2. Die Angehörigen unseres Interviewsamples repräsentieren die politische bzw. die Verwaltungsspitze des von uns untersuchten Ostberliner Bezirksamtes. Es handelt sich um eine Personengruppe mit relativ hohem kulturellen Kapital, deren Mitglieder in der Regel einen Hoch- bzw. Fachschulabschluss haben, über ein gutes Allgemeinwissen verfügen. Sie müssen qua Profession in der Lage sein, in der praktischen Arbeit Zusammenhänge zwischen sozialen Bedingungen bzw. Problemen herzustellen. Diese AkteurInnen im Amt sind zudem explizit und qua Gesetz mit Forderungen der Geschlechtergleichstellung konfrontiert.

Auf Grund dieser Ausgangsbedingungen interessierte uns, ob die AkteurInnen über ein zumindest in Teilen reflektiertes Geschlechter-Wissen verfügen bzw. welches widersprüchliche Verhältnis bei ihnen zwischen Erfahrungswissen und reflektiertem Wissen feststellbar ist. – Im Folgenden stellen wir sehr stark zusammengefasst die Ergebnisse unserer Interviewauswertungen vor.

2.2 Das Geschlechter-Wissen der ReformakteurInnen

Erstens: Ein reflektiertes Wissen darum, dass in unserer Gesellschaft die Zuordnung aller Menschen zur Genusgruppe der Männer oder der Frauen einen vielfältig wirksamen, oftmals Frauen benachteiligenden sozialen Differenzierungsfaktor darstellt, gibt es bei den interviewten AkteurInnen kaum. Geschlechterunterschiede werden primär auf der Ebene der unmittelbaren Beziehungen wahrgenommen, soziale Strukturierungen dieser Beziehungen oder strukturelle Ursachen für beobachtete Unterschiede im Verhalten von Frauen und Männern, für verschiedene Orte von Frauen und Männern im Amt oder für die ›Doppelbelastung‹ von Frauen kommen nicht in den Blick. Vielmehr dominiert bei den Führungskräften durchweg ein allgemein verbreitetes Alltags- bzw. Erfahrungswissen, d.h, es herrschen Wahrnehmungs- und Deutungsmuster vor, als deren grundlegendes Merkmal wir eine ›Dominanz des universalistischen Codes‹ herausgearbeitet haben: Unterschiede zwischen den Geschlechtern – seien sie als biologische Differenz oder als Ergebnis historisch-evolutionärer Entwicklungen gefasst – werden als selbstverständlich und zugleich als nachrangig gegenüber der Klassifizierung aller ›als Menschen‹ wahrgenommen: »Sie sind da, beide Geschlechter, und sie sind für mich beide gleich ...« [B012, 30:1497].

Bezogen auf die Organisation bedeutet die Dominanz des universalistischen Codes: Geschlecht spielt in der Organisation keine Rolle, hier gilt – demonstriert konkret am Auswahlverfahren – »alle haben die gleichen Chancen«, alle werden gleich behandelt, entscheidend ist die »individuelle Leistung. Dieses Auswahlverfahren war eine Chance für denjenigen, der, sag ich mal, gut war« [S016, 15:24f.].

Der universalistische Code erzeugt Verkennungs- und Verleugnungseffekte. Er zeichnet sich aus durch die Dominanz des abstrakt Allgemeinen: Durch ihn werden Menschen mit Verweis auf ihr ›Mensch-Sein‹ nach dem allgemeinsten und inhaltlich am wenigsten aussagekräftigen Kriterium identisch gemacht und die konkreten – sozial und historisch unterschiedlichen – Bedingungen ihrer Existenz und ihrer damit verbundenen Handlungsmöglichkeiten (auch qua Geschlecht) als irrelevant, bestenfalls zweitrangig und partikular klassifiziert. ›Geschlecht‹ kann mittels dieses Klassifikationsmodus als quasi ›natürliche‹, selbstverständliche Unterscheidung von zwei Gruppen, Männern und Frauen, wahrgenommen werden, jedoch kaum als ein mächtiger *sozialer* Differenzierungsfaktor.

Zweitens: Homolog zur Dominanz des universalistischen Codes im Geschlechter-Wissen der interviewten AkteurInnen wird auch die *Organisation Verwaltung als ›geschlechtsneutral‹* gesehen; Gleichstellungspolitik, Frauenförderung, Quotenregelungen u.ä. stellen in der Sicht der Mehrzahl der interviewten Führungskräfte Maßnahmen dar, die der Organisation ›von außen‹, durch Politik und Gesetzgebung vorgegeben werden, den Zielen und Aufgaben der Organisation aber ›wesensfremd‹ sind. Die geschlechterparitätische Verteilung von Positionen wird daher bestenfalls als ›schönes‹ oder auch ›wünschenswertes‹ Ergebnis gesehen[7] – was in unserem Sample allerdings auch nur auf die *politischen* Führungskräfte zutraf, während die erfolgreichen BewerberInnen für die erste

Führungsebene in der Verwaltung die gerechte Verteilung der Positionen nach Geschlecht bzw. die Gleichstellung nicht einmal als ein (wünschenswertes) Ziel formulierten. D.h. stärker als die politischen Beamten schließen die Fachbeamten ›Geschlecht‹ als einen Faktor aus, dem in der Organisation Rechnung zu tragen wäre. Oder anders formuliert: Kann es für die StadträtInnen im politischen Feld noch einen Bonus bringen, wenn sie – zumindest verbal und ›politisch korrekt‹ – Gleichstellung als eine Aufgabe sehen, verbessern männliche wie weibliche Führungskräfte auf der Verwaltungsebene dadurch ihre Positionen im Feld derzeit offenbar (noch) nicht.[8] Eher könnte eine mit einer aktiven Gleichstellungspolitik gegebene Öffnung den Kreis von KonkurrentInnen um die knapper gewordenen, zudem zeitlich befristeten Führungspositionen vergrößern und so die eigene Position gefährden. Gemeinsam wiederum ist politischen Beamten wie Verwaltungsführungskräften, dass sie gleichstellungspolitische Aktivitäten so gut wie gar nicht als Element des eigenen Handelns in der Organisation Verwaltung auffassen. Ein geschlechtersensibler Blick auf die Organisation ist so gut wie nicht vorhanden.

Drittens: Der universalistische Code dominiert im Geschlechter-Wissen der AkteurInnen, obgleich sich feine Unterschiede, je nach Positionierung im Amt, nach Ost-West-Herkunft, Alter bzw. Geschlecht ausmachen ließen. So zeichneten sich etwa die interviewten Frauen tendenziell durch ein differenzierteres Sprechen über geschlechtsgebundene, ambivalente Erfahrungen in der Organisation aus und ihr Geschlechter-Wissen wies Elemente auf, die Bourdieu als »Scharfblick der Ausgeschlossenen« (1997: 196) gekennzeichnet hat. Sie haben z.B. einen Blick dafür, dass die Verteilung von Männern und Frauen auf die verschiedenen Bereiche innerhalb der Verwaltung nicht zufällig ist, sondern Resultat ungleicher Bedingungen sowie der Wirkung kultureller Normative, oder sie verweisen darauf, dass eine Diskrepanz zwischen (gleichstellungspolitischen) Proklamationen und der Praxis der Gleichbehandlung in Wirtschaft und Politik besteht.

Weiter stellten wir fest, dass diese gewisse Hellsichtigkeit vor allem bei den Frauen zu beobachten ist, die zu den älteren Jahrgängen (Lebensalter von Mitte 40 bis Mitte/Ende 50) gehören und in der DDR aufgewachsen sind. Biografisch schlagen bei ihnen Erfahrungen mit der Vereinbarung von Beruf und Familie zu Buche – alle haben Kinder, alle haben bis auf kurze Unterbrechungen nach der Geburt der Kinder Vollzeit in qualifizierten Berufen gearbeitet und die ›Doppelbelastung‹ je nach individuellem Arrangement mit ihren Partnern mehr oder weniger stark konfliktreich erfahren. Sie ›wissen‹ auch, dass ihnen ihre erfolgreiche Vereinbarung von Beruf und Familie als Frauen mehr abverlangt hat als (ihren) Männern, und dass männliche Leiter auch in der DDR selten geneigt waren, auf die familiären Belastungen von Frauen in der Organisation Rücksicht zu nehmen. Nach der Berufserfahrung z.B. der Leiterin Frau Z. hat es »oft Männer gegeben, die dafür kein Verständnis hatten und denen man das in einer Notsituation regelrecht abtrotzen musste oder so. Und dass da Frauen in der Regel zugänglicher waren, gerade in Problemsituationen« [L007, 29:40ff.].

Die Ostdeutschen beiderlei Geschlechts wiederum betonen stärker als ihre westdeutschen KollegInnen, dass zwischen den Geschlechtern grundsätzlich Gleichheit bestehe. Vor dem Hintergrund des DDR-spezifischen Geschlechtervertrags[9], der die selbstverständliche qualifizierte Vollzeiterwerbsarbeit beider (Ehe-)Partner sowie tendenziell stärker egalitäre familiäre Arbeitsteilung normativ festlegte, wurde individuell-biografisch offensichtlich ein Geschlechter-Wissen ausgebildet, in dem soziale Differenzen zwischen Männern und Frauen kaum mehr gedacht, geschweige denn betont werden. Die Kehrseite hiervon ist, dass auch angesichts veränderter gesamtgesellschaftlicher Bedingungen, die insgesamt stärker von Hierarchien und Ungleichheit auch zwischen den Geschlechtern geprägt sind, von dieser Egalitätsvorstellung kaum Abstand genommen wird, was sich in der Organisation in erster Linie als breite Zustimmung dazu äußert, dass alle – unabhängig von Geschlecht – nach der individuellen Leistung bewertet werden sollten.

Insgesamt aber – so das Ergebnis unserer Analysen – stellen diese aufgefundenen feinen Unterschiede im Geschlechter-Wissen der AkteurInnen die dominierende Gültigkeit des universalistischen Codes als ›zweckmäßiges‹ Muster der Klassifizierung und Wahrnehmung der aktuellen Strukturen und Prozesse im Amt bzw. in der Organisation ›Verwaltung‹ nicht in Frage.

Unsere Rekonstruktion des Geschlechter-Wissens von Führungskräften in der kommunalen Verwaltung hat alles in allem keine vollkommen neuen Ergebnisse zutage gefördert, sondern eher Vermutungen sowie aus anderen empirischen Feldern Bekanntes bestätigt. Vor dem Hintergrund der geplanten Implementierung von Gender Mainstreaming in der öffentlichen Verwaltung geben die aufgefundenen Gemeinsamkeiten und feinen Unterschiede im Geschlechter-Wissen der Führungskräfte jedoch einige konkrete Hinweise auf (subjektive) Voraussetzungen, die die Umsetzung des Gender-Mainstreaming-Konzepts beeinflussen könnten. Abschließend wollen wir unsere in einem konkreten Feld gewonnenen Einsichten verallgemeinernd diskutieren.

3. Umbau des Geschlechter-Wissens durch Gender Mainstreaming?

In der bestehenden Form stellt das Geschlechter-Wissen der Führungskräfte in der untersuchten Bezirksverwaltung, das wir in seinen Grundzügen für verallgemeinerbar halten, in der gegenwärtigen Reformsituation eher keine Ressource für einen gezielten Abbau bestehender Geschlechterhierarchien in der Organisation durch die AkteurInnen dar. Denn es handelt sich um ein Wissen, in dem ausgeblendet bleibt, dass es neben der offen oder verdeckt vorgenommenen alltäglichen geschlechtsspezifischen Diskriminierung insbesondere auch strukturell bedingte Formen der vergeschlechtlichten und vergeschlechtlichenden Existenzsicherung und Lebensführung sind, die als *gendered substructure* (Acker 1992) in den Organisationen wirken und Geschlechterdifferenzen und -ungleichheiten zur Folge haben.

Was kann hier Gender Mainstreaming ausrichten? Es stellt ein Instrument dar, das besonders die Führungskräfte in Organisationen, tendenziell aber auch alle anderen Beschäftigten, dazu verpflichtet, Entscheidungsprozesse in Organisationen so zu gestalten, dass immer auch der »Blickwinkel der Gleichstellung zwischen Frauen und Männern in allen Bereichen und auf allen Ebenen« (Tondorf 2001: 272) eingenommen wird. Wichtiger konzeptioneller Bestandteil von Gender Mainstreaming ist die Entwicklung und Qualifizierung der Gender-Kompetenz der Organisationsmitglieder. Durch gezielte Weiterbildungen, durchgeführt von professionellen GendertrainerInnen, wird in gendertheoretisches Grundwissen eingeführt und es werden praxisnahe und fachbezogene Methoden und Verfahren vermittelt, die die potentiellen Gender-Mainstreaming-AkteurInnen dazu befähigen sollen, den Gender-Mainstreaming-Prozess in ihrer Organisation voranzubringen. Mittlerweile sind solche Gender-Trainings vielerorts als erster Schritt der Implementierung durchgeführt worden, bislang allerdings selten mit der erhofften Wirkung. So lautete z.B. das Resümee einer Arbeitstagung mit leitenden Verwaltungsangestellten und GendertrainerInnen im Juli 2003 in Berlin mehrheitlich, dass der Stand der Implementierung von Gender Mainstreaming hinter den Erwartungen zurückgeblieben sei. Während die anwesenden GendertrainerInnen das stockende Vorankommen auch auf fehlendes echtes Interesse in den Verwaltungen zurückführten, sahen die Verwaltungsangestellten das Haupthindernis im mangelnden Praxisbezug der Umsetzungsinstrumente: Was sie brauchten, seien keine theoretischen Abhandlungen, sondern stärker ihrer spezifischen Situation in der Verwaltung angepasste Verfahren. Auf diese Kritik ist bislang mit der weiteren Verbesserung der Methoden und Instrumente reagiert worden. Paradoxerweise hat dies das Problem nicht wirklich lösen können, sondern auch die Grenzen der Reformierung von Organisationen sowie der Denkformen ihrer Mitglieder durch das bloße ›Hineingeben‹ von Wissen – so wichtig dies auch ist – sichtbar gemacht. Worin diese organisations- oder feldspezifischen Grenzen der Transformation von Geschlechter-Wissen liegen, lässt sich anhand unserer empirischen Ergebnisse genauer fassen: Sie zeigen, dass die Vorstellungen zu Geschlecht, wie wir sie bei den Interviewten aufzeigen konnten, eine *spezifische Art von Wissen* darstellen, das sich nicht einfach durch Umlernen oder Aufklärung außer Kraft setzen lässt. Denn es handelt sich dabei nicht bloß um ein fehlendes, ›falsches‹ oder zu wenig an neueren Gendertheorien geschultes Wissen, wie es etwa Regina Frey (2003) in ihrer Untersuchung implizit nahe legt, oder um die bloße Verkennung von Zusammenhängen, wie sie ›wirklich‹ sind. Wir haben es vielmehr mit einem *situierten Wissen* zu tun, das als ›*praktisches Wissen*‹ oder im Sinne Bourdieus als ›*praktischer Sinn*‹ gefasst werden kann, d.h. mit habitualisierten Klassifizierungsmustern, die aus der Sicht der AkteurInnen dem Feld und den hier geltenden/wahrgenommenen Machtverhältnissen und Hierarchien entsprechen und die sich für sie in der Organisation bislang als durchaus ›richtige‹, weil ›zweckmäßige‹ Deutungen bewährt haben.

Um dies am Feld der kommunalen Verwaltung konkret zu machen: Die Verpflichtung zu Gender Mainstreaming erreicht dieses zu einem Zeitpunkt, da andere grundlegende Transformationen auf der Tagesordnung stehen. Vor dem Hintergrund der Finanzmisere der öffentlichen Haushalte sind in den Verwaltungen umfassende Reformvorhaben angelaufen, die der Idee nach zwar auch ein besseres Personalmanagement mit mehr Entwicklungsmöglichkeiten für die Beschäftigten sowie die Steigerung der Qualität der Dienstleitungen beinhalten, in der Praxis bislang aber vorrangig zu Kostensenkungen, Personaleinsparungen und zur Arbeitsverdichtung geführt haben. Im Vordergrund des Reforminteresses steht tatsächlich die Einführung von mehr Wettbewerb auf allen Ebenen (zwischen den Bezirken, den Abteilungen, den Beschäftigten) sowie eine Gestaltung des Organisationsaufbaus und der -abläufe, die gewährleisten, dass die Steuerung von Prozessen sowie die Verteilung von Ressourcen perspektivisch über outputorientierte marktförmige, d.h. vermeintlich objektive und sachzwanglogische betriebsökonomische Mechanismen erfolgen können.[10] Für das Führungspersonal hat sich aus diesen Veränderungen zunächst eine Anforderungsstruktur ergeben, in der betriebswirtschaftliche und Management-Fähigkeiten die fachlichen Kompetenzen nicht nur ergänzen, sondern zunehmend dominieren.[11] Zwar haben auch die so genannt ›sozialen‹ Kompetenzen im Zuge der Modernisierung der Führungskultur eine Aufwertung erfahren, sie bleiben aber den betriebsökonomischen Zielen der Organisation nachgeordnet. D.h. ihre Bedeutung zentriert sich darum, die MitarbeiterInnen bei steigender Arbeitslast richtig einzusetzen, gegebenenfalls auch spezielle Neigungen und Vorlieben zu berücksichtigen, wenn dies der Aufrechterhaltung von Motivation und der Nutzung von ›Humanressourcen‹ dienlich ist. Auch beim Einsatz dieser Kompetenz geht es aber vor allem um die *betriebsökonomischen* Ziele und weniger um die *sozialen* Folgen und Voraussetzungen, die das Handeln (in) der Organisation für die Beschäftigten, die BürgerInnen, die Gesellschaft insgesamt hat oder haben könnte. Vor dem Hintergrund dieser Dominanz des ›Zwangs zum Sparen‹, die den aktuellen Veränderungsprozessen eingeschrieben ist, nehmen die leitenden Verwaltungsangestellten – und zwar Männer wie Frauen – Geschlecht in der Organisation kaum als einen sozialen Differenzierungsfaktor wahr, bzw. haben sie ein im Feld dominierendes Geschlechter-Wissen angeeignet, das dem universalistischen Code des ›alle sollen gleich behandelt werden‹ entspricht.

Die mit Gender Mainstreaming neu hinzukommende Aufgabe, bei allen Entscheidungen die Perspektive der Gleichstellung einzunehmen, stellt zunächst eine zusätzliche Anforderung dar, ohne die beschriebenen Dominanzen im Feld außer Kraft zu setzen. Für die angesprochenen Führungskräfte ergibt sich daraus – insbesondere, wenn sie die mit Gender Mainstreaming gestellte Aufgabe ernst nehmen – ein Spannungsverhältnis zwischen den verschiedenen, in der Logik des Feldes zudem ungleich gewichteten Aufgaben und Anforderungen. Welchen Umgang sie hiermit finden und wie somit Gender Mainstreaming in der jeweiligen Organisation umgesetzt wird, hängt dabei nicht zuletzt von den vorhandenen Machtverhältnissen und Interessensdivergenzen ab und davon, welche Deutungsmuster sich in den Aushandlungsprozessen über die Implementierung von Gender Mainstreaming durchsetzen können. Für Gender-Trainings, die nicht an ihren AdressatInnen vorbeireden wollen, folgt hieraus, dass sie die Tatsache, dass Organisationen Arenen mikropolitischer Aushandlungen sind, zumindest einbeziehen müssen. Nicht zuletzt heißt dies auch anzuerkennen, dass sich mit Gender Mainstreaming als einer Top-down-Strategie die Machtfrage zugunsten von Gleichstellungspolitik mitnichten entschieden, sondern zunächst lediglich die Definitionsmacht verlagert hat (Wetterer 2002: 137). Auch welchen Rang hier das theoretisch geleitete Gender-Wissen einnehmen wird, entscheidet sich in der Praxis und wäre – als eine wichtige Grundlage verbesserter Trainings – empirisch weiter zu erforschen.

Bedenkenswerte Hinweise darauf, welche Deutungsmuster in die Aushandlungs- und Definitionsprozesse eingehen werden, gibt ein weiteres Ergebnis unserer Studie: Mehrheitlich nehmen die interviewten Leitungskräfte Gleichstellungspolitik, Quoten usw. als etwas ›Organisationsfremdes‹ wahr, weil sie darin einen Verstoß gegen das Prinzip der Chancengleichheit sehen, das für sie am ehesten dann gewahrt ist, wenn es die *individuelle Leistung* ist, die über den Zugang zu Stellen, Ressourcen usw. entscheidet. Dabei sehen sie die Herstellung der Bedingungen für individuelle Leistung(sfähigkeit) unabhängig von geschlechtsgebundenen Voraussetzungen und als Sache jede/r/s Einzelnen, nicht jedoch als eine auch von (politischen) Organisationen wahrzunehmende Gestaltungsaufgabe. Betrachtet man die Veränderungen, die sich im Zuge der Reformierung der öffentlichen Verwaltung nach dem neuen Steuerungsmodell vollziehen, so zeigt sich dieses leistungszentrierte Chancengleichheitskonzept der Interviewten als durchaus ›passend‹ und plausibel, erfährt doch die individuelle Leistung als Modus der Verteilung von Positionen und Chancen im Feld ›öffentliche Verwaltung‹ durch die Modernisierung eine deutliche Aufwertung und Stärkung.

Nicht zuletzt hat diese leistungsökonomische Ausrichtung des Reformkonzepts zur Folge, dass die Legitimität bisheriger Frauenförder- und Gleichstellungskonzepte, wie sie seit den 1980er Jahren für den öffentlichen Dienst entwickelt wurden, weiter untergraben wird (Cunningham 2000; di Luzio 2000; 2002). Denn während die Frauenförderprogramme und Quotenforderungen den Abbau *struktureller* Benachteiligungen der *Genusgruppe Frauen* anzielten, impliziert das Reformkonzept eine *individualisierende* Bewertung nach Leistung und stellt damit das Primat der Betriebsökonomie über das der gleichen Rechte und tatsächlichen Teilhabe. Unter solch kontextspezifischen Bedingungen zeigen sich die Interviewten mit ihrem Geschlechter-Wissen als überzeugte VertreterInnen eines Konzepts von *bedingter Chancengleichheit*, das sich im Laufe der 1990er Jahre als hegemonialer gleichstellungspolitischer Begründungsrahmen bis in die Argumentationsmuster von Gleichstellungs- und Frauenbeauftragten hinein (Schön 1999) durchgesetzt hat. Im Unterschied zur »repräsentativen Chancengleichheit« (Nohr 2003: 56), die sich am *Ergebnis* von Gleichstellung, also z.B. an der tatsächlichen Verteilung von Positionen orientiert, »verlangt die bedingte Chancengleichheit nur den gleichen Zugang bei gleichen Fähigkeiten und Leistungen« (ebd.) mit der Folge, dass Chancengleichheit häufig nur proklamiert und wahrnehmbare ungleiche Ressourcenverteilungen mit unterschiedlichen Leistungen legitimiert werden (ebd.: 56f.). Dass solche Vorstellungen die Umsetzung von Gender Mainstreaming beeinflussen werden, belegen die Beispiele, bei denen Gender Mainstreaming sofort genutzt wurde, um sich der bisherigen Gleichstellungspolitiken und -maßnahmen, die auch Formen der positiven Diskriminierung zwecks Abbau von Ungleichheiten beinhalten, zu entledigen.[12] Zwar hat sich zwischenzeitlich das Konzept der so genannten Doppelstrategie – man könnte auch sagen: ein Wissen darum – durchgesetzt, dass Gender Mainstreaming und Frauenförderung einander ergänzende Instrumente darstellen. Was dieses Übereinkommen unter den Bedingungen knapper Kassen sowie der breiten Anerkennung von Leistung als dem Prinzip der Chancenverteilung praktisch bedeuten wird, bleibt gleichwohl abzuwarten. Auch hier entsteht ein Spannungsfeld, das in Gender-Trainings zu thematisieren wäre.

Insgesamt verweist die feldspezifische Verortung der Klassifizierungsmuster darauf, dass sich der Umbau des Geschlechter-Wissens von ReformakteurInnen nicht so einfach wird bewerkstelligen lassen, wie in einigen Veröffentlichungen zu Gender Mainstreaming und Gender-Trainings erhofft. Wie unsere Untersuchung zeigt, entsprechen die Wissensarten von AkteurInnen den Feldlogiken, in denen sie als ›praktischer Sinn‹ entstanden sind, sich bewährt haben und immer noch bewähren. Diese Feldlogiken entwickeln sich derzeit in eine Richtung, die für eine Verankerung von Gender Mainstreaming als einer Strategie zur Herstellung tatsächlicher Gleichstellung in und durch Organisationen nicht eben günstig sind. Unter den bestehenden Kräfteverhältnissen deutet vieles darauf hin, dass Gender Mainstreaming der Dominanz anderer Logiken im Feld untergeordnet wird. Es könnte damit zu einem Instrument der Durchsetzung ganz anderer als mit Gender Mainstreaming ursprünglich angestrebter Ziele werden.

Anmerkungen

1 Das Projekt »Vergeschlechtlichungsprozesse im Zuge der kommunalen Verwaltungsreform« wird von der Deutschen Forschungsgemeinschaft im Rahmen des Schwerpunktprogramms »Professionalisierung, Organisation, Geschlecht. Zur Reproduktion und Veränderung von Geschlechterverhältnissen in Prozessen sozialen Wandels« gefördert. Die Ergebnisse der ersten Förderstufe, auf die unser Beitrag Bezug nimmt, sind in Buchform veröffentlicht (Andresen/Dölling/Kimmerle 2003).
2 Von den 20 zu besetzenden Positionen gingen neun (also knapp über 40%) an Frauen und elf an Männer. Wie eine von uns durchgeführte Umfrage in allen Berliner Bezirken ergab, war dies ein überdurchschnittliches Ergebnis (Andresen/Dölling/Kimmerle 2002).
3 Eine methodologische Grundannahme unseres Vorgehens ist, dass die individuelle Aneignung von kollektivem (d.h. tendenziell vorherrschendem) Geschlechter-Wissen ›doppelt gebrochen‹ erfolgt. Zum Einen ist die Aneignung von kollektivem Geschlechter-Wissen biografieabhängig, wobei biografische Konstruktionsprozesse sowohl einer sozialen wie einer geschlechtsgebundenen Logik folgen. Zum Anderen vollzieht sich die individuelle Aneignung von Geschlechter-Wissen in konkreten Feldern, von deren Logik es abhängt, welche geschlechtsgebundenen und vergeschlechtlichenden Stellungnahmen seitens der Akteur/e/innen jeweils angemessen, Erfolg versprechend, dem *common sense* folgend usw. sind.
4 Entsprechend unserer Annahme, dass die Befragten einerseits in ihrer Biografie relativ stabile Muster des (vergeschlechtlichenden) Klassifizierens in verschiedenen Praxisfeldern ausgebildet haben, andererseits diese Klassifikationen kontext- und situationsgebunden zum Einsatz bringen, in unserem Falle als (positionierte) Mitglieder einer Organisation, deren Umgestaltung sie aktiv und führend voranbringen sollen, haben wir nicht nur das Geschlechter-Wissen rekonstruiert, sondern auch nach ihrem Organisationsverständnis und nach Homologien zwischen den vorherrschenden Klassifikationsmustern, mit denen die Befragten ›ihre‹ Organisation wahrnehmen und beurteilen einerseits sowie den dominierenden Klassifikationen ihres Geschlechter-Wissens andererseits gefragt (Andresen/Dölling/Kimmerle 2003: Kapitel 7). In diesem Beitrag konzentrieren wir uns allerdings im Wesentlichen auf das Geschlechter-Wissen der ReformakteurInnen.

5 Wir unterscheiden dabei grob zwischen (a) Alltags- und Erfahrungswissen, das die ›Gegebenheit‹ der Geschlechterdifferenz und die hierarchisierenden Geschlechterklassifikationen meist unreflektiert reproduziert; (b) Expertenwissen, das arbeitsteilig z.B. von den Wissenschaften produziert wird und in dem konkurrierende Auffassungen zur Relevanz, zur gesellschaftlichen Verfasstheit und Strukturiertheit des Geschlechterverhältnisses etc. kursieren sowie (c) das in Medien etc. popularisierte Wissen, das eine Vielfalt von (konkurrierenden) Meinungen, Standpunkten, Interpretations- und Deutungsangeboten für Sinnproduktionen von Individuen und sozialen Gruppen bereitstellt.

6 Nicht nur, welche kollektiv produzierten und in modernen Gesellschaften formal allen zugänglichen Formen von Geschlechter-Wissen die AkteurInnen tatsächlich aneignen, ist vorstrukturiert durch ihren Platz im sozialen Raum. Welche Formen von erworbenem Geschlechter-Wissen AkteurInnen strategisch einsetzen, hängt auch davon ab, in welchen Feldern welche Formen von Geschlechter-Wissen dominieren bzw. erfolgversprechend für die eigene Positionierung in diesen Feldern von den AkteurInnen eingesetzt werden können.

7 »Na, wir hatten alle, glaube ich, im Kopf, die wir da saßen: wir wollen auf jeden Fall fifty/fifty hinten raus kommen (lacht).« [S011, 20:26ff.] »Es war keine Festlegung, aber, sagen wir mal so: Wir hatten den Wunschtraum irgendwo. Zu sagen: möglichst eine Gleichverteilung.« [S011, 20:30f.]

8 Dies könnte sich mit der Implementierung von Gender Mainstreaming als Führungsaufgabe ändern.

9 Vgl. dazu ausführlich Andresen/Dölling/Kimmerle 2003: Kapitel 6, sowie Dölling 2003.

10 In unserem Untersuchungsfeld stellen die Kosten-Leistungsrechnung und das Budgetierungsverfahren die zentralen Steuerungsmechanismen dar (vgl. Wollmann 1998). Sie sehen vor, dass alle Bezirke in einem ersten Schritt definieren, welche Produkte (Dienstleistungen i.w.S.) sie überhaupt erstellen. Im zweiten Schritt sind sie gehalten zu erheben, welche Kosten die Erstellung jedes einzelnen Produkts (d.h. eines Wohnungsberechtigungsscheins, der Gewährung von Sozialhilfe, Wohngeld usw.) verursacht. Aus den Produktkosten aller Bezirke wird ein Mittelwert errechnet, der zukünftig die Grundlage für die Berechnung der Haushaltsmittel für die Bezirke bildet. Durch den interbezirklichen Kostenvergleich entsteht so der Druck, die eigenen Produktkosten zu senken, wenn sie über dem Mittelwert liegen. Dabei finden – wie uns verschiedene ExpertInnen und InterviewpartnerInnen erzählten – Auseinandersetzungen über die Art der Berechnungen ebenso wenig statt wie über Qualitätsmaßstäbe. D.h. auch die Bürgerorientierung bleibt auf der Strecke bzw. wird zu einer abgeleiteten Größe des Ziels zu Sparen.

11 Dies bestätigt auch die englische Studie von Davies/Thomas (2002), in der mittels einer standardisierten Befragung 1.950 leitende Angestellte bei der Polizei, im Erziehungssektor und in kommunalen sozialen Diensten zu den Veränderungen ihres Berufsbilds infolge der Umsetzung des New Public Managements befragt wurden, das als Vorläufer und Vorbild des deutschen Neuen Steuerungsmodells gilt (Reichard/Röber 2001).

12 Schunter-Kleemann nennt als ›prominente‹ Fälle das niedersächsische Frauenministerium, dessen Auflösung Gerhard Schröder 1998 als Ministerpräsident mit der Begründung verfügte, »Frauenpolitik werde fortan von allen Ressorts der Landesregierung mitbearbeitet« (2001: 22); sowie den ›EU-Parlamentsausschuss für die Rechte der Frau‹ in Brüssel.

Literatur

Acker, Joan 1990: Hierarchies, Jobs, Bodies: A Theory of Gendered Organisations, in: *Gender and Society*, Jg. 4, H. 2, S. 139-158.

Acker, Joan 1992: Gendering Organizational Theory, in: Mills, Albert/Tancred, Peta (Hg.): *Gendering organizational analysis*, Newbury Park, London, New Delhi: Sage, S. 248-260.

Andresen, Sünne/Dölling, Irene/Kimmerle, Christoph 2002: Vergeschlechtlichungsprozesse, in: *direkt, Zeitschrift für die Beschäftigten der Berliner Verwaltung* Nr. 74, S. 13.

Andresen, Sünne/Dölling, Irene/Kimmerle, Christoph 2003: *Verwaltungsmodernisierung als soziale Praxis. Geschlechterwissen und Organisationsverständnis von Reformakteuren*, Opladen: Leske und Budrich.

Bothfeld, Silke/Gronbach, Sigrid/Riedmüller, Barbara (Hg.) 2002: *Gender Mainstreaming – eine Innovation in der Gleichstellungspolitik. Zwischenberichte aus der politischen Praxis*, Frankfurt/M., New York: Campus.

Bourdieu, Pierre 1997: Die männliche Herrschaft, in: Dölling, Irene/Krais, Beate (Hg.): *Ein alltägliches Spiel. Geschlechterkonstruktion in der sozialen Praxis*, Frankfurt/M.: Suhrkamp, S. 153-217.

Bourdieu, Pierre/Wacquant, Loic J.D. 1996: *Reflexive Anthropologie*, Frankfurt/M.: Suhrkamp.

Britton, Dana 2000: The Epistemology of the Gendered Organization, in: *Gender and Society*, Jg. 13, H. 3, S. 418-434.

Cunningham, Rosie 2000: From Great Expectations to Hard Times? Managing Equal Opportunities Under New Public Management, in: *Public Administration*, Jg. 78, H. 3, S. 699-714.

Davies, Annette/Thomas, Robyn 2002: Gendering and Gender in Public Service Organizations. Changing professional identities under new public management, in: *Public Management Review*, Jg. 4, Nr. 4, S. 461-484.

Di Luzio, Gaia 2000: Berufsbeamtentum, Geschlechterbeziehungen und Reform des öffentlichen Dienstes. Wandel eines beruflichen Konzepts und Chancen der Frauenförderung, in: *Soziale Welt*, H. 51, S. 267-288.

Di Luzio, Gaia 2002: *Verwaltungsreform und Reorganisation der Geschlechterbeziehungen*, Frankfurt/M., New York: Campus.

Dölling, Irene 2003: Zwei Wege gesellschaftlicher Modernisierung. Geschlechtervertrag und Geschlechterarrangements in Ostdeutschland in gesellschafts-/modernisierungstheoretischer Perspektive, in: Knapp, Gudrun-Axeli/Wetterer, Angelika (Hg.): *Achsen der Differenz. Gesellschaftstheorie und Feministische Kritik II*, Münster: Westfälisches Dampfboot, S. 73-100.

Frey, Regina 2003: *Gender im Mainstreaming. Geschlechtertheorie und -praxis im internationalen Diskurs*, Königstein/Ts.: Helmer.

Krell, Gertraude/Leutner, Barbara 1998: Kommunale Verwaltungsmodernisierung und Gleichstellungspolitik, in: Krell, Gertraude (Hg.): *Chancengleichheit durch Personalpolitik. Gleichstellung von Frauen und Männern in Unternehmen und Verwaltungen*, 2. Aufl., Wiesbaden: Gabler, S. 37-46.

Nohr, Barbara 2003: »Frauenförderung ist Wirtschaftsförderung«. Die Geschlechterpolitik der rot-grünen Bundesregierung, in: *Widerspruch, Beiträge zur sozialistischen Politik*, Jg. 23, H. 44, S. 51-59.

Ortmann, Günther/Sydow, Jörg/Türk, Klaus 2000: Organisation, Strukturation, Gesellschaft. Die Rückkehr der Gesellschaft in die Organisationstheorie, in: dies. (Hg.): *Theorien der Organisation. Die Rückkehr der Gesellschaft*, 2. Aufl., Wiesbaden: Westdeutscher Verlag, S. 15-34.

Reichard, Christoph/Röber, Manfred 2001: Konzept und Kritik des New Public Management, in: Schröter, Eckhard (Hg.): *Empirische Policy- und Verwaltungsforschung. Lokale, nationale und internationale Perspektiven*, Opladen: Leske und Budrich, S. 371-392.

Schön, Christine 1999: *Szenarien betrieblicher Gleichstellungspolitik. Chancengleichheit als Unternehmensleitbild versus Gleichberechtigungsgesetz – eine exemplarische Studie in Banken und Sparkassen*, Königstein/Ts.: Helmer.

Schunter-Kleemann, Susanne 2001: Doppelbödiges Konzept. Ursprung, Wirkungen und arbeitsmarktpolitische Folgen von ›Gender Mainstreaming‹, in: *Forum Wissenschaft*, H. 2, S. 20-24.

Tondorf, Karin 2001: Gender Mainstreaming – verbindliches Leitprinzip für Politik und Verwaltung, in: *WSI-Mitteilungen*, H. 4, S. 271-277.

Türk, Klaus 1989: *Neuere Entwicklungen in der Organisationsforschung. Ein Trend-Report*, Stuttgart: Enke.

Türk, Klaus 2000: Organisation als Institution der kapitalistischen Gesellschaftsformation, in: Ortmann, Günther/Sydow, Jörg/Türk, Klaus (Hg.): *Theorien der Organisation. Die Rückkehr der Gesellschaft*, 2. Aufl., Wiesbaden: Westdeutscher Verlag, S. 124-176.

Wetterer, Angelika 2002: Strategien rhetorischer Modernisierung. Gender Mainstreaming, Managing Diversity und die Professionalisierung der Gender-Expertinnen, in: *Zeitschrift für Frauenforschung und Geschlechterstudien*, Jg. 20, H. 3, S. 129-148.

Wiechmann, Elke/Kißler, Leo 1997: *Frauenförderung zwischen Integration und Isolation. Gleichstellungspolitik im kommunalen Modernisierungsprozess*. Berlin: Ed. Sigma.

Wilz, Sylvia M. 2001: »Gendered Organizations«: Neuere Beiträge zum Verhältnis von Organisationen und Geschlecht, in: *Berliner Journal für Soziologie*, H. 1, S. 97-107.

Wollmann, Helmut 1998: Licht und Schatten des Berliner Verwaltungsreformprojekts, in: Grunow, Dieter/Wollmann, Helmut (Hg.): *Lokale Verwaltungsreform in Aktion: Fortschritte und Fallstricke*, Basel, Boston, Berlin: Birkhäuser, S. 218-242.

Der Kaiserin neue Kleider? Gender Mainstreaming im Kontext lokaler Geschlechterpolitik

Sabine Lang

Einleitung

Bestandsaufnahmen deutscher Gender-Mainstreaming-Politik bewegen sich gegenwärtig zwischen zwei Extremen: Von den einen als lang erwartete und institutionell adäquate Antwort auf die Marginalisierung von Frauenpolitik gefeiert, gilt sie anderen als Sargnagel im Zuge der neoliberalen Beerdigung des feministischen Demokratieprojekts. Beide Seiten liefern stichhaltige Belege für ihre jeweilige Position: Anspruchsvolle Benchmarkingprojekte konkurrieren in der Öffentlichkeit mit Beispielen plastischer Chirurgie am Gesicht maskuliner Verwaltungsgremien. Der folgende Beitrag wird weder der einen noch der anderen Darstellungsseite Priorität einräumen. Ich möchte statt dessen den Blick darauf lenken, in welchen politisch-institutionellen Kontext der gegenwärtige geschlechterprogrammatische Politikwechsel eingelassen ist, in welchen Bedingungskonstellationen also Gender Mainstreaming operiert. Denn Gender Mainstreaming ist keine Theorie, sondern ein seiner Anlage nach radikales politisch-praktisches Instrument – ein Instrument allerdings, dessen Effektivität und Nutzen sich nur im Kontext politischer Bedingungen und Praxen erweisen kann. Wie bei anderen Politikinstrumenten auch, ist der Erfolg von Gender Mainstreaming vom Zusammenspiel endogener und exogener Faktoren abhängig, die sowohl die politische Debatte wie auch die praktische Implementierung und Nachhaltigkeit von Maßnahmen strukturieren. Zu den wichtigsten endogenen Faktoren zählen die Variablen Personal, Zeit, Finanzen und organisationsinterne Diskussionskulturen. Mindestens genauso wichtig, in Implementierungsstudien jedoch allzu oft vernachlässigt, sind die exogenen Faktoren erfolgreicher Politikinstrumente: In welchem gesellschaftspolitischen Umfeld wird ein Instrument eingeführt? Auf welche bereits vorhandenen geschlechterpolitischen Konstellationen und Diskurse trifft die neue politische Maßnahme, wie also steht der intendierte geschlechterdemokratische Zugewinn durch Mainstreaming in Beziehung zu bereits mit anderen Mitteln Erreichtem? Und wie passt sich Gender Mainstreaming ein in die neoliberalen Modernisierungsprojekte westlicher Gesellschaften?

Der nachfolgende Artikel wird primär diese exogenen Faktoren behandeln, denn sie stellen – so meine Hypothese – die potenziell gefährlichsten Hürden für den Erfolg von Gender Mainstreaming dar. Während auf der endogenen Seite FemokratInnen daran arbeiten, Gender Mainstreaming in ausgewählten Institutionen von der EU-Ebene bis in die Kommunen voranzutreiben, produziert neoliberale Politik eine neue Welle privatisierter und retraditionalisierter Geschlechterarrangements. Prunkt die Kaiserin »Geschlechterdemokratie« also nur scheinbar im neuen Gewand des Gender Mainstreaming? Ich will diese Frage anhand der lokalen Ebene deutscher Geschlechterpolitik entwickeln, weil hier, im kleinteiligen Raum politischer Aktivität, das gesellschaftspolitische Umfeld von Mainstreamingmaßnahmen besonders deutlich gezeichnet werden kann.

Städte und Kommunen sind zentrale Orte von Geschlechterpolitik, auch wenn Geschlecht als Kategorie im engeren Feld der stadt- und kommunalpolitischen Diskussion genauso unterbelichtet ist wie in der Empirie von zivilgesellschaftlichem Engagement und Ehrenamt. Diese blinden Flecken sind angesichts der derzeitigen Themenkonjunktur von »small democracy« erstaunlich. Neue Governancemodelle werden lokal erprobt, Verwaltungsmodernisierung wird kommunal implementiert, mit elektronischer Demokratie wird zuförderst in Kommunen experimentiert und Bürgergesellschaft soll vor allem »von unten« erneuert und lokal revitalisiert werden. Neben der Effizienzsteigerung von Verwaltung und einer verbesserten staatlichen Steuerungsleistung bilden die Modernisierung von Beteiligungsprozessen und die Reaktivierung von BürgerInnen Kernstücke dieses Diskurses. In alle diese Themen ist ein vergeschlechtlichter Bias eingelassen, der in politischer Praxis und wissenschaftlicher Evaluierung vernachlässigt wird. Mit dem Instrument des Gender Mainstreamings soll nun versucht werden, diese kognitive und institutionelle Blindheit zu kurieren: Durch die Implementierung von geschlechterkritischen Perspektiven in *allen* Bereichen kommunaler Planungs-, Entscheidungs- und Steuerungsprozesse soll eine solchermaßen entgeschlechtlichte Perspektive erschwert, sollen Kernstücke institutioneller Verwaltungsmacht geschlechtersensibel umgestaltet werden. Nicht nur Politiken, sondern Verfahren, Ressourcenverteilung, Personalschlüssel und bislang wenig analysierte Effekte stehen hierbei auf dem Prüfstand. Theoretisch und praktisch beim Wort genommen könnte Gender Mainstreaming in der Tat die radikalste geschlechterpolitische Innovation hervorbringen, die liberale Demokratien bislang zugelassen haben. Doch die Kräfteverhältnisse, in die dieses radikale Instrument eingelassen ist, sind ungünstig.

Vier dieser kommunalen Kräftekonstellationen will ich im Folgenden näher betrachten: Erstens werde ich die Rolle von Frauen in der institutionalisierten Kommunalpolitik und zweitens einige Aspekte aktueller Gleichstellungspolitik unter der Frage beleuchten, auf welchen Nährboden geschlechterpolitische Innovationen wie das Gender Mainstreaming gegenwärtig treffen. Drittens sollen Diskurse um bürgerschaftliches Engagement auf der lokalen Ebene zum Gender-Mainstreaming-Ansatz in Beziehung gesetzt werden und viertens will ich in einem kurzen Ausblick seine Einbettung in die kommunale Verwaltungsmodernisierung diskutieren.

1. Frauen in der Kommunalpolitik – horizontale Stagnation, vertikale Decke

Kommunalpolitik gilt als klassisches Feld für den Einstieg von Frauen in die Politik (Nassmacher 1991; Geissel 1999). Partizipation in den Institutionen des Lokalen erscheint als niederschwelliges Terrain, in dem Erfahrungswissen von Frauen validiert wird, der Hürdenlauf des innerparteilichen Aufstiegs umgangen werden kann und das für Frauen typische engere Zeitmanagement nicht so stark mit den Anforderungen an Präsenz kollidiert. Seit das Statistische Jahrbuch der Bundesrepublik im Jahr 1975 zum ersten Mal die Beteiligung an städtischen Räten und Parlamenten geschlechtsspezifisch ausgewiesen hat (damals lag sie bei 10%; Nassmacher 1991: 153), steigt der Frauenanteil auf der Kommunalebene langsam, aber stetig an, unterstützt durch die Quotierungsbeschlüsse der Grünen, der SPD und in den 1990er Jahren der PDS. In der Bundesrepublik verteilt sich die Partizipation von Frauen in der Kommunalpolitik heute entlang der auch im Bund hinreichend bekannten Parteienkluft: Bündnis 90/Grüne dominieren mit einem Anteil von 43% in den Kommunalräten, gefolgt von der PDS mit 40%, der SPD mit 30%, der Union mit 22% und der FDP mit 19% (Höcker 2001: 1). Im EU-Vergleich rangiert die Bundesrepublik gegenwärtig mit 25,3% Frauen in Kommunalparlamenten im oberen Drittel. Unterstellt man, dass eine kritische Masse von Frauen in legislativen Körperschaften entscheidend für die Implementierung von Gender Mainstreaming ist, so ist Skepsis angebracht, da dieses kritische Drittel bislang nur in den skandinavischen Ländern erreicht wurde.

Trotz eines deutlichen Anstiegs ihrer Beteiligung in der Lokalpolitik stellen Frauen in den meisten westeuropäischen Ländern im Schnitt allenfalls einen 20%igen Anteil an Wahlämtern. Die inzwischen vielfach analysierten Aufstiegsbarrieren in Parteiensystemen, also insbesondere die maskuline Organisationskultur, mangelnde Netzwerke, Zeitfaktoren und männerbündische Verhaltensstrukturen, werden auch in der Kommune virulent. Dass Frauen nach kreativen Wegen aus der parteipolitischen Umklammerung suchen, zeigt in der Bundesrepublik die wachsende Zahl von Frauenlisten, die in einigen Bundesländern auf kommunaler Ebene erfolgreich kandidieren. Am Beispiel Baden-Württembergs

sei dies veranschaulicht: Nach einer Umfrage des Landesverbandes Freier Frauen-
listen Baden-Württemberg e.V. hat die Zahl der Frauenlisten sich bei den
Kommunalwahlen 1999 gegenüber 1994 fast verdoppelt. 1999 sind rund 85
Frauenlisten mit Erfolg für Gemeinderat, Ortschaftsrat und Kreistag angetreten;
zusammen erzielten sie nahezu 180 Mandate (Landesverband Freier Frauenlisten
Baden-Württemberg, zitiert nach Holuscha 2000). In Bayern arbeiten zurzeit 15
Frauenlisten, die sich in einem Netzwerk zusammengeschlossen haben, um das
erworbene Wissen über Mobilisierung auf der Gemeindeebene weiterzugeben
(http://www.frauenlisten.de/). Jenseits von Quotierungsmaßnahmen der Parteien
und von autonomen Frauenlisten ist der Gesetzgeber ein dritter potenzieller
Akteur im Bemühen um die Erhöhung des Anteils weiblicher Kommunalabge-
ordneter. Frankreich hat mit dem Paritégesetz von 1999 eine radikale numerische
Veränderung der kommunalen Geschlechterdemokratie erreicht.[1] Bei den Kommunalwahlen im März 2001 mussten alle Parteilisten paritätisch besetzt werden.
Dies führte zu einem Anstieg der weiblichen Gemeinderatsmitglieder von 21 auf
47% (Höcker 2001: 2).

Land	Kommunale Abgeordnete	Frauen (%)	Frauen in kommunalen Exekutiv-ämtern (%)	Bürgermeis-terinnen (absolut)	Bürgermeis-terinnen (%)
Österreich	39 270	13.44	n/a	41	1.83
Belgien	12 697	23	15.2	33	5.6
Finnland	12 692	31.6	44.9	37	8.2
Frankreich	506 216	22.86	n/a	2940	8.04
Deutschland	27 933	25.3	9.6	125	16.76
Griechenland	9863	6.29	n/a	15	1.45
Irland	1627	16.3	n/a	n/a	n/a
Italien	129 014	15.22	14.54	537	6.72
Luxemburg	1 140	15	n/a	n/a	n/a
Niederlande	10 287	22.7	18	92	16.2
Portugal	8 930	13.95	10.34	12	3.9
Spanien	65 589	n/a	n/a	779	9.61
Schweden	51 700	41.6	36	60	20
Großbritannien	23 325	27	n/a	n/a	n/a

Quelle: Daten zusammengestellt aus Council of European Municipalities and Regions (2000)

In allen EU-Mitgliedstaaten ist eine messbare Diskrepanz zwischen der Zahl
weiblicher kommunaler Abgeordneter und Bürgermeisterinnen festzustellen – im
Übergang von Legislativ- zu Exekutivfunktionen scheint transnational eine glä-
serne Decke eingebaut. Da die Exekutivebene für die Umsetzung von Gender
Mainstreaming eine herausragende Rolle spielt, wird sich dieser Mangel an
Frauenpräsenz hier ebenfalls zunächst negativ auswirken. Denn mehr noch als

traditionelle Frauenpolitik, die oft aus Nischen heraus oder in abgegrenzten Räumen Wirkung entfalten konnte, ist Gender Mainstreaming auf Breitenwirkung und auf energische Implementierung durch die jeweiligen Leitungsebenen angewiesen. Es gibt hinreichend Evidenz dafür, dass ein geschlechterpolitisch sensibles institutionelles Klima da entsteht, wo FemokratInnen, im Idealfall gemeinsam mit außerinstitutionellen feministischen Aktivistinnen, den nötigen Handlungsdruck in Verwaltungen erzeugen können – die skandinavischen Länder liefern hier den besten Anschauungsunterricht. Dünne Personaldecken hingegen führen in den meisten Fällen zur Auszehrung der vorhandenen Ressourcen und lassen Breitenwirksamkeit vermissen.

Wenig ausgeleuchtet sind in der deutschen Diskussion die Auswirkungen lokaler Wahlverfahren auf die geschlechterparitätische Repräsentation. So fehlen unter anderem grundlegende Untersuchungen über die Effekte unterschiedlicher Wahlsysteme auf die Teilhabe von Frauen an Bürgermeister- und Ratsämtern. Zum Beispiel ist der Trend, für die Bürgermeisterwahl das süddeutsche Ratsverfassungsmodell zu adaptieren, in dem das Amt durch direkte Volkswahl besetzt wird – in Hessen 1993 eingeführt – unter frauenpolitischen Gesichtspunkten noch nicht analysiert worden. Wenngleich wir wissen, dass Direktwahlsysteme generell Frauen benachteiligen, könnten hypothetisch auf lokaler Ebene das kommunikative Engagement und der verstärkte soziale Gemeindebezug von Frauen bei einer Direktwahl von Vorteil sein. Gender Mainstreaming ist als Instrument grundsätzlich breit genug, um solche institutionelle Teilhabeverfahren auf ihren latenten Geschlechterbias hin zu prüfen. Ob allerdings vor dem Hintergrund der derzeitigen personellen Machtverteilung auf lokaler Ebene die nötigen Mehrheiten zustande kommen könnten, um solche verfahrenspolitischen Diskussionen in Gang zu bringen und ergebnisorientiert zu verfolgen, ist fraglich.

Deskriptive politische Repräsentation in der Kommunalpolitik wird von den meisten Verfechterinnen des Gender-Mainstreaming-Ansatzes nicht als konkurrierende, sondern als ergänzende Maßnahme konzipiert. Aber die heutigen lokalen Kräfteverhältnisse im europäischen Raum machen deutlich, dass es im Bereich politischer Wahlämter zu rund 80% Männer sind, die Gender Mainstreaming glaubwürdig und nachhaltig vertreten und seine Implementierung forcieren müssen. Adäquate gesetzliche Grundlagen und enge Verwaltungsvorschriften sind zwar unabdingbare Voraussetzungen für die Umsetzung – ob sie ausreichen, um genügend Momentum und Nachhaltigkeit in der Implementierung zu erzeugen, scheint unter den gegebenen personalpolitischen Umständen aber unsicher.

2. Kommunale Gleichstellungspolitik und Gender Mainstreaming

Die Einrichtung von Frauenbeauftragten bzw. Gleichstellungsstellen wird für die Bundesrepublik zurecht als »erfolgreichste institutionelle Innovation auf der Ebene der Kommune in der Nachkriegsgeschichte« bezeichnet (Stolterfoht 1988: 62). Die circa 1.900 hauptamtlichen kommunalen Gleichstellungsbeauftragten sind zu einem weithin sichtbaren, manchmal dem einzigen, lokalen Sprachrohr frauenpolitischer Belange geworden. Frauen- und Gleichstellungsbeauftragte erleben sich nach eigenen Angaben oft als »letzte Vertreterinnen feministischer Positionen« (Weinbörner 1996: 4). Im Zuge der Institutionalisierung von Gleichstellungspolitik hat sich die Beauftragtenkonstruktion als zentraler Baustein in lokalen Verwaltungen etabliert. Während in den frühen 1990er Jahren die öffentliche Diskussion um Gleichstellungsstellen noch stark von Konflikten um diverse Organisationsmodelle und damit Ansiedlung und Kompetenzen der Beauftragten sowie um die personelle und finanzielle Ausstattung geprägt war, signalisiert die Situation Ende der 1990er Jahre die Verstetigung und steigende Akzeptanz institutionalisierter kommunaler Gleichstellungsarbeit. Innerbürokratische Lernprozesse spielen hierbei genauso eine Rolle wie die verstärkte Zusammenarbeit von Gleichstellungsbeauftragten, die sich mit ihrer Bundesarbeitsgemeinschaft eine effektive und öffentlich sichtbare Interessenvertretung zugelegt haben. Das Netzwerk kommunaler Frauenbeauftragter ist engmaschig, politisch in den gleichstellungspolitischen Diskussionen in der Bundesrepublik präsent, und es fungiert als effektive »Sozialisations- und Bildungseinrichtung« für Neueinsteigerinnen in die kommunale Frauenpolitik.

Gleichzeitig wird die Arbeit der Beauftragten in immer dichtere Regelungsnetze eingewoben, die im Kern den femokratischen »Trade-off« umreißen: Normierungen und Regeln dämmen einerseits Kritik und Innovationskraft teilweise erfolgreich ein (Jung 1998: 200), andererseits schaffen sie die für Verwaltungshandeln verlässlichen Grundlagen geschlechtersensibler Politik. Diese Verrechtlichung frauenpolitischer Maßnahmen in allen Bundesländern hat den Gleichstellungsbeauftragten effektivere Instrumente zur Durchsetzung und Implementierung zentraler Forderungen an die Hand gegeben, am deutlichsten wahrzunehmen an der Weisung zur Erstellung von Frauenförderplänen für die Kommunen. Wenngleich es hinsichtlich der faktischen Effizienz von Förderplänen unterschiedliche Ansichten gibt, so sind sie als kommunikative, symbolische und entscheidungsmitbestimmende Instrumente der Gleichstellung eines der wichtigsten Druckmittel von Gleichstellungsbeauftragten. Nur in Baden-Württemberg ist die Einrichtung von Frauenbüros bzw. Gleichstellungsstellen bislang – im Gegensatz zu allen anderen Bundesländern – keine Pflichtaufgabe der Kommunen. Selbst sechs

Jahre nach der Verabschiedung des Landesgleichberechtigungsgesetzes sind kommunale Frauenbeauftragte nicht in der Gemeinde- und Landkreisordnung verankert (Stand 2002; http://www.frauen-aktiv.de/16/seite8.htm). Auf der anderen Seite wird zum Beispiel in Hessen unter der Regierung Koch gegenwärtig die Abschaffung der Frauenbeauftragten in Kreisen und Städten nach der Hessischen Gemeindeordnung geplant (http://www.hessen.dgb.de/themen/frauen/index _html). Andere Kommunen wehren sich gegen die Hauptamtlichkeit der Frauenbeauftragen und beabsichtigen, diese wieder als nebenamtliche Tätigkeit zu verankern. Zunehmender Verrechtlichung und steigender innerbürokratischer Akzeptanz der Frauenbeauftragten steht also – meist ausgelöst durch Einsparungsdiskussionen im Rahmen von Verwaltungsmodernisierung – eine drohende Prekarisierung gegenüber. In dieser Situation erscheint eine Politik des Gender Mainstreamings sowohl prozess- als auch ergebnisoffen. Es ließe sich vermuten, dass allein das Aufgabenspektrum, das mit der Implementierung des Mainstreaming-Ansatzes verbunden ist, die institutionelle sowie personalpolitische Verankerung der Frauenbeauftragten und Gleichstellungsstellen stärken werden. In diesem Szenario würde das Gender Mainstreaming als strategisches Maßnahmenbündel in den Kompetenzbereich der Beauftragten fallen. Andererseits ist es genauso möglich, dass mithilfe des Mainstreaming-Diskurses die Prekarisierung des »differenziellen Projekts« Gleichstellungsstelle betrieben und kommunal eine Ersetzungsstrategie die Oberhand gewinnen wird. Gender Mainstreaming wird denn auch von der Bundesarbeitsgemeinschaft kommunaler Frauenbeauftragter in der Bundesrepublik als *ein* Instrument neben anderen gewertet; in jedem Falle könne es eine eigenständige Frauenpolitik nicht ersetzen (http://www. frauenbeauftragte.de/bag/buko2000.htm#anstiftung). Ganz besonders prekär erscheint das Verhältnis von Gender Mainstreaming und Frauenpolitik dort, wo die Implementierung von Mainstreaming unter Ausklammerung der frauenpolitisch kompetentesten Organisationseinheiten stattfindet, so zum Beispiel im Stadtstaat Berlin. Hier ist die Geschäftsstelle für Gender Mainstreaming im Bereich der Senatsverwaltung für Wirtschaft, Arbeit und Frauen an der zuständigen Abteilung für Frauenpolitik vorbei direkt der Staatssekretärin unterstellt und ohne institutionelle Rückkoppelungsverfahren an die Frauenpolitik etabliert worden. Frauenpolitik und Mainstreaming kommunizieren kaum und ergänzen sich in ihren Politiken nicht. Der antizipierbare Effekt innerhalb der Verwaltung ist eine doppelte Prekarisierung: die Devaluierung traditioneller Frauenpolitik genauso wie die Marginalisierung von Mainstreaming-Politik. Frauen- und Gleichstellungsbeauftragte sowie frauenpolitische Organisationseinheiten in kommunalen Verwaltungen warnen deshalb davor, Gender Mainstreaming als Querschnittsaufgabe gänzlich aus den gewachsenen Strukturen frauenpolitischen Engagements herauszulösen. Sie jedoch andererseits ohne zusätzliche Kompetenzen und Ressourcen

in bestehenden Gleichstellungsstellen anzusiedeln, erscheint genauso ungenü-
gend. Modelle, in denen das Mainstreaming als Stabsaufgabe definiert und
gleichzeitig in enger Zusammenarbeit mit bestehenden frauenpolitischen Einheiten formuliert und implementiert wird, erscheinen am erfolgversprechendsten.

3. Gender Mainstreaming lokaler Zivilgesellschaft

Eine dritte gesellschaftliche Kräftekonstellation, die Wechselwirkungen mit dem
Instrument Gender Mainstreaming aufweist, ist der zivilgesellschaftliche Sektor
von Nichtregierungsorganisationen (NGOs) und losen bürgerschaftlichen Zusam-
menschlüssen. Denn Gender Mainstreaming soll idealiter nicht nur kommunale
Exekutive und Verwaltung reformieren, sondern in den gesellschaftlichen Sektor
hineinwirken und bestehende Geschlechterdisparitäten ausgleichen. Wie stark
diese Disparitäten noch sind, zeigt der Freiwilligensurvey von 1999, in dem die
»Engagementquote« von Männern in der Bundesrepublik mit 38%, die von
Frauen mit 30% angegeben wird (BMFSFJ 2000). Zwar ist die Partizipation von
Frauen zwischen 1985 und 1996 von 18% auf 30% und damit mehr als bei Männern gestiegen (ebd.), gleichwohl ist Bürgerengagement in Deutschland historisch und aktuell noch stark männerdominiert. In den neuen Bundesländern ist
das Engagement auch bei hoher Frauenerwerbslosigkeit mit 23% unter Frauen
deutlich schwächer als in den alten Bundesländern mit 32% (ebd.). Zum einen
sind Angebotsstrukturen noch nicht so stark entwickelt wie in den alten Ländern,
zum anderen konstatieren Kulturanalysen bei erwerbslosen Frauen und Männern
Dissoziation und Rückzug aus dem zivilgesellschaftlichen Raum bis hin zu
Resignation.

Gleichwohl bleibt die Frage, wieso in der Bundesrepublik – im Gegensatz
zum Beispiel zu den USA – Frauen historisch und aktuell weniger bürgerschaft-
lich engagiert sind und welchen Beitrag zu einer geschlechterdemokratischen
Reaktivierung das Gender Mainstreaming hier leisten könnte. Denn grundsätzlich ist die Hypothese, dass Frauen sich am ehesten in kleinteiligeren Bezügen
politisch und sozial engagieren, komparativ vielfach bestätigt worden (Barry 1991;
MacManus/Bullock 1994; Clarke/Stäheli/Brunell 1995; Geissel 1999). Damit
korrespondiert, dass Frauen in lokalen öffentlichen Angelegenheiten kenntnis-
reicher sind und mehr Zeit auf die Wissensakquise im Lokalen als im überregionalen Rahmen verwenden. Ein Vergleich der Tageszeitungslektüre von
Männern und Frauen aus dem Jahr 2000 bestätigt dies für die Bundesrepublik:
86% aller befragten Frauen lesen »lokale Berichte hier aus dem Ort und der
Umgebung« gegenüber 83% der Männer. »Politische Meldungen und Berichte

aus dem Ausland« werden hingegen von 66% der Männer, aber nur von 41% der Frauen gelesen (BMFSFJ 2000: 50).

Doch diese Geschlechterdiskrepanz prägt nicht nur Partizipation in der »großen« gegenüber der »kleinen« Politik. Es gibt hinreichend Evidenz dafür, dass sie sich sowohl *innerhalb* der kommunalen institutionellen Politik wie auch in der Art des bürgerschaftlichen Engagements fortsetzt. In den etablierten lokalpolitischen Institutionen gestalten Frauen die Stadtteilpolitik, das Sozial- und Schulsystem mit, während Männer die ökonomischen, standortpolitischen und investiven Politikbereiche sowie die politischen Exekutiven dominieren. Im zivilgesellschaftlichen Sektor nimmt die Spaltung die Form an, dass Frauen in Selbsthilfegruppen, in soziokulturellen Vereinen, in sozialen und personenbezogenen Organisationen sowie in informellen Gruppierungen stärker vertreten sind (Brömme/Strasser 2001: 7), während Männer in den traditionellen Vereinigungen und in eher prestigeträchtigen Ehrenämtern überrepräsentiert sind.

Ein Erklärungsfaktor für Geschlechtersegmentierung und Unterrepräsentanz von Frauen in der zivilgesellschaftlichen Sphäre ist ihre institutionalisierte Maskulinität, die besonders im internationalen Vergleich deutlich wird. Nach wie vor wird der deutsche bürgerschaftliche Raum von Vereinen und semi-staatlichen Organisationen dominiert, die verbandsmäßig organisiert sind, alteingesessene und hierarchische Machtstrukturen reproduzieren und gegenüber Frauen wenig Flexibilität zeigen. In den USA zum Beispiel ist der zivilgesellschaftliche Sektor hingegen nie so stark staatlich oder semi-staatlich organisiert gewesen. Seine Strukturen sind generell offener, staatsunabhängiger und weniger hierarchisch. Frauen hatten historisch leichter Zugang, sie können sporadisches Engagement mit ihrem Zeitbudget vereinbaren und sind in kommunikative Bezüge eingebunden, die weniger stark maskulin gestaltet sind.

Der prozentuale Anstieg von bürgerschaftlicher Frauenteilhabe in der Bundesrepublik ist denn auch möglicherweise nicht so sehr auf die Öffnung der alteingesessenen zivilgesellschaftlichen Organisationen als auf den Wandel der Organisationslandschaft insgesamt zurückzuführen. Der generelle Trend weg von institutionalisierten und vereinsmäßig organisierten Teilhabeformen hin zu netzwerkartigen und themenspezifischen zivilgesellschaftlichen Mobilisierungen wirkt sich für Frauen günstig aus. Norbert Brömme und Hermann Strasser haben für die Bundesrepublik eine Abschwächung von Partizipation in allen traditionellen Organisationen wie Gewerkschaften, Kirchen, Wohlfahrtsverbänden und die gleichzeitige Zunahme von kleineren, weniger definierten, selbst organisierten und projektbezogenen Organisationsformen wie Selbsthilfegruppen und Nachbarschaftshilfen dokumentiert (2001). Gleichwohl unterstützen Kommunen traditionell vereinsmäßig organisierte Zusammenschlüsse mehr als flexible Netzwerke und reproduzieren damit den vorhandenen Geschlechterbias.

Jenseits der Form und des Grades an Institutionalisierung von Engagement ist
ein zweiter Geschlechterbias in spätmoderne kommunale Bürgerschaften eingelassen: Frauen fangen oft zivilgesellschaftlich auf, was im Zuge von Entstaat-
lichung und Devolution vom Staat nicht mehr geleistet wird: In der Schul- und
Betreuungspolitik, im Sozial- und Gesundheitswesen, in der sozialen Projekt-
und Betreuungsarbeit und in der Nachbarschaftshilfe sind überwiegend **Frauen**
tätig (BMFSFJ 2000). Margit Mayer hat belegt, dass die demokratisierende **Wir-**
kung der Erhöhung von sozialem Kapital vor dem Hintergrund ökonomischer
und politischer Umstrukturierungen gefährdet ist (Mayer 2001). **Soziales Kapital**
indiziert gesellschaftliche Beteiligungsprozesse, birgt aber gleichzeitig ein zwie-
spältiges Kompensationspotenzial und verschleiert die Tatsache, dass **Engage-**
ment geschlechtsspezifisch aufgeladen ist – besonders da, wo es auf die Erset-
zung wohlfahrtsstaatlicher Leistungen abzielt, anschaulich zu betrachten **an den**
Diskussionen um Ehrenamt und Pflege.

Ein drittes geschlechterpolitisches »caveat« begleitet das zivilgesellschaftliche Engagement im lokalen Raum: Vielfach sind Frauen direkte und **pragmati-**
sche Impulsgeberinnen für die Kommune, aber ab und zu leidet eine **breitere**
Politisierung von Problemen unter dieser Lokalfokussierung. In der Bundesrepublik sind nur marginalisierte frauenpolitische Strukturen zu erkennen, **die eine**
Verbindung zwischen lokalem Engagement und nationaler oder transnationaler
Politisierung herstellen (z.B. der Deutsche Frauenrat). Generell also steht frauenpolitisches kommunales Engagement immer im Spannungsfeld zwischen den
Anforderungen unmittelbarer Intervention und strategisch-transkommunaler
Politisierung, während das kommunale Engagement von Männern durch seine
stärkere Institutionalisierung und Politiknähe meist effektivere Lobbyarbeit lei-
sten kann.

Zusammengenommen eröffnen diese drei Aspekte des in bürgerschaftliches
Engagement eingelassenen Geschlechterbias, also die Geschlechtsspezifik von
Formgebung, Betätigungsfeldern und *Politisierungsfähigkeit*, ein breites Akti-
onsfeld für Gender Mainstreaming. Vor allem mithilfe des Genderbudgeting
erhoffen sich FemokratInnen, die geschlechtergerechte Verwendung von Haus-
haltsmitteln so voranzutreiben, dass direkte oder indirekte Diskriminierungen
abgeschwächt und Frauen in allen gesellschaftlichen Bereichen besser gefördert
werden können. Gender Budgeting ist als Instrument jedoch bislang nur in ausgewählten Kommunen und kommunalen Bereichen in der Pilotphase, sodass
verallgemeinernde Schlüsse nicht zulässig sind. Am Beispiel der – häufig als
zukunftsweisend bezeichneten – Initiativen in der Bundeshauptstadt kann dargelegt werden, inwieweit die Beschlüsse auf die oben genannten exogenen Faktoren zivilgesellschaftlicher Geschlechtergerechtigkeit Einfluss nehmen. In Berlin wurde im Juni 2002 auf Landesebene ein Beschluss über die »Finanzpoliti-

schen Instrumente des Gender Mainstreaming (Gender Budget)« gefasst (Plenar-
protokoll 15/14 2002: 856f.; zitiert nach Weinmann 2003: 2), der die haushalts-
politischen Genderbudget-Beschlüsse einiger Bezirke untermauert. Die Bezirks-
initiativen fußen weitgehend auf einem dreistufigen Modell, das 1. die Ausweitung von nach Geschlecht differenzierten Statistiken für unterschiedliche Haus-
haltstitel vorsieht, damit 2. eine geschlechtersensible Analyse des Haushalts ermöglichen und 3. in eine geschlechtergerechte Neuordnung des Haushalts mün-
den soll. Im Berliner Bezirk Lichtenberg soll die Bevölkerung an der haushalts-
technischen Prioritätensetzung im Zuge eines partizipativen Verfahrens beteiligt
werden. Relevante NGOs sollen u.a. über die geschlechtsspezifischen Implikationen unterschiedlicher Prioritätensetzungen und Förderstrategien Auskunft
geben. Denkt man diese, zunächst empirische angelegte, dann demokratisch aus-
geweitete und mit einem Geschlechterfokus versehene Haushaltsanalyse konsequent weiter, dann würde sie in der Tat sowohl auf die geschlechtsspezifischen
Organisationsformen wie auch auf segmentierte Engagementfelder vor Ort Einfluss nehmen: Erstens durch die Erzeugung von Transparenz, zweitens durch eine
geschlechtersensiblere Mittelumverteilung und drittens durch eine geschlechterkritische Evaluierung existierender Fördermaßnahmen. Potenziell könnte auch die
Politisierungsfähigkeit von Frauenbelangen zunehmen, wenn mehr Ressourcen
in ihre Richtung flössen und damit mehr bislang »heimliche« Tätigkeiten öffentlich validiert würden. Doch dieses Szenario ist im besten Sinne positive Utopie.
Knappe Finanzen und löchrige geschlechtersensible Personaldecken deutscher
Kommunen stehen einer derartig radikalen Umorientierung entgegen. Wahr-
scheinlicher ist es, dass einzelne Pilotprojekte durchgeführt, vermehrt geschlechtsspezifische Statistiken erhoben und von FemokratInnen immer wieder das Element geschlechtersensibler Diskussion in die Haushaltsberatungen eingebracht
werden wird. Aber wenn Gender Mainstreaming als Politikinstrument nicht stärker gesellschaftlich verankert wird und auf die Verteilungsprozesse in Wirtschaft, Zivilgesellschaft und Familie ausgedehnt wird, wird es ein unbefriedi-
gendes Instrument bleiben.

4. Der lokale Feminismus zwischen Verwaltungsreform und Gender Mainstreaming?

In den USA wurde Gender Mainstreaming unter dem Titel »Managing Diversity« bereits in den 1980er Jahren kommunal diskutiert und implementiert.
Susanne Schunter-Kleemann hat zurecht darauf hingewiesen, dass es sich bei
dieser Strategie im Ursprung nicht um eine Demokratisierungsinitiative handelte,

sondern um den Versuch, vorhandenes Humankapital in unterschiedlichen Verwaltungsbereichen ökonomisch optimaler zu nutzen (Schunter-Kleemann o.J.). Es ging in der US-amerikanischen Diskussion hierbei nicht vorrangig um institutionellen Umbau, Verflachung von Hierarchien oder um ethnisch und geschlechtersensible Politikinhalte. Demokratisierung war allenfalls ein Nebeneffekt dieses Ansatzes, in dem davon ausgegangen wurde, dass die Diversifizierung im Mitarbeiterstab kulturelle Synergieeffekte und ökonomische Vorteile produzieren würde.

Im Zuge der anhaltenden Diskussionen und partiellen Implementierungen von Lean Management und Verwaltungsmodernisierung drohen gegenwärtig in der Bundesrepublik Frauenbüros und Gleichstellungsbeauftragte dem Reformprojekt zum Opfer zu fallen (Stiegler 1996; Schlüter-Preuß 1998); gleichzeitig kann Gender Mainstreaming jedoch öffentlichkeitswirksam als »Ersatz« funktionalisiert werden. Eine Vorstudie zur Untersuchung von Dörthe Domzig und Annette Niesyto zu »Frauen in der kommunalen Verwaltungsreform« in 149 deutschen Kommunen hat ergeben, dass nur in 58 Kommunen, also etwa einem Drittel, Frauenförderung bzw. Gleichstellung als Ziel der jeweiligen Verwaltungsmodernisierung definiert waren, darunter in so lapidaren Formulierungen wie »Gleichberechtigung ist selbstverständlich« (Domzig/Niesyto o.J.: 2). Auch die Steuerungsgremien der Reformkommissionen sind männlich dominiert. Der durch Verwaltungsmodernisierung intendierte Institutionen- und Verfahrenswandel von Politik wird derzeit stark an ökonomischen Leitbildern angelehnt. Was passiert, wenn Frauenpolitik zum »Produkt« wird? Welchen »Preis« haben dann Kriterien der Chancengleichheit, sozialen Gerechtigkeit und Demokratisierung? Allerdings macht es nachdenklich, dass auch eine Reihe von frauenpolitisch versierten Akteurinnen in der Ökonomisierung von Frauenpolitik eine gewisse »Entlastung« konstatieren – so, als habe frau nach einem jahrzehntelangen Ringen um die Bedingungen und Praxen politischer Gleichstellung endlich eine Messlatte entdeckt, die in neoliberalen Regimen unbestechlich scheint: Die Ressource »Frauenpolitik« rechnet sich (kritisch Jung 1998: 208). Ob Gender Mainstreaming auf solche Art ökonomisch verengt und politisch gezähmt werden wird, dafür wird die Kommunalpolitik der kommenden Jahre ein Testgelände bieten.

Wenn man die von Offe und Wiesenthal in den 1980er Jahren benutzte Unterscheidung zwischen (Klassen-)Konflikten *innerhalb* politischer Formationen und Konflikten *um* diese politischen Formationen zugrunde legt (Offe/Wiesenthal 1984, zitiert nach Howe 1998), dann stehen die Chancen gut, dass der Gender-Mainstreaming-Prozess in der ersten Phase männerdominierte Konstellationen *innerhalb* von Institutionen reformieren kann; weniger optimistisch sind jedoch die Vorzeichen für einen geschlechterpolitischen Wandel institutioneller

Formen an sich. Das radikale Potenzial des Gender Mainstreamings kann und wird sich nur dann entfalten können, wenn es öffentlich sichtbare Netzwerkknoten von Frauenzusammenschlüssen gibt, die eine Dynamisierung des Gender Mainstreamings innerhalb und außerhalb von Institutionen einfordern. Aber die spezifische Inkorporierung von Frauen in die zivilgesellschaftliche Sphäre und die Inkorporierung von Frauenprojekten in den lokalen Staat bilden in der Bundesrepublik Barrieren gegen eine solche Politisierung.

Anmerkungen

1 Das Gesetz gilt für alle französischen Wahlen, wird aber auf kommunaler Ebene strikter gehandhabt als zum Beispiel bei den Wahlen zur Nationalversammlung.

Literatur

Barry, Jim (1991): *The Women's Movement and Local Politics*, Aldershot: Avebury.

Brömme, Norbert/Strasser, Hermann (2001): Gespaltene Bürgergesellschaft. Die ungleichen Folgen des Strukturwandels von Engagement und Partizipation, in: *Aus Politik und Zeitgeschichte*, B 25/26, S. 6-14.

Bundesministerium für Familie, Senioren, Frauen und Jugend BMFSFJ (Hg.) (2000): *Freiwilliges Engagement in Deutschland – Freiwilligensurvey 1999*. Ergebnisse der Reprasentativerhebung zu Ehrenamt, Freiwilligenarbeit und bürgerschaftlichem Engagement, Bd. 1: Gesamtbericht, hg. von Bernhard von Rosenbladt, Stuttgart: Kohlhammer.

Clarke, Susan E./Stäheli, Lynn A./Brunell, Laura (1995): Women Redefining Local Politics, in: Judge, David/Stroker, Gerry/Wolman, Harold (Hg.): *Theories of Urban Politics*, London: Sage, S. 205-227.

Council of European Municipalities and Regions (2000): *Women in Local Politics in the European Union*, Brüssel, http://www.ccre.org/site.html, Zugriff: 8.3.2003.

Domzig, Dörte/Niesyto, Annette (o.J.): *Frauen in der kommunalen Verwaltungsreform*, http://www.kommunale-info.de/Infothek/638.asp, Zugriff: 24.2.2003.

Geissel, Brigitte (1999), *Politikerinnen. Partizipationsverläufe von Kommunalpolitikerinnen*, Opladen: Leske + Budrich.

Höcker, Beate (2001): Politische Karriere schwer gemacht, in: *Demo, (Online-)Monatszeitschrift für Kommunalpolitik* 9, http://www.demo-online.de/article.php/iArtID/250/, Zugriff 24.2.2003.

Holuscha, Annette (2000): Chancen und Barrieren für Frauen in der Kommunalpolitik, in: *aktiv, Frauen in Baden-Württemberg* 7, http://www.frauen-aktiv.de/aktiv/7/seite7.php, Zugriff: 7.7.2004.

Howe, Carolyn (1998): Gender, Race, and Community Activism, in: Naples, Nancy (Hg.): *Community Activism and Feminist Politics. Organizing Across Race, Class, and Gender*, New York, London: Routledge, S. 237-254.

http://www.frauen-aktiv.de/16/seite8.htm, Zugriff: 7.7.2004.

http://www.frauenbeauftragte.de/bag/buko2000.htm#anstiftung, Zugriff: 7.7.2004.

http://www.frauenlisten.de/, Zugriff: 7.7.2004.

http://www.hessen.dgb.de/themen/frauen/index_html, Zugriff: 7.7.2004.

Jung, Dörthe (1998): Kommuale Frauenbeauftragte im Spagat zwischen Verrechtlichung und Mainstreaming, in: von Wangell, Ute et al. (Hg.): *Frauenbeauftragte. Zu Ethos, Theorie und Praxis eines jungen Berufes*, Königstein: Ulrike Helmer, S. 197-210.

MacManus, Susan A./Bullock, Charles S. (1994): Electing women to local office, in: Garber, Judith A../Turner, Robyne S. (Hg.): *Gender in Urban Research*, Newbury Park: Sage.

Mayer, Margit (2001): Soziales Kapital und Stadtentwicklungspolitik – ein ambivalenter Diskurs, in: Haus, Michael (Hg.): *Bürgergesellschaft, soziales Kapital und lokale Politik*, Opladen: Leske und Budrich, S. 33-58.

Nassmacher, Hiltrud (1991): Frauen und lokale Politik, in: Blanke, Bernhard/Benzler, Susanne (Hg.): *Staat und Stadt*, Opladen: Westdeutscher Verlag, S. 151-176.

Schlüter-Preuß, Gisela (1998): Geschlechtergerechtigkeit im Prozess der Verwaltungsmodernisierung, in: von Wangell, Ute et al. (Hg.): *Frauenbeauftragte. Zu Ethos, Theorie und Praxis eines jungen Berufes*, Königstein: Ulrike Helmer, S. 214-222.

Schunter-Kleemann, Susanne (o.J.): *Gender Mainstreaming – Neoliberale Horizonte eines neuen Gleichstellungskonzepts*, http://www.kurswechsel.at/301_schunte.pdf, Zugriff: 7.7.2004.

Stiegler, Barbara (1996): *Ist die Verwaltungsreform geschlechtsneutral?*, Analyse der Friedrich-Ebert-Stiftung, Bonn, http://library.fes.de/pdf-files/stabsabteilung/00047.pdf, Zugriff: 7.7.2004.

Stolterfoht, Barbara (1988): Macht für Frauen in der Kommunalpolitik, in: Weg, Marianne/ Stein, Otti (Hg.): Macht macht Frauen stark, Hamburg: VSA, S. 62f.

Weinbörner, Christine (1996): Quo Vadis, Frau Beauftragte? Eine Standortbestimmung kommunaler Gleichstellungsstellen, in: *Alternative Kommunalpolitik*, H. 5, http://www.kommunale-info.de/index.html?/Infothek/636.asp, Zugriff: 7.7.2004.

Weinmann, Ute (2003): *Gender Budget in der Berliner Politik und Verwaltung*, http://www.berlin.de/SenWiArbFrau/frauen/gender_gs/doku/genderbudgetberlin.pdf, Zugriff: 7.7.2004.

Partizipation und Gender-Kompetenz in der Städtebaupolitik

Christine Färber

Gender Mainstreaming verlangt die Berücksichtigung der Interessen und Bedürfnisse von Frauen und Männern in allen Fachpolitiken, so auch in der Städtebaupolitik. In diesem Politikfeld kann die Strategie des Gender Mainstreamings auf frauen- und gleichstellungspolitischen Konzepten und Praxisprojekten aufbauen (Färber et al. 2003). Darüber hinaus gilt es, die Steuerungsinstrumente des Mainstreams der Städtebaupolitik genau auf Handlungsmöglichkeiten für die Gleichstellung von Frauen und Männern zu überprüfen – sowohl allgemein als auch im konkreten Einzelfall. Der vorliegende Beitrag diskutiert die grundsätzlichen Aspekte einer wirkungsvollen Integration von Gender-Aspekten in die Steuerungsinstrumente des Städtebaus in Deutschland. Inhaltlich-fachlich handelt es sich dabei zum Beispiel um die Ermöglichung gleichberechtigter Raumaneignung für beide Geschlechter, um die Aufwertung von Reproduktionsarbeit in den baulichen Strukturen und um Maßnahmen zur Vereinbarkeit von Familie und Beruf sowie um Sicherheitsaspekte. Der Beitrag konzentriert sich nicht auf diese baulichen Aspekte, sondern auf die folgenden drei politikwissenschaftlich besonders interessanten Fragen. Zunächst wird die Repräsentanz von Frauen im Politikfeld Städtebau in politischen Ämtern und in der Verwaltung untersucht sowie die Rechtsgrundlagen für die Berücksichtigung von Gender-Aspekten zusammengefasst. Dabei zeigt sich, dass Frauen in diesem Politikfeld besonders unterrepräsentiert sind und Gleichstellungspolitik nur in wenigen Fällen in der Städtebaupolitik rechtliche Verankerung findet. Im zweiten Schritt werden die Möglichkeiten einer Integration von Gender-Kompetenz, d.h. der Fähigkeit zum reflektierten Umgang mit Geschlechteraspekten, bei der Bearbeitung städtebaulicher Projekte in der Verwaltungsarbeit dargestellt. Den Ausgangspunkt bilden klassische personalpolitische und organisatorische Maßnahmen sowie die Erfahrung mit Arbeitsgruppen und Beiräten. Der dritte Untersuchungsbereich widmet sich den partizipativen Elementen der Planung im direkten Umgang mit BürgerInnen auf der kommunalen Ebene. Ziel des Beitrags ist es, am Beispiel Städtebaupolitik darzustellen, wie Gender in der fachlichen Praxis in den Mainstream integriert werden kann und welche steuerungspolitischen Aspekte, die auch für andere Politikfelder interessant sind, dabei besonders berücksichtigt werden sollten.

1. Geschlechterkompetenz und Repräsentanz von Frauen im politischen Prozess, in der Verwaltung und in Städtebau-Professionen

Städtebaupolitik wird in Deutschland auf vielen verschiedenen politischen Ebenen gesteuert: Kommunen, Bundesländer, Bund und Europäische Union besitzen relevante Regelungskompetenzen und verfügen über Mittel für den Städtebau. Entschieden wird in den Parlamenten und Regierungskabinetten, in den Verwaltungen als vorbereitenden und ausführenden Instanzen und in Kooperation mit Planungsbüros und Unternehmen. Frauen sind nun in diesen politischen Prozessen, in den Fachpositionen der Verwaltung und in städtebaulichen Professionen stärker unterrepräsentiert als in anderen Bereichen von Politik und Verwaltung. Die Repräsentanz von Frauen aber ist eine wichtige Bedingung für die Berücksichtigung von Gender im Mainstream. Gender-Kompetenz wird zwar nicht nur durch die Zugehörigkeit zum weiblichen Geschlecht erworben, doch Frauen werden häufiger als Männer in ihrer Sozialisation aufgrund ihres Geschlechts mit Benachteiligungen konfrontiert oder mit Verantwortung für Familien- und Reproduktionsarbeit belastet. Auch ist zu beobachten, dass alle Akteurinnen und Akteure in einem Politikfeld das Thema »Gender« ernster nehmen, wenn ein relevanter Anteil der Beteiligten auch in Führungsfunktionen Frauen sind. Durch eine höhere Beteiligung von Frauen fällt es leichter, naive Stereotype über Frauen im Politikfeld zu entkräften. Gender-Kompetenz heißt, die Verflochtenheit eines Themas mit der Kategorie Geschlecht qualifiziert zu analysieren und Maßnahmen so zu planen und durchzuführen, dass sie geschlechterdifferenzierte Arbeitsteilung und Benachteiligungen abbauen. Dafür ist eine gleichberechtigte Beteiligung von Frauen und Männern auf allen Ebenen, so auch auf der politischen Ebene, eine Voraussetzung.

1.1 Beteiligung von Frauen im politischen Prozess

In den Regierungen ist auf Länderebene die Repräsentanz von Frauen in den Bau- und Verkehrsressorts gering. Nur in Berlin gibt es seit 2004 eine Senatorin und eine Staatssekretärin in der zuständigen Senatsverwaltung, ansonsten stellt kein Bundesland eine weibliche Ministerin oder Staatssekretärin für die städtebaulich besonders relevanten Ressorts Verkehrs- und Baupolitik. Insgesamt bekleiden 63 Frauen das Amt eines Kabinettmitglieds als Ministerin oder Staatssekretärin auf Länderebene. Auf Bundesebene gibt es sechs Ministerinnen und 13 Frauen im Rang einer Staatssekretärin, zwei der Parlamentarischen Staatssekretärinnen sind im Bundesministerium für Verkehr, Bau und Wohnungswesen angesiedelt.

Die Unterrepräsentanz von Frauen im Politikfeld Städtebau führt dazu, dass die Interessen von Frauen und die gesellschaftlichen Interessengebiete, die zurzeit noch eher Frauen zugeschrieben und von Frauen verantwortet werden, wie die Fürsorge für Kinder und Pflegebedürftige oder die Versorgung im Haushalt, bei der Baupolitik zu wenig Gewicht erhalten:

»Wir hatten eine Initiative zur höheren Repräsentanz von Frauen in allen kommunalen Fraktionen, die war erfolgreich, und plötzlich stellten Frauen im Bauausschuss die Mehrheit. Die Oberbürgermeisterin war eine Frau und beide Bürgermeisterinnen. Wir haben da plötzlich im Bauausschuss ganz andere Fragen diskutiert als früher.« (Interviewäußerung der Oberbürgermeisterin einer Kommune)

Insgesamt ist die Beteiligung von Frauen am politischen Prozess und insbesondere in den Politikfeldern Bauen, Wohnen und Verkehr zu gering. So lange die Repräsentanz von Frauen auf der politischen Ebene nicht ausreichend sichergestellt ist, sind andere Partizipationsinstrumente (siehe unten) für die angemessene Integration von Fraueninteressen um so wichtiger.

1.2 Repräsentanz von Frauen und Bearbeitung von Geschlechterfragen in Bau- und Planungsämtern sowie der Verwaltung

In der öffentlichen Verwaltung sind gerade in den Bereichen Planung, Bauen und Verkehr erheblich weniger Frauen als Männer in Entscheidungsfunktionen tätig. Selbst durch eine gezielte und konsequente geschlechtergerechte Personalentwicklung und die Entwicklung von Gender-Kompetenz in der Verwaltung sind nur mittel- und längerfristig Veränderungen möglich.

Eine gleiche Repräsentanz von Frauen und Männern in verantwortlichen und in Führungsfunktionen der öffentlichen Verwaltung in den Ressorts Planung, Verkehr und Bau sowie den weiteren einschlägigen Ressorts ist deshalb ein wichtiges Ziel und gleichzeitig Bedingung für die Nachhaltigkeit von Gender Mainstreaming. Dies muss bei der Personalplanung berücksichtigt werden. Frauenförderpläne, Gleichstellungsgesetze, Frauenbeauftragte und der Gleichstellungsauftrag für die Beteiligung der Personalvertretung sind als wichtige Steuerungsinstrumente entwickelt worden, um die Beschäftigung von Frauen zu erhöhen. Allerdings ist es angesichts der langsamen Veränderungen angebracht, die bisher getroffenen Maßnahmen und vor allem ihre Umsetzung immer wieder mithilfe gezielter Förderprogramme und Zielvorgaben zu verbessern.

Da die Personalfluktuation im öffentlichen Dienst keine sofortige Veränderung der Geschlechterrepräsentanz ermöglicht, und die zahlengleiche Beteiligung von Frauen als isolierte Maßnahme keine qualifizierte Bearbeitung des Geschlechteraspekts garantiert, gewinnen andere Formen der stärkeren Beteiligung von

Frauen an der Stadtplanung und Maßnahmen zur Qualifizierung der Beschäftigten für die kompetente Bearbeitung von Geschlechteraspekten in der Facharbeit an Bedeutung.

1.3 Förderung von Frauen und Berücksichtigung von Geschlechteraspekten in Professionen der Stadtentwicklung

Die Verwaltung kann auf dem freien Markt bei Architektur- und Planungsbüros Gender-Aspekte zur besonderen oder zur integrierten Bearbeitung beauftragen, sowohl in Wettbewerben als auch bei Gutachten, Erhebungen, Beteiligungsverfahren und Planungen. Die Ausbildung an den Universitäten und Fachhochschulen in Deutschland hat zwar Geschlechteraspekte bei weitem nicht in alle Studiengänge integriert, aber es existieren erste Professuren oder Stellen für Wissenschaftlerinnen, die das Thema Gender und Städtebau in Forschung und Lehre vertreten. Aktuell haben Frauen in planungs- und baurelevanten Professionen nach dem Hochschulstudium größere Probleme als Männer, eine qualifikationsadäquate Stelle zu finden. Insgesamt ist der Markt sehr eng, aber es war schon vor der Krise der Baubranche festzustellen, dass Ingenieurinnen und Architektinnen in den alten und immer mehr auch in den neuen Bundesländern schlechtere Einstellungschancen haben als Männer, schlechter bezahlt werden und nicht so schnell wie Männer Karriere machen (Institut für Freie Berufe 1999). Es ist demnach ein großes qualifiziertes weibliches Potenzial vorhanden, das durch Maßnahmen der öffentlichen Hand gefördert werden kann.

Der öffentliche Dienst betreut viele Planungs- und Bauvorhaben nicht selbst, sondern vergibt Aufträge an Architekturbüros oder Baufirmen. Bei der Vergabe von Aufträgen durch die öffentliche Hand wäre deshalb darauf zu achten, dass Frauen bei den auftragnehmenden Unternehmen gleichberechtigt tätig sind. Die Vergabe der Mittel des Europäischen Sozialfonds folgt solchen Vorgaben über die Repräsentanz der Geschlechter. Auch die Projektförderung des Europäischen Strukturfonds für die regionale Entwicklung (EFRE) wird nach Kriterien zur Repräsentanz von Frauen und Männern sowie nach dem Beitrag der Projekte zum Abbau von Benachteiligungen gesteuert. Die Vergaberichtlinien für die Strukturfonds der Europäischen Union sind ein Vorbild für die Steuerung von Gender Mainstreaming bei Projekten (Europäische Kommission 2002; Bundesamt für Bauwesen und Raumordnung 2003: 4). Wenn Angebote geprüft werden, sollte die Qualität der Geschlechteraspekte eines Angebots ebenso als Entscheidungsgrundlage herangezogen werden wie andere fachliche oder finanzielle Elemente. Es gibt darüber hinaus die Möglichkeit, Aufträge unter Auflagen zu vergeben, und die Beteiligung von Frauen an Projekten und die Berücksichtigung von Geschlechteraspekten können solche Auflagen sein. Mit der Aufforderung der öffentlichen Auftraggeber zur qualifizierten Bearbeitung von Geschlechterfragen in der Stadtplanung wird diese Kompetenz entwickelt und in den Mainstream der Arbeit der Planungsbüros integriert.

Eine Studie des Bundesbauministeriums verweist auf die Möglichkeit, die Grundsätze und Richtlinien für das Wettbewerbswesen um Geschlechterkriterien zu ergänzen. Vor allem geht es um Regelungen zur gleichberechtigten Repräsentation von Frauen in Preisgerichten, um eine 50%ige Teilnahmequote für Frauen und um Vorschriften zur Beachtung »von Prinzipien einer frauengerechten Stadt« (BMBau 1996: 179).

2. Maßnahmen zur Erhöhung von Gender-Kompetenz in der Verwaltung

Die Bundesregierung, die meisten Landesregierungen und viele Kommunen haben sich selbst auf Gender Mainstreaming als Strategie verpflichtet, zusätzlich zu den Anforderungen, die durch das Grundgesetz und den Amsterdamer Vertrag ohnehin gestellt sind. Danach sind die staatlichen Einrichtungen dazu verpflichtet, aktiv auf die Beseitigung von Benachteiligungen sowie auf die Gleichstellung von Frauen und Männern hinzuwirken.

2.1 Organisationsentwicklung und Schulung

Der Bund führt ein mehrstufiges Schulungskonzept für die Ministerien durch, in dem die Führungskräfte sowie die MitarbeiterInnen zunächst allgemein, dann in konkreten Pilotvorhaben und schließlich bezogen auf alle Zuständigkeitsbereiche erlernen, Geschlechteraspekte in ihren jeweiligen Fachaufgaben zu identifizieren und qualifiziert zu bearbeiten (Schweikert 2002: 100). Bundesländer wie Sachsen-Anhalt, Bayern, Berlin oder Mecklenburg-Vorpommern verfolgen ähnliche Konzepte (Ministerium für Gesundheit und Soziales des Landes Sachsen-Anhalt 2003; Bayerisches Staatsministerium 2003) und erfassen die für Stadtentwicklung und Städtebau zuständigen Abteilungen. Der Städtebau ist Gender-Pilotprojekt des Bundesministeriums für Verkehr, Bau und Wohnungswesen, die Senatsverwaltung für Stadtentwicklung in Berlin ist Pilotverwaltung für den Berliner Gender-Mainstreaming-Prozess. Der Deutsche Städtetag hat zu Gender und Städtebau eine Veranstaltung durchgeführt und bearbeitet das Thema Frauen und Städtebau/Wohnungsbau/Verkehr schon lange in einer Expertinnen-Arbeitsgruppe

(Deutscher Städtetag 1998). Auch Kommunen haben Fortbildungen für die Planungs- und Bauverwaltungen zu Gender Mainstreaming durchgeführt (z.b. Hannover, Berlin-Lichtenberg) und städtebauliche Vorhaben als Pilotprojekte für Gender Mainstreaming gewählt (z.b. Berlin-Kreuzberg/Friedrichshain, Berlin-Lichtenberg). Schulungen und Pilotprojekte sind in den Bauverwaltungen selbstverständlich keine Garanten für eine dauerhafte Verankerung des Gender Mainstreamings. Die Maßnahmen setzen auf eine systematische gleichstellungspolitische Querschnittprüfung für Leitungs- oder Kabinettvorlagen und auf Organisationsentwicklung. Der Erfolg ist abhängig von der Glaubwürdigkeit des Engagements der Führungskräfte sowie der Qualität und dabei auch der finanziellen Ausstattung der Organisationsentwicklungsprozesse (Färber 2002: 130).

2.2 Beteiligung der Frauen- und Gleichstellungsbeauftragten und Neuetablierung von fachpolitischen Gender-Beauftragten

So lange Frauen in Entscheidungsfunktionen strukturell unterrepräsentiert sind, ist es notwendig, ihrer Perspektive über gesonderte Institutionen eine Artikulationsmöglichkeit zu verschaffen. Deshalb ist die Beteiligung einer Frauen- oder Gleichstellungsbeauftragten in den Kommunen für das Gender Mainstreaming von besonderem Gewicht. Gender Mainstreaming erfordert als Methode ein integriertes Gender-Monitoring als kontinuierliche Erhebung und geschlechterdifferenzierte Auswertung von Steuerungsdaten und ein Gender-Controlling als Anpassung der Steuerungsinstrumente an die unter Gleichstellungsaspekten veränderte Datenlage. Hierfür bedarf es einer steuernden und kontrollierenden Institution, die in allen stadtplanerischen Fragen einschließlich der gleichstellungspolitischen Fragen kompetent ist. Die bestehenden gleichstellungspolitischen Institutionen müssen für die Querschnittsaufgabe des fachpolitischen Gleichstellungscontrollings kompetent ausgestattet und ihr Profil muss organisatorisch den neuen Anforderungen angepasst werden.

In vielen Kommunen gibt es wenig Zusammenarbeit zwischen den Gleichstellungsstellen und den Planungsämtern, gar den Bau- und Verkehrsämtern. Trotzdem liegen vielfältige gute Beispiele für Kooperation zwischen den Gleichstellungsstellen und den Fachämtern für Planungs- und Bauangelegenheiten vor: Manche Kommunen haben eine Stelle mit geschlechterpolitischem Auftrag im Planungsamt verankert, andere eine für den Bereich zuständige Referentin im Frauenbüro. Zur Berücksichtigung von Fraueninteressen und die Erfüllung des Gleichstellungsauftrags des Grundgesetzes in der Facharbeit ist die regelmäßige Information und Abstimmung mit der Frauen- und Gleichstellungsbeauftragten eine wichtige Maßnahme. Die Frauen- und Gleichstellungsbeauftragte hat aber eine Querschnittsfunktion für alle Ressorts mit Controlling- und Lobbyaufgaben und sie verfügt nur über begrenzte Kapazitäten. Für Gender Mainstreaming ist die Kooperation der Planungsämter mit den Gleichstellungsstellen wichtig, aber sie reicht als Maßnahme bei weitem nicht aus.

Auf Länderebene ergaben Stichproben-Erhebungen bei den Ministerien, dass oft in Frauenministerien eine Spiegelreferentin neben vielen anderen Aufgaben auch für die Bearbeitung von Angelegenheiten der Stadtentwicklung aus der Gleichstellungsperspektive zuständig ist. In jedem Fall hat eine zentrale Steuerung von Gender Mainstreaming in der Stadtentwicklung allein durch das Gleichstellungsressort aufgrund der personellen Ausstattung und der fehlenden fachlichen Kenntnis bzw. Einbindung zu enge Grenzen.

In einigen Bundesländern und Kommunen sind Referentinnen ausschließlich oder mit dem überwiegenden Arbeitsschwerpunkt für Gender Planning bzw. die Arbeitsbereiche Frauen und Stadtentwicklung oder Frauen und Planung tätig. Brigitte Wotha listet als Beispiele die Stadtentwicklungsbehörde Hamburg, das Baudezernat Braunschweig und die Gleichstellungsstelle Frankfurt auf (2000: 38). Eine Untersuchung über die Qualität bzw. Wirksamkeit dieser Institutionalisierung liegt bisher nicht vor.

Im Zuge der immer stärker fachlich orientierten Gleichstellungspolitik werden in einzelnen Verwaltungen auf Landes- oder kommunaler Ebene die gleichstellungspolitischen Fachaufgaben auch in den Fachressorts verankert. Das Land Sachsen-Anhalt richtete im Jahr 1998 im Zuge des Gender Mainstreamings zusätzlich zur Leitstelle für Frauenpolitik in allen Ministerien frauenpolitische Beauftragte ein, die zur Aufgabe haben, den frauenpolitischen bzw. gleichstellungspolitischen Check für Kabinettsvorlagen aus der Fachperspektive zu überprüfen. Gender-Beauftragte gibt es im Fachgebiet Städtebau z.B. seit 2003 in Berlin auf Senatsebene und in ausgewählten Bezirken. Diese Institutionen sind sinnvoll als Unterstützung, denn Gender Mainstreaming fordert von jeder Person in der Verwaltung, dass sie die Gleichstellungsperspektive kompetent bei der Wahrnehmung ihrer Aufgaben bearbeitet. Von allein werden sich die meisten Verwaltungen, so die einhellige Erfahrung von für Gleichstellungsfragen im Städtebau engagierten Akteurinnen aus dem Jahr 2001, nicht ändern. »Ich bin hier eher subversiv tätig« – diese Aussage fiel in den Interviews öfter, wenn Personen befragt wurden, die in Bau- und Planungsämtern Gender-Aspekte bearbeiten. Gender-Aspekte sollen aber nicht nebenbei als Hobby gegen die herrschende Meinung bearbeitet werden, sondern durchgängig und systematisch als integrierte Fachaspekte. Hierzu bedarf es in der Verwaltung einer klaren Struktur von Verantwortlichkeiten.

2.3 Interne Arbeitskreise

Eine verwaltungsinterne Maßnahme, die mehr Personen erfasst als nur »Beauftragte«, ist die Bündelung der gleichstellungspolitischen Kompetenz in verwal-
tungsinternen Arbeitsgruppen, die als Gender-Mainstreaming-AGs die Entwicklung des Querschnittsthemas betreiben. Solche Arbeitsgruppen sind selten for-
malisiert und institutionalisiert. In der Praxis sind sie meist ressortübergreifend
zusammengesetzt oder innerhalb von Ressorts abteilungsübergreifend, sodass sie
z.B. Personen aus den Bereichen Stadtplanung, Bauen, Wohnen, Umwelt und
Verkehr zusammenführen.

In solchen Arbeits- oder Steuerungsgruppen werden verwaltungsinterne Angelegenheiten der fachbezogenen Gleichstellung diskutiert und Maßnahmen wie
Checklisten, Fortbildungen oder Organisationsentwicklungsmaßnahmen geplant.
Von Bedeutung für die Wirksamkeit ist, ob die Arbeitsgruppe an die Führungsebene angebunden ist. Das dezentralisierte Steuerungsmodell in Arbeitsgruppen
ist auch anwendbar auf nachgeordnete Behörden.

Arbeitskreise haben über die konzeptionellen und methodenbildenden Funktionen hinaus die wichtige Aufgabe, gender-offene MitarbeiterInnen zu unterstützen. Die an Gender Mainstreaming interessierten, für das Anliegen der Gleichstellung der Geschlechter aufgeschlossenen und engagierten MitarbeiterInnen
der Verwaltung haben eine Schlüsselrolle für die Umsetzung des fachbezogenen
Gleichstellungsansatzes. Dies ergaben sowohl wissenschaftliche Interviews (Wotha
2000: 100) als auch ExpertInnengespräche im Rahmen einer Studie für das
Bundesamt für Bauwesen und Raumordnung.[1]

Die ausgewerteten Forschungen und Erfahrungen zeigen übereinstimmend,
dass sich die Wahrscheinlichkeit einer kompetenten Bearbeitung von Geschlechteraspekten erhöht, je mehr Frauen beteiligt sind. Nicht nur die Anzahl, auch der
Rang der Frauen und Männer ist hierbei entscheidend. Viele der gleichstellungspolitisch interessanten Modelle in der Stadtentwicklung wurden in Zuständig-
keitsbereichen angestoßen, in denen Frauen wichtige Positionen innehatten.

Das Geschlecht allein ist jedoch keine hinreichende Bedingung für geschlechterpolitische Kompetenz, entsprechendes Interesse oder Engagement.
Eine Vernetzung von Frauen und Männern, die Gender Mainstreaming unterstützen, wird die geschlechtersensible Organisationsentwicklung fördern.

2.4 Beiräte

Einige Bundesländer haben in für die Stadtplanung einschlägigen Ressorts Frauenbeiräte etabliert. Diese Beiräte bestehen aus Expertinnen, manchmal auch aus

Experten, in Bau- und Planungsangelegenheiten sowie aus gleichstellungspolitisch kompetenten Persönlichkeiten des öffentlichen Lebens, die spezifische Gleichstellungsanliegen und Frauenperspektiven in die Arbeit der Ministerien hineintragen sollen. Die Beiräte werden von den MinisterInnen eingesetzt und beraten das Ministerium. Sie haben keinen formalisierten Einfluss, vielmehr hängt ihre Wirkungsmöglichkeit davon ab, welche Kompetenzen ihnen die Führung, vor allem die politische Spitze der jeweiligen Häuser zuordnet, wie die Verbindung zur Verwaltung und mit der Politik ist und wie viel Kapazität die Beiratsmitglieder für diese Arbeit haben.

Grundsätzlich ist bei der Etablierung von Beiräten die Möglichkeit gegeben, dass die Hausspitze bei Grundsatzentscheidungen frauenpolitischen, in Geschlechterfragen kompetenten Rat einholt. Einige Beiräte unterziehen auch Verwaltungsvorlagen einer eingehenden Prüfung. Hier stößt die Institution des Beirats jedoch schnell an ihre Grenzen: Ehrenamtliche Beiratsarbeit kann nicht die Aufgabe der Verwaltung ersetzen, alle ihre Vorhaben geschlechterkompetent zu bearbeiten.

Die Beiräte haben eine wichtige Signalfunktion in den politischen Raum und auch in die Verwaltung hinein, aber sie allein können kein Gender Mainstreaming umsetzen, auch nicht in Kombination mit den Frauen- und Gleichstellungsbeauftragten oder den Frauenministerien und den parlamentarischen Ausschüssen für Gleichstellungsfragen.

Die Frauenbeiräte bei Wohnungsbauministerien in Nordrhein-Westfalen oder Berlin (seit 1991), bei Stadt- und Regionalplanungsministerien in Hamburg (seit 1995) und in Schleswig-Holstein (seit 1997) hatten insbesondere in der Anfangsphase die wichtige Funktion, die MinisterInnen überhaupt für frauenspezifische Aspekte zu sensibilisieren und der Verwaltung eine Vorstellung davon zu vermitteln, was Geschlechteraspekte in der Planung sein können.

Doch über eine Initiativfunktion und Signalwirkung hinaus haben die Beiräte wenig Wirkung entfaltet. Sie haben kein Mandat für politische Entscheidungen, sie können nicht richtig in die Verwaltung hineinwirken, sie haben nur geringe Kapazität, sie verfügen nicht über das verwaltungsinterne Wissen, und sie sind nicht verbindlich in Entscheidungen eingebunden.

Im Rahmen von Gender-Mainstreaming-Pilotprojekten geht ein Berliner Bezirk den Weg, einen allgemeinen Beirat zu einem städtebaulichen Programm unter Gender-Aspekten zu gründen und arbeiten zu lassen. Dieser Weg ist neu und kann erst in den kommenden Jahren wissenschaftlich ausgewertet werden.

Beiräte sind dann erfolgreich, wenn sie, wie verwaltungsinterne Arbeitskreise, eine klare Aufgabenstellung haben und wenn sie konkret eingebunden sind in Verwaltungsabläufe und Verwaltungshandeln. Ein Beirat sollte über eigene Mittel verfügen, eine Geschäftsstelle haben und zu einer klar definierten Aufga-

benstellung entscheidungsbefugt sein. Die Führungsspitze muss ein sichtbares
Interesse an der Arbeit eines Beirates zeigen, damit in der Verwaltung Interesse
an dem Rat Externer geweckt wird, und der Beirat muss in die politische Arbeit
der Führungsspitze einbezogen sein.

3. Beteiligung der BürgerInnen

Für Stadtentwicklungspolitik sind Partizipationsverfahren als wichtiges Steue-
rungsinstrument konstitutiv. Wie kann bei den verschiedenen Partizipations-
instrumenten die gleichberechtigte Beteiligung von Frauen und Männern sichergestellt werden? Welche Routinen lassen sich für geschlechtergerechte Partizipationsprozesse im Arbeitsgebiet herstellen? Für diese Fragestellungen gilt zunächst
ein Grundsatz: Die Partizipation von Frauen und Männern muss dem Beteiligungs-
verständnis im Planungsverfahren entsprechen. Deshalb gilt es, in alle von staatlicher Seite aus organisierbaren Beteiligungsformen von BürgerInnen angemessene Instrumente zu integrieren, die eine gleichberechtigte Teilhabe von Frauen
und Männern an Planungsprozessen garantieren.
    Das Verständnis von Stadtplanung hat sich seit den 1960er Jahren stark ge-
wandelt. Klaus Selle nennt heute folgende Beteiligungsformen: Information und
Anhörung der (Verfahrens-)Beteiligten, Information der breiten Öffentlichkeit
und öffentliche Erörterungen, aufsuchende, aktivierende Beteiligung sowie Kooperation und gemeinsame Problembearbeitung (1996: 69). Hinzu kommt als oft
einzige größere Handlungsmöglichkeit der Kommunen das Public Private-Partnership. Zu Beginn der 1960er Jahre erfolgte Planung vorrangig auf der Basis
von Aggregatdaten durch Ämter und politische Gremien. Anhörungen sollten
vor allem den Verfahrensrechtsschutz der BürgerInnen sicherstellen. An diesen
allgemeinen und stark formalisierten Verfahren partizipierten Männer aktiver als
Frauen. Seit Mitte der 1960er Jahre wurden öffentlichere Formen von Beteiligung entwickelt, die vor allem drei Ziele verfolgten: die Planung und Umsetzung
zu effektivieren, zu legitimieren und zu demokratisieren. Diese Partizipationsformen mobilisierten Bürgerinnen stärker als traditionelle Partizipationsformen,
eine gleichrangige Beteiligung von Frauen und Männern wurde jedoch nicht
angestrebt. Seit Beginn der 1970er Jahre wurde versucht, solche bisher uner-
schlossenen Potenziale zu integrieren und die Demokratisierung der Planung
voranzubringen, indem auch Gruppen in die Beteiligungsformen eingebunden
wurden, die bisher wenig Beachtung fanden. Aus diesen Beteiligungsformen
stammen die ersten Frauenprojekte. Beteiligung stützt sich seit Beginn der
1980er Jahre auf diese drei Partizipationsformen der formalen Beteiligung, der

verstärkten öffentlichen Beteiligung und der aufsuchenden Beteiligung. Partizipation wird seitdem aber auch als Kooperation mit BürgerInnen im gesamten Prozess eingesetzt mit dem Ziel, Synergieeffekte zu erzielen und Eigenaktivitäten zu mobilisieren.

Orientieren sich Partizipationsverfahren an der Bevölkerung, dann ist sichergestellt, dass Frauen eine relevante Zielgruppe sind. Solche Verfahren kommen auch jenen Männern zugute, die sich bisher selten am politischen Prozessen beteiligt haben (z.b. Männer mit geringem Einkommen oder Bildungsstand). Brigitte Wotha untersuchte die partizipativen Planungsprozesse, die auf BürgerInnenengagement zielen und beschrieb zehn verschiedene Ansätze (2000: 25ff.). Um diese verschiedenen Partizipationsinstrumente geschlechtergerecht zu gestalten, sind unterschiedliche Maßnahmen notwendig, die im Folgenden beschrieben werden.

Die *Beteiligung von Trägern öffentlicher Belange* ist rechtlich vorgeschrieben. Das geschlechterpolitische Problem besteht darin, dass Verbände mit dauerhafter Funktion erheblich weniger Frauen als Männer organisieren. Befristete, projektbezogene Initiativen verfügen über einen höheren Frauenanteil. Führungsfunktionen in Verbänden werden in höherem Maße von Männern als von Frauen wahrgenommen. Die bei Anhörungen präsenten Mandatsträger oder in Führungsfunktionen beschäftigten Hauptberuflichen im Verband, vor allem oberhalb der kommunalen Politikebene, sind im Bereich Bau, Stadtentwicklung und Verkehr zu einem höheren Anteil Männer, als dies bei der Mitgliedschaft der Verbände der Fall ist. Die geschlechterpolitische Steuerungsmöglichkeit besteht darin frauen- und gleichstellungspolitische Verbände, Frauen- und Gleichstellungsbeauftragte oder Berufsverbände von Frauen zu Anhörungen einzuladen.

Bei *nicht-organisierten Formen der Beteiligung* von BürgerInnen handelt es sich um spontanes Engagement, nicht um von der Verwaltung initiierte Beteiligungsprozesse. Daher ist es konstitutiv für diese Beteiligungsformen, dass sie nicht von Beginn eines Planungsprozesses an, sondern erst beim Auftreten eines bestimmten Problems erfolgen und daher im Planungsprozess erst sehr spät, vielleicht sogar erst im Umsetzungsprozess einsetzen. Spontan organisierte, durch spezifische Probleme motivierte Gruppen weisen möglicherweise einen relativ hohen Frauenanteil auf, aber die zufällige Rekrutierung der Mitglieder von Initiativen stellt nicht sicher, dass gleichstellungspolitische Aspekte qualifiziert berücksichtigt werden.

In der *Anwaltsplanung* werden die Interessen einer unterprivilegierten Gruppe durch eine Ombudsperson vertreten. Belange von Gruppen des benachteiligten Geschlechts (z.B. Migrantinnen, Mädchen, Seniorinnen, Mütter) können von einer solchen Institution, wie sie letztlich auch die Frauen- und Gleichstellungsbeauftragte darstellt, gegenüber der Verwaltung vertreten werden. Werden keine »AnwältInnen« für spezifische Frauenbelange oder im Falle benachteiligter Männergruppen für spezifische Männerbelange eingesetzt, werden Gleichstellungsaspekte durch die Segmentierung von Problemen eventuell zusätzlich marginalisiert.

In der *Gemeinwesenarbeit* wird ein intensiver Kontakt mit spezifischen Gruppen der Wohnbevölkerung gefördert. Kommunikation und Engagement der Wohnbevölkerung im Stadtteil werden z.B. über Stadtteilkonferenzen initiiert. Diese Beteiligungsformen verfügen z.t. über kleine Fonds für ihre Arbeit, aber nicht über Mitentscheidungskompetenzen. Die Zielgruppe »Wohnbevölkerung« bezieht Frauen mit ein, der lokale Bezug mobilisiert Mitbestimmung bei für Frauen relevanten Belangen. Die ModeratorInnen beachten Geschlechteraspekte und eine angemessene aktive Beteiligung von Frauen allerdings nur, wenn sie dafür gezielt geschult wurden.

Über *Neighbourhood-Government* als dezentrale Entscheidungsprozesse im Stadtteil oder Bezirk liegen in Deutschland bisher keine Erfahrungen vor. Die StadtteilmanagerInnen haben Initiativ- und Moderationsfunktion, Entscheidungen werden aber in den Parlamenten getroffen. Bei *Planungszellen* oder *Bürgergutachten* wird ein projektbezogener Beirat aus BürgerInnen eingerichtet, die durch Zufallsauswahl ermittelt werden. Frauen sind entsprechend ihrem Anteil an der Wohnbevölkerung repräsentiert oder es kann eine Quote festgelegt werden. In *Bürgerforen* oder *Stadtentwicklungsforen* werden moderierte Diskussionen von Einzelpersonen, Fachleuten, VertreterInnen von Vereinen, Verbänden und Initiativen sowie von Politik und Verwaltung veranstaltet. Über gezielte Einladung kann die Repräsentanz von Frauen und Männern sowie die Einbeziehung gleichstellungspolitischer ExpertInnen sichergestellt werden. Durch Schulung der ModeratorInnen können Gleichstellungsaspekte berücksichtigt werden.

In der Politikwissenschaft besser bekannt ist das Instrument des *Bürgerbegehrens* oder *Bürgerentscheids* wie z.B. die Durchsetzung einer Volksabstimmung durch eine Unterschriftensammlung. Bei der Unterschriftensammlung und bei der Abstimmung haben Frauen hohe Partizipationsmöglichkeiten. Aber gleichstellungsrelevante Aspekte politischer Entscheidungen haben in der politischen Kultur der Bundesrepublik Deutschland keinen so hohen Stellenwert, um ein solches Verfahren zu motivieren. Das Verfahren ist daher für reine Gleichstellungsbelange in der Regel überdimensioniert.

Zunehmend werden in der Stadtplanung vor allem bei Großprojekten wie beispielsweise der Neugestaltung des Alexanderplatzes in Berlin *internetgestützte Partizipationsformen* im Rahmen dialogorientierter Planungsverfahren eingesetzt. Der gleichstellungspolitische Vorteil ist, dass über ExpertInnenkonferenzen gleichstellungspolitische Aspekte auch ohne eine Versammlung diskutiert werden können. Der gleichstellungspolitische Nachteil ist, dass Frauen das Internet erheblich seltener als Männer nutzen und seltener Zugang zu PCs in ihrem Wohnbereich haben. Das Verfahren verzerrt die Repräsentanz von Frauen und Männern und im Übrigen auch von sozialen Schichten.

Intermediäre Organisationsformen sind Vermittlungsstrukturen zwischen den privaten und öffentlichen Sphären, autonomen Strukturen und politischen Institutionen wie z.b. Stadtforen, Agenda-21-Prozesse und so genannte Offene Planung. Themen- und wohnortbezogene Arbeit führt zu einer hohen Partizipationswahrscheinlichkeit bei Bürgerinnen. Es gibt einen Transfer in den politischen Prozess und damit auch in die gleichstellungspolitischen Institutionen der Kommune. Eine besondere Schulung der Hauptberuflichen bzw. der ModeratorInnen zu Fragen der Gleichstellung ist dabei erforderlich. Die Gleichstellungsbeauftragte allein wäre überfordert. In diesem Bereich gibt es Beispiele für bürgerInnenorientierte Partizipationsverfahren wie die Zukunftsforen in Heidelberg.

Gender Mainstreaming ist jedoch nicht auf Verfahren der BürgerInnenbeteiligung zu beschränken: Mit den knapper werdenden öffentlichen Geldern hat sich eine weitere Partizipationsform entwickelt, die weniger an der gesellschaftlichen Basis, der Bevölkerung und ihrer politischen Vertretung, dem Stadtparlament, ansetzt, sondern auf Public Private-Partnership zielt, z.B. bei Investoren für Stadtcenter mit Einzelhandel und öffentlicher Verwaltung, bei der Neubebauung ehemaliger Industrie- oder Militärgelände. Diese Partnerschaft von öffentlicher Hand und privaten Investoren bringt der öffentlichen Hand Steuerungsmöglichkeiten in ansonsten wirtschaftsdominierten Bereichen, räumt aber den wirtschaftlichen Interessen dieser Investoren ein großes Gewicht ein, obwohl viele öffentliche Gelder eingehen. Die mittel- und langfristigen Entwicklungsinteressen der Stadtentwicklung werden dabei oft nicht genügend berücksichtigt. Partizipationsprozesse mit ihren vielfach langwierigen Findungs- und Entscheidungsphasen stehen dem ökonomischen Verwertungsinteresse gegenüber, das in der Regel Vorrang erhält. Vonseiten der politischen Institutionen gewinnt das Management (d.h. Landesregierung, Stadtverwaltung) gegenüber der BürgerInnenvertretung (Stadtverordnetenversammlung, Landesparlament) an Gewicht. Es handelt sich hier ausdrücklich nicht um eine Entwicklung hin zu mehr Demokratie und Partizipation, sondern um Entscheidungsprozesse innerhalb und zwischen Eliten. Frauen gehören diesen Eliten seltener an als Männer.

Es gibt eine Vielzahl verfahrenstechnischer Maßnahmen zur Förderung der gleichberechtigten Beteiligung der Geschlechter bei den vorgestellten Partizipationsformen, die von Verwaltungsseite gesteuert werden können. So können Veranstaltungen zur BürgerInnenbeteiligung in den Rahmenbedingungen gendergerecht ausgestaltet werden durch konkreten Problem- und Projektbezug, Einladung zu Zeiten, die eine Vereinbarkeit mit Familienarbeit ermöglichen, Kinderbetreuung und eingegrenzten Zeitrahmen. Wenn Personen eingesetzt oder ein-

geladen werden, so ist darauf zu achten, dass Frauen zur Hälfte repräsentiert
sind, z.b. durch gleiche Anzahl von Männern und Frauen auf dem Podium, eine
gezielte Einladung von Frauen und Männern, z.b. mit Rückmeldeverfahren, oder
die gezielte Einladung engagierter Bürgerinnen, bekannter Frauennetzwerke und
gleichstellungspolitischer Verbände. Es ist wichtig, Frauen und Männern in Planung und Verwaltung, als Eingeladene und als Personen mit Multiplikations-
funktion einzusetzen. Frauengruppen können direkt aufgesucht und beteiligt
werden. Für die Moderation sind gender-sensitive Methoden entwickelt worden.
Bei der Einrichtung von Beiräten und Projektgruppen sollten projektbezogene
Frauengruppen gegründet und moderiert werden, geschlechterdemokratische
Gruppen und Vereine können ebenso wie nicht organisierte Personengruppen
einbezogen werden. In Stadtteilbüros können Frauen und Männer in Planung und
Moderation zur Begleitung von Planungs- und Umsetzungsprozessen und zur
weiteren Stadtteilarbeit eingesetzt werden. Die gleichberechtigte (zahlen- und
hierarchiegleiche) Beteiligung von Frauen und Männern an Planungs- und Entscheidungsprozessen wird dadurch gefördert. Darüber hinaus können die gewählten Vertretungen (Parlamente) und ihre Ausschüsse, vor allem auch der Frauen-
ausschuss, sowie die Frauen- und Gleichstellungsbeauftragten beteiligt und Expertinnen und Experten zu Geschlechterfragen herangezogen werden. Dies gilt auch
für die Gründung und geschlechtersensitive Moderation von Dialog- und Koope-
rationsforen für die Stadtregion sowie die Beteiligung von Frauen und Männern
bzw. geschlechterkompetenten ExpertInnen in Beratungsgremien von Exekutive
und Wirtschaft.

Auf kommunaler Ebene zeigt diese Beteiligungsanalyse zur Umsetzung des
Gender Mainstreamings im Städtebau, dass der geschlechtergerechten Gestaltung
der Beteiligung der BürgerInnen an Planungs- und Umsetzungsprozessen im
Städtebau eine hohe Aufmerksamkeit gewidmet werden sollte. Parallel sollten
verwaltungsintern gleichstellungspolitisch qualifizierte Fachstrukturen und zwischen Gleichstellungsstelle und Fachressorts vernetzte Beratungs- und Manage-
mentstrukturen ausgebaut werden. Solch eine Vernetzung sollte auch in der
Arbeit der Kommunalparlamente vorliegen. Ebenso ist eine hohe Repräsentanz
weiblicher Stadtverordneter oder Gemeinderätinnen in den Ausschüssen für Bau,
Wohnen und Verkehr notwendig, um Gender-Aspekte qualifiziert zu verankern.

Resümee

Stadtentwicklungspolitik wird auf allen Ebenen des politischen Systems betrieben: von der Europäischen Union, von Bund und Ländern sowie von den Kom-

munen und in den neuen Regionen. In diesem Mehrebenensystem der Steuerung besteht die Gefahr, dass die politischen Entscheidungsebenen sich gegenseitig die Zuständigkeit für Gender Mainstreaming zuschieben. Daher ist es besonders wichtig, dass jede politische Ebene ihren Zuständigkeitsrahmen gleichstellungspolitisch ausfüllt. Die jeweiligen Steuerungsinstrumente sind unterschiedlich, und entsprechend müssen auch die gleichstellungspolitischen Steuerungssysteme in dem Politikfeld auf jeder dieser politischen Ebenen andere sein. Vor allem gibt es große Unterschiede zwischen den Kommunen einerseits und der überregionalen Ebene andererseits.

Auf Landes- oder Bundesebene ist die durchgängige, umfassende Beteiligung möglichst aller Betroffenen durch basisorientierte Prozesse kein durchführbares Verfahren. Die Aufgabe des Gender Mainstreamings liegt daher einerseits in der Stärkung von Partizipationsprozessen auf der kommunalen und regionalen Ebene und andererseits in der Etablierung von für die eigene Steuerungsebene angemessenen geschlechtergerechten Steuerungs- und Partizipationsverfahren durch gesetzliche Regelungen, Programm- und Projektsteuerung, Wettbewerbe, Forschung, Vernetzung und professionelle Unterstützung der Netzwerke.

Insgesamt ist festzustellen, dass Gender-Aspekte in der Stadtentwicklungspolitik nur dann Berücksichtigung finden, wenn erhebliche politische Anstrengungen erfolgen. Von allein bleibt der Mainstream im Bau und im Verkehr im Wesentlichen Männersache, für die geschlechterpolitische »Neutralität« beansprucht wird.

Anmerkungen

1 Das Bundesamt für Bauwesen und Raumordnung (BBR) gab im Jahr 2001 eine Experise zu Gender Mainstreaming und Städtebaupolitik in Auftrag. Für die Politikfeldanalyse wurden Gespräche mit Verantwortlichen in allen Länderministerien, im Bundesministerium für Verkehr, Bau und Wohnungswesen, im BBR und in mehreren deutschen Kommunen geführt (Färber et al. 2003).

Literatur

Bayerisches Staatsministerium für Arbeit und Sozialordnung, Familie und Frauen 2003: *Antwort zur Schriftlichen Anfrage der Abgeordneten Monica Lochner-Fischer betreffend Stand der Umsetzung von Gender Mainstreaming*, München, 31.10.2003.
Bundesamt für Bauwesen und Raumordnung 2003: *Gender Mainstreaming und Städtebaupolitik*. Werkstatt: Praxis Nr. 4, Bonn.

Bundesministerium für Raumordnung, Bauwesen und Städtebau 1996: *Frauengerechte Planung,* Schriftenreihe Forschung, Bonn.

Deutscher Städtetag, Kommission »Frauen in der Stadt« (Hg.) 1998: *Frauen verändern die Stadt,* Arbeitshilfe 3: Stadtentwicklung, Köln.

Europäische Kommission 2002: *Arbeitspapier: Die Ex-Ante-Bewertung der Strukturfondsinterventionen,* http://inforegio.cec.eu.int/wbdoc/docoffice/Working/sf2000b:de.htm, Zugriff: 31.1.2002.

Färber, Christine 2002: Frauen auf die Lehrstühle durch Gender-Mainstreaming?, in: Bothfeld, Silke/Gronbach, Sigrid/Riedmüller, Barbara (Hg.): *Gender Mainstreaming – eine Innovation in der Gleichstellungspolitik. Zwischenberichte aus der politischen Praxis,* Frankfurt/M., New York: Campus, S. 107-131.

Färber, Christine et al. 2003: *Gender Mainstreaming und Städtebaupolitik.* Langfassung einer Expertise für das Bundesamt für Bauwesen und Raumordnung, http://www.bbr.bund.de/exwost/forschungsfelder/ff_index.html Gender Mainstreaming, Zugriff 28.1.2004.

Institut für Freie Berufe 1999: *Bericht zur Lage der freischaffenden Architekten und Beratenden Ingenieure 1999 in Deutschland,* Nürnberg.

Ministerium für Gesundheit und Soziales des Landes Sachsen-Anhalt 2003: *Gender Mainstreaming in Sachsen-Anhalt: Konzepte und Erfahrungen,* Opladen: Leske und Budrich.

Schweikert, Birgit 2002: Alles Gender – oder? Die Implementierung von Gender Mainstreaming auf Bundesebene, in: Bothfeld, Silke/Gronbach, Sigrid/Riedmüller, Barbara (Hg.): *Gender Mainstreaming – eine Innovation in der Gleichstellungspolitik. Zwischenberichte aus der politischen Praxis,* Frankfurt/M., New York: Campus, S. 83-105.

Selle, Klaus (Hg.) 1996: *Planung und Kommunikation: Gestaltung von Planungsprozessen im Quartier,* Wiesbaden, Berlin: Bauverlag.

Wotha, Brigitte 2000: *Gender Planning und Verwaltungshandeln. Umsetzung von Genderbelangen in räumliche Planung unter Berücksichtigung von Verwaltungsmodernisierung und neuerer Tendenzen im Planungsbereich,* Kiel: Geographisches Institut der Universität Kiel.

Verfassungsdebatte und Geschlechterdemokratie in der Europäischen Union

Monika Mokre

Im Sommer 2003 beendete der Konvent zur Zukunft Europas seine Arbeit an der Vorlage eines Verfassungsentwurfs für Europa. Zweieinhalb Jahre früher, im Dezember 2000, war die Grundrechtecharta von den europäischen Regierungschefs verabschiedet worden. Und im Mai 2004 werden weitere 10 Staaten der EU beitreten. Offensichtlich befindet sich die Europäische Union in einer Phase wesentlicher Umbrüche. Was bedeuten diese Umbrüche für die künftige demokratische Qualität der Europäischen Union? Wird das oft zitierte »Demokratiedefizit« dieses Zusammenschlusses von Nationalstaaten durch diese Entwicklungen gemildert oder verschärft werden? Und sind Veränderungen in Hinblick auf die politische Stellung der Geschlechter in der EU für die nähere oder mittelfristige Zukunft zu erwarten?

Diesen Fragen soll hier aus zwei unterschiedlichen Perspektiven nachgegangen werden. Einerseits werden Entwicklungen in der EG/EU-Gleichstellungspolitik von den 1950er Jahren bis zur Gegenwart empirisch nachgezeichnet und analysiert und andererseits werden diese Entwicklungen an einem normativen Konzept von Demokratie gemessen, das sich an die Überlegungen von Laclau und Mouffe (1985) zu radikaler Demokratie anschließt. Dieser Zugang mag auf den ersten Blick widersprüchlich erscheinen, sind doch die Vorstellungen von Demokratie, wie sie im Laufe des europäischen Integrationsprozesses geäußert wurden, dem Konzept der radikalen Demokratie in keiner Weise verpflichtet. Doch soll im Folgenden dargestellt werden, dass gerade die Neuartigkeit des politischen Systems der EU und die Unmöglichkeit, dieses nach dem Vorbild von Nationalstaaten zu organisieren, eine Öffnung für neue Konzepte von Demokratie ermöglicht, die nicht zuletzt im Sinne eines feministischen Demokratiebegriffs von Interesse sein kann – umso mehr, als die Gleichstellung der Geschlechter eines der ersten »politischen« Projekte des stark ökonomisch ausgerichteten europäischen Integrationsprojektes war und daher mit einiger Plausibilität erwartet werden kann, dass die Geschlechterverhältnisse auch weiterhin ein Thema der EU darstellen werden.

1. Europa und Demokratie

> Die Verfassung, die wir haben [...] heißt Demokratie,
> weil der Staat nicht auf wenige Bürger,
> sondern auf die Mehrheit ausgerichtet ist.
> Thukydides, II, 37 (zitiert nach: Europäischer Konvent 2003, 5)

Dieses Zitat am Beginn des Verfassungsentwurfs stellt dieses Dokument in eine jahrtausendelange würdige Tradition und wählt damit eine gleichfalls seit Jahrtausenden übliche Form der Legitimierung politischen Handelns. Wie stets bei der Herstellung »traditionaler Legitimität« (Max Weber 1919/1990) politischer Verhältnisse entbehrt diese Herleitung keinesfalls einer gewissen Plausibilität und ist zugleich willkürlich. Der Begriff der Demokratie bezeichnet seit der Antike eine Herrschaftsform, die auf dem Willen der Bürger[1] aufgebaut ist, doch zugleich haben sich inhaltliche Bestimmungen von Demokratie, Definitionen des BürgerInnen-Begriffs und politische Prozesse der Demokratie häufig und dramatisch geändert. Ein Bürger der griechischen Polis wäre wohl ebenso sehr erstaunt über die Idee, die im europäischen Verfassungsentwurf festgelegte politische Ordnung als demokratisch zu bezeichnen, wie es einen Mitkämpfer der französischen Revolution verblüffen würde, dass die Demokratie in Europa durch die Staats- und Regierungschefs eingeführt werden soll.[2]

Doch auch an jüngeren Traditionen gemessen erscheint die Vorstellung einer demokratisch verfassten Europäischen Union problematisch. Wichtigster Referenzpunkt in diesem Zusammenhang ist zweifellos der europäische Nationalstaat. Aus dem Vergleich mit ihm wurde der Begriff des »demokratischen Defizits« der EU entwickelt, der seit Jahrzehnten die politische und politikwissenschaftliche Debatte um die europäische Integration prägt (etwa Føllesdal/Koslowski 1998; Beetham/Lord 1998). Auch wenn es sich hierbei um einen weiteren äußerst verschwommenen Begriff handelt, lassen sich doch einige Merkmale festmachen, auf die sich dieses Urteil bezieht.

Zum Ersten führt der europäische Integrationsprozess zu einer zunehmenden Dominanz der Exekutiven (Rometsch/Wessels 1996), denn (1) stehen auf EU-Ebene wesentliche gesetzgeberische Kompetenzen dem Rat der Europäischen Union zu, der sich aus nationalen RegierungsvertreterInnen zusammensetzt, (2) schwächt die EU-Gesetzgebung die Gesetzgebungskompetenz der nationalen Parlamente und (3) hat das Europäische Parlament nicht die gleichen Rechte wie nationale Parlamente.

Des Weiteren ist auf EU-Ebene auch ein Repräsentationsdefizit auszumachen (etwa Brzinski/Lancaster/Tuschhoff 1999). In repräsentativen Demokratien legitimieren sich die MachthaberInnen dadurch, dass sie den eigentlichen Souverän, das Volk, vertreten. Diese Vertretungsfunktion ist auf EU-Ebene dadurch geschwächt, dass nationale Exekutiven Legislativfunktionen ausüben und dass das Europäische Parlament (EP) als einziges direkt gewähltes Organ der EU nicht die gleichen Machtbefugnisse wie die nationalen Parlamente hat. Die geringe Wahlbeteiligung bei EP-Wahlen ist ein zusätzliches Problem für die Legitimität der EU – auch wenn ein ähnlicher Befund für zahlreiche nationale Wahlen gilt.

Eine weitere Schwierigkeit ergibt sich daraus, dass das Funktionieren der EU-Institutionen im Zusammenspiel mit nationalen Institutionen in hohem Maße intransparent ist und es daher den BürgerInnen fast unmöglich wird, die Politikprozesse zu bewerten (etwa Jachtenfuchs 1994).

Schließlich stellt das Fehlen einer europäischen Öffentlichkeit ein häufig erwähntes Hindernis für eine EU-Demokratie dar (etwa Sinnott 1997). Eine europäische Öffentlichkeit, die politische Fragen erörtert, ist nicht oder kaum auszumachen. Nicht nur fehlt es an europäischen Medien; zusätzlich ist die Perspektive nationaler Medien wesentlich durch nationale Interessen bestimmt.[3]

Wie können nun diese Defizite behoben werden? Ein Argument in diesem Zusammenhang lautet, die EU könne nicht demokratisiert werden, da es keinen Demos der EU gäbe, denn der Demos sei immer national definiert (Kirchhof 1994). Daher bedürfe eine Demokratisierung der politischen Verhältnisse in Europa nicht der Reform der Institutionenordnung der EU, sondern der Re-Nationalisierung von Kompetenzen.

Diese Überlegung geht von einem essenzialistischen Verständnis des Demos aus, in dem der Demos (also das Volk als Träger politischer Rechte) mit dem Ethnos (dem Volk als Träger bestimmter gemeinsamer ethnischer Merkmale) gleichgesetzt wird. Des Weiteren wird impliziert, dass Nationalstaaten auf der Herrschaft eines Demos beruhen, der mit dem nationalen Ethnos gleichzusetzen ist, und dass dieser Zusammenfall von Demos und Ethnos eine Vorbedingung von Demokratie ist. Beides ist selbstverständlich kontrafaktisch: Es finden sich zahlreiche Beispiele von Nationen ohne Staat bzw. von multinationalen Staaten (etwa Guibernau 2003) und Nationen. Deren historische Wurzeln wurden erfunden, als sich die ökonomische und politische Notwendigkeit von Nationalstaaten ergab und nicht umgekehrt (Gellner 1983; Thièsse 1999).

Im Gegensatz zur Forderung nach Re-Nationalisierung ist es eine der Prämissen dieses Artikels, dass supranationale europäische Politik im Umfeld globalisierter Wirtschafts- und Politikprozesse insbesondere dann von hoher und steigender Bedeutung ist, wenn Demokratie ein Prinzip politischen Handelns bleiben bzw. zunehmend werden soll. Denn einerseits sind zahlreiche politikrelevante Probleme im nationalstaatlichen Rahmen nicht mehr zu lösen, andererseits aber ist eine konsequente demokratische Organisation von Politik nur im Rahmen geografischer und demografischer Grenzen denkbar. Demokratie impliziert, dass klar ist, wer zum Demos gehört (ausführlicher: Mokre 2002), ohne dass diese

Zugehörigkeit notwendigerweise an bestimmte Merkmale wie Ethnizität oder Geburtsort gebunden sein muss.

Doch wie ist das »demokratische Prinzip« zu verstehen und in konkrete Politik umzusetzen? Die Berufung auf eine jahrtausendealte Tradition und der Vergleich des politischen Systems der EU mit einem »demokratischeren« politischen System in Form des Nationalstaats beruhen beide auf der Vorstellung, dass Demokratie nicht nur ein klar definierbarer Begriff ist, sondern auch eine bereits realisierte Form politischer Organisation. Im Rahmen dieses Beitrags wird Demokratie hingegen als »flottierender Signifikant« (Laclau 2000, passim) für viele, zum Teil deutlich unterschiedliche Formen von Herrschaftsausübung verstanden und zugleich als eine Katachrese, also ein leerer Signifikant für ein unrealisierbares, aber nichtsdestotrotz anzustrebendes Konzept (Laclau 1996).

Die Unvollendetheit der Demokratie wird an ihrem Verhältnis zu Frauen besonders deutlich. Frauen waren über lange Zeit von der formalen Teilhabe am politischen System ausgeschlossen. Und auch wenn Frauen mittlerweile in allen europäischen Staaten unter gleichen formalen Bedingungen wie Männer wählen und gewählt werden, so ist doch nach wie vor deutlich, dass sie erst im Nachhinein in das männliche Universum moderner Demokratien aufgenommen wurden, dass ihre formale Gleichheit also durch materielle Ungleichheit konterkariert wird (Jessop 2001: 9f.). Dies zu ändern ist der Anspruch des Konzeptes der Geschlechterdemokratie (siehe etwa Wedl/Bieringer 2002).

2. Geschlecht und Demokratie

Nicht nur in der griechischen Agora, auch noch in den ersten repräsentativen Demokratien kamen Frauen als politisches Subjekt nicht vor. Moderne Politik im Sinne nationalstaatlicher Demokratie hat ihren Ursprung in der bürgerlichen Öffentlichkeit des 18. Jahrhunderts, die indes keinesfalls einen »offenen« Bereich darstellte.

»Bürgerliche Öffentlichkeit entstand als exklusive, der Zugang zu ihr war nicht ›öffentlich‹ im Sinne von allgemein, sondern an Besitz und Status geknüpft. Frauen bleiben qua Familien-Status ausgeschlossen. Der moderne Politik- bzw. Öffentlichkeitsmodus basiert mithin auf der ›Heimelichkeit‹ von Frauen« (Sauer 2001a: 188).

Der Ausschluss von Frauen stellt indes einen Widerspruch zum proklamierten Universalismus moderner Demokratie dar. Frauen sind in diesem Konzept von Politik nicht politische Freundinnen oder Gegnerinnen, sondern politische Nicht-Subjekte; sie existieren letztlich in einem politischen Sinne nicht. Am Beispiel der Geschlechterverhältnisse lässt sich somit verdeutlichen, dass der Universalismusanspruch, der der Demokratie inhärent ist, stets ein scheinbarer ist, der bestimmte Teil der Gesellschaft nicht nur ausschließt, sondern diesen Ausschluss genau durch die Behauptung des Universalismus unsichtbar macht (Butler 2000: 22).

Die Diskrepanz zwischen formaler und materieller politischer Teilhabe von Frauen verweist auf die Grenze zwischen dem Politischen und dem Privaten, die in liberalen Demokratien gezogen wird und zur Erosion der formalen Gleichberechtigung von Frauen in der politischen Sphäre durch ihre Benachteiligung im nicht-politischen Bereich (der ökonomischen wie auch der Privatsphäre) führt. Abweichend von älteren feministischen Konzepten, wie etwa dem der partizipatorischen Demokratie (Benhabib 1996) zielt die Idee der Geschlechterdemokratie indes darauf ab, mit diesen Benachteiligungen im Rahmen existierender politischer Institutionen und nicht durch Ausweitung des Demokratiegedankens auf das bisher per definitionem Nicht-Politische umzugehen (Bendkowski/Hark/Neusüß 2002). Im Unterschied zum Universalismusanspruch der liberalen Demokratietheorie wird also die Geschlechterdifferenz als politisch relevant anerkannt, und im Unterschied zu anderen feministischen Theorien wird mit den politischen Konsequenzen der Geschlechterdifferenz innerhalb der Sphäre umgegangen, die im liberalen Demokratieverständnis als politisch konnotiert ist. Aus diesem Konzept ergibt sich selbstverständlich eine Reihe von Problemen und Fragen:

Aus der Sicht der liberalen Demokratietheorie ist zu fragen, welche Konsequenzen das Abgehen vom Anspruch auf Universalismus für die Demokratie hat. Wenn die Geschlechterdifferenz bedeutend genug ist, in die Demokratietheorie Eingang zu finden, welche anderen Differenzen – etwa aufgrund von Ethnie oder Klasse – sind noch zu berücksichtigen? Und was bedeutet die Anerkennung von Gruppeninteressen und/oder -identitäten für den universalen Anspruch auf Freiheit und Gleichheit. Ist Demokratie nicht unteilbar (Sauer 2001b)?

Aus der Sicht der poststrukturalistischen Theoriebildung ergibt sich das Problem einer Essenzialisierung von Geschlecht als Gruppenmerkmal, aus dem sich Interessen ableiten lassen. Wenn die Kategorie Geschlecht als konstruiert und daher dekonstruierbar verstanden wird, wie kann dann eine Interessengruppe »Frauen« vorausgesetzt werden? Wie können sich gemeinsame Interessen einer sozialen Konstruktion ergeben, die nicht von den Betroffenen selbst in jeweils konkreten Zusammenhängen entwickelt wurden? Aus der Sicht der Frauenbewegung schließlich lässt sich mit einiger Plausibilität eine Ent-Radikalisierung frauenpolitischer Forderungen aufgrund der Beschränkung auf politisch-staatliche Institutionen befürchten.

All diese Bedenken sind sinnvoll und ernst zu nehmen. Dennoch geht dieser Artikel davon aus, dass das Konzept der Geschlechterdemokratie als *ein* Entwurf feministischer Politik geeignet ist, die Entwicklung der Europäischen Union im Sinne der Geschlechtergleichstellung zu beeinflussen. In diesem Sinne soll im

Folgenden argumentiert werden, bevor die genannten Einwände auf theoretischer Ebene wieder aufgegriffen werden.

3. Die Gleichstellungspolitik der Europäischen Gemeinschaft/Europäischen Union

Die Zielsetzung der Gleichstellung der Geschlechter ist seit dem Vertrag von Rom (1958) Teil des EG-Primärrechts. Dort wurde in Artikel 119 das Prinzip des »gleichen Lohns für gleiche Arbeit« festgelegt. Diese Vorschrift ist gleichzeitig die einzige sozialrechtliche Bestimmung des EG-Rechts, »die unmittelbar anwendbar ist und dem/der einzelnen ArbeitnehmerIn ein subjektives Recht verleiht« (Tomasovsky 2001: 24).[4] In den 1970er Jahren erweiterte sich der Fokus der EG-Geschlechterpolitik auf zusätzliche Bereiche des Arbeitslebens von Frauen, wie insbesondere Schwangerschaft und Kinderbetreuung. Weiterhin wurde in einer Direktive der Europäischen Kommission aus dem Jahr 1975 erstmals Positive Action in Bezug auf Frauengleichstellung erwähnt – zwar nicht als Empfehlung, aber im Rahmen eines Paragrafen, der angemessene Maßnahmen zur Förderung von Frauen zulässt (Europäische Kommission 1975; vgl. auch Hoskyns 1996: 112).

Einen weiteren, qualitativ bedeutenden Schritt in der Gleichstellungspolitik der EG stellte die Übernahme des Gender-Mainstreaming-Konzeptes in den frühen 1990er Jahren dar. Mit dem Vertrag von Amsterdam wurde Gender Mainstreaming Teil des EU-Primärrechts.

In der Definition der Europäischen Kommission wird unter Gender Mainstreaming verstanden,

»[...] die Bemühungen um das Vorantreiben der Chancengleichheit nicht auf die Durchführung von Sondermaßnahmen für Frauen zu beschränken, sondern zur Verwirklichung der Gleichberechtigung ausdrücklich sämtliche allgemeinen politischen Konzepte und Maßnahmen einzuspannen, indem nämlich die etwaigen Auswirkungen auf die Situation der Frauen bzw. der Männer bereits in der Konzeptionsphase aktiv und erkennbar integriert werden (›gender perspective‹). Dies setzt voraus, dass diese politischen Konzepte und Maßnahmen systematisch hinterfragt und die etwaigen Auswirkungen bei der Festlegung und Umsetzung berücksichtigt werden. [...] Die Unterschiede zwischen den Lebensverhältnissen, den Situationen und Bedürfnissen von Frauen und Männern systematisch auf allen Politik- und Aktionsfeldern der Gemeinschaft zu berücksichtigen, das ist die Ausrichtung des ›Mainstreaming‹-Grundsatzes, den die Kommission verfolgt. Es geht dabei nicht nur darum, den Frauen den Zugang zu den Programmen und Finanzmitteln der Gemeinschaft zu eröffnen, sondern auch und vor allem darum, das rechtliche Instrumentarium, die Finanzmittel und die Analyse- und Moderationskapazitäten der Gemeinschaft zu mobilisieren, um auf allen Gebieten dem Bedürfnis nach Entwicklung ausgewogener Beziehungen zwischen Frauen und Männern Eingang zu verschaffen.« (http://www.europa.eu.int/comm/employment_social/equ_opp/gms_de.html)

Auch wenn diese Ausführungen sehr allgemein sind, haben die theoretischen Überlegungen der Europäischen Kommission zu Gender Mainstreaming wie auch ihre praktische Umsetzung zu grundlegenden Kontroversen geführt (siehe etwa: Schunter-Kleemann 2003). Zwei Implikationen des Konzeptes wurden insbesondere kritisiert, (1) die Vernachlässigung frauenspezifischer Maßnahmen zugunsten des Mainstreaming-Ansatzes,[5] und (2) der Top-down-Zugang der Kommission, der die jahrzehntelange Erfahrung feministischer Arbeit an der Basis weitgehend unberücksichtigt lässt.

Jenseits dieser Kritik soll im Rahmen dieses Beitrags danach gefragt werden, inwiefern die jüngsten politischen Entwicklungen der EU den eigenen Ansprüchen in Bezug auf Gender Mainstreaming gerecht werden. In Schweden, einem der Vorreiterländer auf diesem Gebiet wurde zur Überprüfung der Implementierung von Gender-Mainstreaming-Maßnahmen die so genannte »3 R-Methode« entwickelt (Stiftung Mitarbeit 2002). Die Frage, »wer erhält was unter welchen Bedingungen«, soll dabei anhand der drei Variablen Repräsentation, Ressourcen und Realia beantwortet werden. Repräsentation bezieht sich darauf, wie die Geschlechter in den Entscheidungsprozessen und -gremien vertreten sind, unter Ressourcenverteilung wird die Zuteilung von Zeit und Geld verstanden und Realia bezeichnen formale und informale Strukturen in Organisationen. Die »3 R« von Gender Mainstreaming im Rahmen der EU sollen im Folgenden anhand des Grundrechte- und des Verfassungskonvents der EU sowie in Bezug auf die bevorstehende Erweiterung überprüft werden.

Unter Repräsentation wird dabei die Frauenquote im Grundrechte- und im Verfassungs-Konvent verstanden. Zwar hat der Begriff der politischen Repräsentation sehr viel mehr – und auch wichtigere – Konnotationen (siehe etwa Pitkin 1967; Eulau/Karps 1978; Voegelin 1991) als sich aus der bloßen Anwesenheit von Frauen ableiten lässt, die ein rein deskriptives Element von Repräsentation darstellt. Doch ist andererseits die physische Präsenz von Frauen in diesen beiden wichtigen Gremien von hoher symbolischer Bedeutung. Anderer Aspekte der Repräsentation von Frauen, wie insbesondere die substanzielle Frage, ob die RepräsentantInnen im Interesse der Repräsentierten und, im konkreten Falle, im Sinne von Fraueninteressen handeln, werden unter der Variable Ressourcen erfasst. Unter der Verteilung von Ressourcen werden die inhaltlichen Ergebnisse der Konvente und der Erweiterungsverhandlungen verstanden. Als Realia schließlich sollen hier die Einflussmöglichkeiten von Frauenorganisationen bezeichnet werden, die im Falle der Konvente anhand der Durchsetzungskraft der wichtigsten Frauenlobby auf EU-Ebene, der »European Women's Lobby« (EWL), eingeschätzt werden.

Die folgende Analyse der empirischen Daten zu Grundrechte- und Verfassungskonvent sowie zur Erweiterung der EU ist nicht als ausgereifte wissenschaftliche Erhebung zu verstehen, sondern als ein theoriegeleitetes »Stimmungsbild« der Entwicklung der Geschlechterpolitik der EU.

4. Der Grundrechtekonvent und die Charta der Grundrechte der Europäischen Union aus genderpolitischer Sicht

Beim Gipfel von Köln am 4.6.1999 beschloss der Europäische Rat, den Auftrag zur Ausarbeitung einer »Charta der Grundrechte der Europäischen Union« zu erteilen. Zur Erfüllung dieser Aufgabe setzte der Europäische Rat am 15. und 16. Oktober 1999 in Tampere einen »Grundrechtekonvent« ein – und nicht, wie für solche Aufgaben üblich, eine Regierungskonferenz. Der größeren Offenheit und breiteren Repräsentanz eines Konvents wurde eine erhöhte Legitimität im Vergleich zu Konferenzen der Regierungsoberhäupter zugeschrieben, umso mehr als Regierungskonferenzen der letzten Jahre häufig auch wenig effizient waren. Dem Grundrechtekonvent gehörten insgesamt 62 Mitglieder an, durch die ,die Staats- und Regierungschefs, der Kommissionspräsident, das Europäischen Parlament und die nationalen Parlamente vertreten wurden. Der Europäische Gerichtshof und der Europarat nahmen als Beobachter teil; Wirtschafts- und Sozialausschuss, der Ausschuss der Regionen sowie der Europäische Bürgerbeauftragte waren anhörungsberechtigt.

Insgesamt befanden sich unter den Vollmitgliedern sieben Frauen, das entspricht einem Prozentsatz von elf Prozent; die Mitglieder der Beobachterinstitutionen waren alle männlich, während die anhörungsberechtigten Organisationen durch insgesamt drei Frauen und sieben Männer vertreten waren.

Inhaltlich wurde in der »Charta der Grundrechte der Europäischen Union«, die bei der Regierungskonferenz in Nizza im Dezember 2000 unterzeichnet wurde, bisher aber keine bindende Rechtswirkung hat, die Gleichstellung der Geschlechter ein weiteres Mal festgeschrieben. In Artikel 21 werden Diskriminierungen unter besonderer Erwähnung von Diskriminierung wegen des Geschlechts verboten und in Artikel 23 wird festgelegt, dass »die Gleichheit von Männern und Frauen in allen Bereichen, einschließlich der Beschäftigung, der Arbeit und des Arbeitsentgelts, sicherzustellen (ist)«. Positive Action wird ausdrücklich im zweiten Satz des Artikels gestattet: »Der Grundsatz der Gleichheit steht der Beibehaltung oder der Einführung spezifischer Vergünstigungen für das unterrepräsentierte Geschlecht nicht entgegen.«

Mit diesen beiden Artikeln geht die Grundrechtecharta über die Festlegungen in den Verträgen hinaus, insbesondere da Gleichstellung nicht mehr nur auf Arbeit und Entgelt bezogen wird, sondern »die Gleichheit von Männern und Frauen in allen Bereichen« gefordert wird. Weiter gehende Forderungen von Frauenorganisationen wurden allerdings nicht berücksichtigt. Insbesondere die EWL machte Vorschläge zu einer stärkeren Berücksichtigung genderspezifischer Forderungen (2000), die hier exemplarisch dargestellt werden sollen, da sie in ihrer Konkretheit über die Überlegungen anderer Frauenorganisationen hinausgehen.

Grundsätzlich anerkennt die EWL zwar den Fortschritt im Bekenntnis zur Geschlechtergleichstellung, der durch Artikel 23 erzielt wurde, hätte sich aber ein stärkeres Bekenntnis zur Geschlechtergleichstellung in allen Bereichen gewünscht. Außerdem wäre ein eigener Artikel zur Geschlechtergleichstellung neben dem Artikel zur Gleichstellung in Beschäftigungsfragen wünschenswert gewesen. Schließlich trat die EWL dafür ein, dass im Artikel zum Diskriminierungsverbot (Artikel 21) die multiple Diskriminierung von Frauen explizit angesprochen wird. Statt der Aufzählung von »Geschlecht« als einer von vielen Kategorien, aufgrund derer Diskriminierung verboten ist, schlug die EWL einen zusätzlichen Absatz 3 vor: »Die geschlechtliche Dimension soll bei der Bekämpfung aller Formen von Diskriminierung berücksichtigt werden, um alle Formen von Mehrfachdiskriminierung abzuschaffen, denen viele Frauen ausgesetzt sind.«

Des Weiteren schlug die EWL vor, im Artikel 5 über das Verbot der Folter geschlechtsspezifische Gewalt, wie insbesondere Verstümmelung der Genitalien, Vergewaltigung, häusliche Gewalt, Zwangsehen, Zwangssterilisationen und -abtreibungen sowie Ehrenmorde, explizit zu verurteilen. Diese Formen der Folter sollten auch als Asylgründe in Artikel 18 erwähnt werden. Im Kapitel 2 »Freiheiten« sollte ein Artikel über das Recht von Frauen, ihre eigene Fruchtbarkeit zu bestimmen, enthalten sein. Dies wird insbesondere als notwendig erachtet, als sich aus Artikel 2 (Recht auf Leben) und Artikel 3 (Verbot von Eugenik) diesbezügliche Unklarheiten ableiten lassen. Im Artikel 33 sollten bezahlter Elternschaftsurlaub sowie rechtlich gewährleisteter bezahlter Vaterschaftsurlaub bei der Geburt eines Kindes erwähnt werden sowie die Forderung nach qualitativ hochwertigen und finanzierbaren Kinderbetreuungseinrichtungen. Auch im Artikel 35 »Gesundheitsschutz« wird ein Absatz in Hinblick auf die spezifischen Bedürfnisse von Frauen gefordert.

Für den Teil V, »Bürgerrechte«, schließlich wird ein neuer Artikel mit dem Titel »Paritätische Demokratie« gefordert:

»1. Paritätische Demokratie, verstanden als die gleiche Repräsentation von Frauen und Männern in den Organen und Institutionen der Union, stellt ein Grundprinzip der europäischen Integration wie auch der Institutionen der EU dar.
2. Maßnahmen zur Förderung der Chancengleichheit von Frauen und Männern beim Zugang zu politischen Ämtern auf allen Ebenen und in politische Parteien, sollten ergriffen werden.«

Der Vergleich zwischen dem Text der Grundrechtecharta und den Forderungen der EWL macht deutlich, welche Diskrepanzen noch immer zwischen der Umsetzung von Gender Mainstreaming innerhalb der EU und frauenspezifischen Forderungen besteht. Zwar entwickelt die EU ihren Anspruch auf Frauengleichstellung konsequent weiter, doch zeigen die Konventsergebnisse auch deutlich die Grenzen dieses Anspruchs in Bezug auf Repräsentation, Ressourcen und Realia.

5. Der Konvent zur Zukunft Europas und der Verfassungsentwurf aus genderpolitischer Sicht

Nach dem Vorbild des Grundrechtekonvents wurde vom Europäischen Rat in Laeken am 14. und 15.12.2001 die Etablierung eines »Konvents zur Zukunft Europas« beschlossen. Dieser Konvent konstituierte sich am 28.2.2002 und legte seine Ergebnisse im Juli 2003 in Form eines Verfassungsentwurfs vor. Der Konvent bestand aus 102 Mitgliedern und deren StellvertreterInnen sowie drei Vorsitzenden. Der Wirtschafts- und Sozialausschuss, der Ausschuss der Regionen und die SozialpartnerInnen entsandten BeobachterInnen; im Status eines Beobachters nahm auch der Europäische Bürgerbeauftragte teil. 18 der 105 Vollmitglieder waren weiblich; dies entspricht einem Prozentsatz von 17 Prozent. Die Vorsitzenden waren alle männlich. Die Frauenquote bei den StellvertreterInnen wie auch bei den BeobachterInnen betrug 20 Prozent. Den höchsten Frauenanteil (von 31%) entsandte das Europäische Parlament.

Inhaltlich finden sich an verschiedenen Stellen des Verfassungsentwurfs Festlegungen zur Geschlechterfrage – viele von ihnen wurden auf Drängen von Frauenorganisationen, wie insbesondere der EWL, und engagierten Europapolitikerinnen eingefügt und kommen in den ersten Entwürfen noch nicht vor.

Im Unterschied zum Vertrag über die Gründung der Europäischen Gemeinschaft findet sich im Verfassungsentwurf ein Artikel zu den Werten der Union (I-2), in dem der Gleichheit durch die Erwähnung im ersten Satz ein hoher symbolischer Stellenwert zugemessen wird: »Die Werte, auf die sich die Union gründet, sind die Achtung der Menschenwürde, Freiheit, Demokratie, *Gleichheit*, Rechtsstaatlichkeit und die Wahrung der Menschenrechte (Hervorhebung MM).« Dies wird in Artikel I-3 noch genauer ausgeführt:

»Sie bekämpft soziale Ausgrenzung und Diskriminierungen und fördert soziale Gerechtigkeit und sozialen Schutz, *die Gleichstellung von Frauen und Männern*, die Solidarität zwischen den Generationen und den Schutz der Rechte des Kindes (Hervorhebung MM).«

Im Zuge der Erarbeitung des europäischen Verfassungsentwurfes forderte die EWL eine Ausweitung der Gültigkeit des Artikels über Gender Mainstreaming im Vertrag von Amsterdam auf jene Politiken, für die die Europäische Union zuständig ist (inklusive Außen- und Sicherheitspolitik und polizeiliche und justizielle Zusammenarbeit; European Women's Lobby 2003). Dieser Forderung wird im Rahmen des Verfassungsentwurfs (in dem die Drei-Säulen-Struktur der EU ja aufgehoben wurde) Rechnung getragen, wenn es in Artikel III-2 heißt: »Bei allen in diesem Teil genannten Maßnahmen wirkt die Union darauf hin, dass Ungleichheiten zwischen Männern und Frauen beseitigt werden und die Gleichstellung von Männern und Frauen gefördert wird.«

Bestimmungen in Bezug auf Anti-Diskriminierung befinden sich in erster Linie in der Grundrechtecharta, die den Teil II des Vertrags bildet. Des Weiteren wurde eine neue horizontale Bestimmung mit Artikel III-3 eingeführt:

»Bei der Festlegung und Durchführung der Politik und der Maßnahmen in den in diesem Teil genannten Bereichen zielt die Union darauf ab, Diskriminierungen aus Gründen des Geschlechts [...] zu bekämpfen.«

Einer wichtigen Forderung der EWL, gemäß der gleiche Partizipation von Frauen und Männern in den Versammlungen und Institutionen der europäischen Gemeinschaft verpflichtend durch die Verfassung festgelegt wird, kam der Entwurf nicht nach.

Insgesamt lässt sich konstatieren, dass zahlreiche Forderungen der EWL in den Entwurf Eingang fanden, sodass die Variable Realia in diesem Fall positiv beurteilt werden kann. Dies wird insbesondere deutlich, wenn der verabschiedete Entwurf mit früheren Vorschlägen des Präsidiums verglichen wird, in denen Genderangelegenheiten deutlich weniger prominent (auch im Vergleich zum geltenden EG-Recht) platziert waren. Daraus lässt sich – vorsichtig – schlussfolgern, dass die mangelnde Repräsentation von Frauen im ersten Schritt zu einer ungünstigen Ressourcenverteilung führte, die jedoch aufgrund von Lobbyismus (also durch eine positive Entwicklung innerhalb der dritten Variable »Realia«) zugunsten von Frauen verändert werden konnte.

6. Die Erweiterung der Europäischen Union

Nach derzeitigem Wissensstand ist höchst unklar, ob die Verfassung und damit auch der Grundrechtekatalog in absehbarer Zeit Rechtskraft erlangen werden. Geschieht dies nicht, so bedeutet dies unter anderem, dass die dort festgeschriebenen Regelungen zugunsten der Frauengleichstellung ebenfalls keine bindende Kraft entfalten und die Erweiterung der Europäischen Union um zehn neue Mitgliedstaaten ohne die gewünschte Vertiefung der Integration stattfindet. Dies erscheint aus frauenpolitischer Sicht insbesondere deshalb problematisch, weil die Regeln zur Geschlechtergleichbehandlung in den neuen Mitgliedstaaten teilweise spürbar hinter denen im Europa der 15 zurückbleiben und es die Europäische Kommission trotz der Verpflichtung zu Gender Mainstreaming größtenteils versäumt hat, Forderungen in diesem Bereich konsequent durchzusetzen. Wie eine Untersuchung von Charlotte Bretherton (2001) verdeutlicht, wurde die Frage der Gleichstellung der Geschlechter im Vorfeld der neuen Beitritte zur EU kaum behandelt. Bereits kurz nach 1989 war von verschiedenen Seiten vorgeschlagen worden, weite Bereiche des acquis, unter ihnen auch die Geschlechtergleichstellung, nicht in die Verhandlungen einzubeziehen, um den Beitritt zu erleichtern. Folgerichtig wurden Geschlechterfragen auch im Weißbuch zur Erweiterung (Europäische Kommission 1995) nicht genannt. Auch in der Agenda 2000, in der die Europäische Kommission ihre Strategie für eine künftige, erweiterte Union darlegte, fehlten Genderfragen im Haupttext (zitiert nach: Bretherton 2001: 70). Grundsätzlich wurde in diesem Papier davon ausgegangen, dass die nationalen Gesetzgebungen den Ansprüchen der EG in Bezug auf Anti-Diskriminierung genügen. In den umfassenden Monitoring-Berichten der Europäischen Kommission über die Beitrittsvorbereitungen der Erweiterungsstaaten wird der Geschlechtergleichstellung in allen Fällen außer Estland nur ein – fast wörtlich gleich lautender – Absatz gewidmet, der sich auf arbeits- und pensionsrechtliche Fragen beschränkt.[6]

Insgesamt erscheint also die Europäische Kommission in Bezug auf die Beitrittsländer wenig bemüht, die verpflichtende EU-Strategie Gender Mainstreaming durchzusetzen. Bretherton (2001: 74) sieht einen wichtigen Grund für dieses Versäumnis darin, dass die Erweiterungsagenden in erster Linie bei der Generaldirektion 1a (DG 1a) liegen, die für die Außen- und Sicherheitspolitik zuständig ist, und sich daher – im Rahmen der traditionellen politischen Prioritätensetzung – mit »hoher« Politik und nicht dem »niedrigen« Bereich der Geschlechterpolitik beschäftigt. Nicht zufällig war die DG 1a eine der letzten Generaldirektionen, die eine/n zuständige/n MitarbeiterIn für Gender Mainstreaming ernannte. Diese Erfahrungen mit Gender Mainstreaming im Rahmen der EU-Erweiterung zeigen recht deutlich die praktisch-politischen Grenzen dieses Konzeptes im Rahmen der täglichen Politik auf.

7. Die Zukunft Europas und die Geschlechterdemokratie

Die Entwicklung des europäischen Gemeinwesens hin zu einer demokratischeren Form ist zögerlich, durch unterschiedliche nationale und institutionelle Interessen geprägt sowie stark von ökonomischen Kalkülen beeinflusst. Lohnt es sich unter diesen Umständen für Feministinnen, die Frage einer europäischen Geschlechterdemokratie weiter zu verfolgen? Zum Abschluss will ich noch einmal auf die grundlegenden Probleme des Konzepts der Geschlechterdemokratie zurückkommen und versuchen, folgende Fragen zu beantworten:

- Wie weit macht es überhaupt Sinn, die Kategorie »Frau« in die Debatte um eine europäische Demokratie einzuführen? Wäre es nicht aus geschlechterpolitischer Sicht sinnvoller, die Frage der europäischen Demokratie in ihrer Gesamtheit, also aus dem Blickwinkel eines/r idealen europäischen Citoyen/ne zu betrachten und aus dieser Sicht das demokratische Defizit der EU zu bekämpfen?
- Oder sollten sich Feministinnen vielleicht überhaupt aus der Debatte um eine europäische Demokratie heraushalten, die ja immer nur systemimmanent zu führen ist und daher feministische Politik ihrer Radikalität beraubt?

Die Antwort auf diese Fragen hängt zu einem großen Teil von der Bedeutung ab, die dem europäischen Einigungsprozess und dem Anspruch auf dessen Demokratisierung zugemessen wird. Wie bereits dargestellt, geht dieser Text davon aus, dass die Entwicklung einer supranationalen europäischen Demokratie im Interesse der Weiterentwicklung demokratischer Formen in einem globalisierten Umfeld weder durch nationale Demokratien noch durch Ideen eines WeltbürgerrInnentums ersetzt werden kann. Dieser Befund lässt die gegenwärtige Situation der Europäischen Union umso bedenklicher erscheinen, als die Diskussion um eine europäische Verfassung in eine Sackgasse geraten ist, sich eher zentrifugale denn integrative Kräfte entwickeln und der Kerneuropagedanke an Attraktivität gewinnt. Sollte diese Situation von längerer Dauer sein, so wird dies aller Voraussicht nach die gesamte Debatte um europäische Werte und die Entwicklung einer europäischen Demokratie auf absehbare Zeit beenden.

Wünschenswert wäre hingegen eine breite Diskussion über für das europäische Mehrebenensystem adäquate und zeitgemäße Formen von Demokratie als Raum für die produktive Austragung von Konflikten. Konflikte ergeben sich nicht nur – wie im liberalen Modell angenommen – aus rational auszuhandelnden Interessengegensätzen, sondern auch aus – hybriden und über Zeit und Raum wechselnden – Differenzen zwischen Gruppenidentifikationen.[7] Die Geschlechterdifferenz ist keineswegs die einzige, wenn auch vermutlich die wichtigste der Differenzen, die politisch wirksam werden. Der Anspruch auf eine zeitgemäße Form der Demokratie impliziert, dass diese Differenz ernst genommen und artikuliert wird, nicht um ihr andere Differenzen unterzuordnen, sondern im Gegenteil, um Demokratie für Differenz und Konflikte zu öffnen. Ein produktiv gewendeter Universalanspruch von Frauenpolitik kann nicht für sich in Anspruch nehmen, für eine »ideale Gesamtfrau« zu sprechen (dies würde nicht mehr als eine neue Form vernichtenden Universalismus bedeuten), sondern könnte in einer dazu schräg liegenden Form der Universalisierung die Forderung der Gleichstellung von der Geschlechterfrage lösen. Nicht die Integration der Partikularinteressen von Frauen in die männlich konnotierte Sphäre des Politischen, sondern die (uneinlösbare) Forderung nach Anerkennung aller Partikularinteressen wäre somit der Fluchtpunkt feministischer Politik. Eine solche Wendung entspräche auch der Tatsache, dass Frauen zwar die Erfahrung der Unterdrückung teilen, aber in Bezug auf die Form dieser Unterdrückung radikal unterschiedliche Historien haben. In Anlehnung an das Konzept radikaler Demokratie (Laclau/Mouffe 1985) wird hier also vorgeschlagen, den feministischen Anspruch auf Gleichstellung der Geschlechter als ein Glied der »Kette von Äquivalenzen« verschiedener, gruppenspezifischer Forderungen zu verstehen, die zu einer neuen Form des Universalismus führt, der diesen Forderungen ihren politischen Gehalt gibt.

Die gruppenspezifischen Forderungen von Frauen werden dabei nicht als essenzieller Teil des Frauseins verstanden, sondern im Sinne von Iris Marion Young (1994) als Teil der Serialität weiblicher Identität, die in bestimmten Kollektiven von Frauen zu bestimmten Zeiten eine Interessensübereinstimmung erzeugt.

Ein solcherart gefasster radikaler Demokratieanspruch kann sicherlich nicht allein oder auch nicht in erster Linie im Rahmen der Institutionenordnung der EU durchgesetzt werden. In diesem Sinne ist das Streben nach einer europäischen Geschlechterdemokratie nicht als einziges Ziel europäischer Feministinnen zu fassen, sondern als ein wichtiger Teil eines viel umfassenderen politischen Programms. Doch die Bedeutung einer lebendigen europäischen Demokratie rechtfertigt feministisches Engagement im Rahmen der EU – auch wenn seine Erfolgschancen heute ungewisser sind denn seit langem.

Anmerkungen

1 Die hier gewählte männliche Form ist nicht als generisches, sondern als geschlechtsbezeichnendes Maskulinum zu verstehen, bezieht sich also *nicht* auf Männer und Frauen gleichermaßen.

2 Die Ergebnisse der Regierungskonferenz im Dezember 2003 lassen es in der Tat fraglich erscheinen, ob diese Vorgangsweise zielführend ist.

3 Allerdings lassen sich hier in jüngerer Zeit Anzeichen für eine positive Veränderung finden. So hat etwa eine Analyse der nationalen Medienberichterstattung zum Europakonvent ergeben, dass europäische Themen zeitgleich in den Printmedien der Mitgliedsstaaten bearbeitet wurden (Puntscher Riekmann et al. 2003: 358ff.). Auch im Zuge der im Jahr 2000 verhängten Sanktionen gegen Österreich wegen des Eintritts der ultrarechten Freiheitlichen Partei Jörg Haiders in die Regierung oder bei der europäischen Debatte zur italieni-

schen Politik unter Berlusconi sind erste Anzeichen einer Europäisierung nationaler Medienberichterstattung zu erkennen.

4 Allerdings wurde die unmittelbare Anwendbarkeit von Artikel 119 erst durch ein eher gewagtes Urteil des Europäischen Gerichtshofs im Jahr 1968 festgestellt (Hoskyns 1996: 92).

5 Zwar wird in allen Publikationen zu Gender Mainstreaming betont, dass frauenspezifische Maßnahmen ergänzt und nicht ersetzt werden sollen, doch zeigt sich in der politischen Realität eine starke Verschiebung der Prioritäten.

6 Vgl. die unter der Adresse http://www.europa.eu.int/comm/enlargement/report_2003 abrufbaren »Umfassenden Monitoring-Berichte« der Europäischen Kommission zu den einzelnen Beitrittsländern.

7 Der Begriff der Identifikation wird hier bewusst statt des gebräuchlichen Begriffs »Identität« eingeführt, um die Dynamik und teilweise Willkür dieses Konzeptes zu verdeutlichen.

Literatur

Beetham, David/Lord, Christopher 1998: *Legitimacy and the European Union,* London: Longman.

Bendkowski, Halina/Hark, Sabine/Neusüß, Claudia 2002: Geschlechterdemokratie: Feministischer Aufbruch oder institutionelle Anpassung? Streitgespräch, in: Geschlechterdemokratie – eine neues feministisches Leitbild, in: *femina politica*, H. 2, S. 29-41.

Benhabib, Seyla (Hg.) 1996: *Democracy and Difference: Contesting the Boundaries of the Political,* Princeton: Princeton University.

Bretherton, Charlotte 2001: Gender Mainstreaming and EU enlargement: swimming against the tide?, in: *Journal of European Public Policy,* Jg. 8, H. 1, S. 60-81.

Brzinski, Joanne Bay/Lancaster, Thomas D./Tuschhoff, Christian 1999: *Compounded Representation in Western European Federations,* London, Portland, OR: Frank Cass.

Butler, Judith 2000: Restaging the Universal: Hegemony and the Limits of Formalism, in: Butler, Judith/Laclau, Ernesto/Žižek, Slavoj: *Contingency, hegemony, universality. Contemporary dialogues on the left,* London: Verso, S. 11-43.

Eulau, Heinz/Karps, Paul D. 1978: The Puzzle of Representation: Specifying Components of Responsiveness, in: Eulau, Heinz/Wahlke, John C. (Hg.): *The Politics of Representation. Continuities in Theory and Research,* Beverly Hills, CA: Sage, S. 55-71.

Europäische Kommission 1975: *Equality of Treatment Between Men and Women* (Communication of the commission to the Council), KOM (75)36, Brüssel, 12. Februar 1975.

Europäische Kommission 1995: Weißbuch – Vorbereitung der Assoziierten Staaten Mittel- und Osteuropas auf die Integration in den Binnenmarkt der Union, KOM (95)163, Mai 1995.

Europäischer Konvent 2003: *Entwurf: Vertrag über eine Verfassung für Europa.* Luxemburg: Amt für amtliche Veröffentlichungen der Europäischen Gemeinschaften.

European Women's Lobby 2000: *EWL position on the Charter of Fundamental Rights of the EU.* http://www.womenlobby.org/Document.asp?DocID=208&tod=114116, Zugriff: 2.1.2004.

European Women's Lobby 2003: *EWL Convention Assessment.* http://www.womenlobby.org/htmldoc/convAss.htm, Zugriff: 5.1.2004.

Føllesdal, Andreas/Koslowski, Peter (Hg.) 1998: *Democracy and the European Union,* Berlin: Springer.

Gellner, Ernest 1983: *Nations and Nationalism,* Ithaca: Cornell University Press.

Guibernau, Montserrat 2003: Katalonien zwischen Autonomie und Sezession: Politische Optionen für Nationen ohne Staat, in: Mokre, Monika/Weiss, Gilbert/Bauböck, Rainer (Hg.): *Europas Identitäten. Mythen, Konflikte, Konstruktionen*, Frankfurt/M., New York: Campus, S. 92-114.

Hoskyns, Catherine 1996: *Integrating Gender. Women, Law and Politics in the European Union*, London: Verso.

http://www.europa.eu.int/comm/enlargement/report_2003, Zugriff: 7.1.2004.

http://www.europa.eu.int/comm/employment_social/equ_opp/gms_de.html, Zugriff: 17.2.2004.

Jachtenfuchs, Markus 1994: *Theoretical Reflections on the efficiency and democracy of European governance structures*. Paper presented at the second ECSA World Conference, Brussels, 5-6 May 1994.

Jessop, Bob 2001: *The Gender Selectivities of the State*, http://www.comp.lancs.ac.uk/sociology/soc073rj.html, Zugriff: 9.1.2004.

Kirchof, Paul 1994: Kompetenzaufteilung zwischen den Mitgliedstaaten und der EU, in: Vertretung der Europäischen Kommission in der Bundesrepublik Deutschland (Hg.): *Europäisches Forum: Die künftige Verfassungsordnung der Europäischen Union*, Bonn, S. 57-67.

Laclau, Ernesto 1996: Why do Empty Signifiers Matter to Politics?, in: ders.: *Emancipation(s)*, London: Verso, S. 36-46.

Laclau, Ernesto/Mouffe, Chantal 1985: *Hegemony and socialist strategy. Towards a radical democratic politics*. London: Verso.

Mokre, Monika 2002: *Collective Identities in an Enlarged European Union*. ICE Working Paper No. 32, http://www.iwe.oeaw.ac.at/workingpapers/Working%20Paper33.pdf; Zugriff: 9.1.2004.

Pitkin, Hannah F. (1967): *The Concept of Representation*. Berkeley, CA: University of California Press.

Puntscher Riekmann, Sonja et al. 2003: *Constitutionalism and Democratic Representation in the European Union*, Final Report, Vienna.

Rometsch, Dietrich/Wessels, Wolfgang (Hg.) 1996: *The European Union and member states. Towards institutional fusion?*, Manchester: Manchester University Press.

Sauer, Birgit 2001a: *Die Asche des Souveräns. Staat und Demokratie in der Geschlechterdebatte*, Frankfurt/M., New York: Campus.

Sauer, Birgit 2001b: Was kann feministische Wissenschaft für Geschlechterdemokratie leisten?, in: Feministisches Institut der Heinrich-Böll-Stiftung (Hg.): *Möglichkeiten und Grenzen eines Transfers zwischen feministischer Wissenschaft und Politik*, Berlin, S. 7-21.

Schunter-Kleemann, Susanne 2003: Was ist neoliberal am Gender Mainstreaming?, in: *Widerspruch, Beiträge zur sozialistischen Politik*, Jg. 23, H. 44, S. 19-33.

Sinnott, Richard 1997: *European Public Opinion and the European Union: The Knowledge Gap*. Working Paper 127, Barcelona: Institut de Ciències Polítiques i Socials.

Stiftung Mitarbeit 2002: Gender Mainstreaming. Von der Quote zur Geschlechterdemokratie. http://www.mitarbeit.de/mitarbeiten/2002/mit_02_2.html, Zugriff: 18.2.2004.

Thièsse, Anne-Marie 1999: *La creation des identités nationales. Europe XVIIIe-XXe siècle*, Paris: Éditions du Seuil.

Tomasovsky, Daniela 2001: Die sozialen Rechte im Primärrecht der EG, in: *Die Union*, H. 1, S. 21-32.

Voegelin, Eric 1991: *Die Neue Wissenschaft der Politik*, München: Alber.

Weber, Max 1919/1990: *Wirtschaft und Gesellschaft*, Tübingen: Mohr.

Wedl, Juliette/Bieringer, Jutta (2002): Geschlechterdemokratie – Begriffsgeschichte und Problemfelder. Eine Einleitung, in: *femina politica*, H. 2, S. 9-17.

Young, Iris Marion 1994: Geschlecht als serielle Kollektivität. Frauen als soziales Kollektiv, in: Institut für Sozialforschung (Hg.): *Geschlechterverhältnisse und Politik*, Frankfurt/M.: Suhrkamp, S. 221-261.

Zu den Autorinnen und Herausgeberinnen

Sünne Andresen, Dr. phil, Diplomsoziologin, wissenschaftliche Mitarbeiterin am Otto-Suhr-Institut der FU Berlin sowie wissenschafltiche Referentin der zentralen Frauenbeauftragten, Promotion zu Frauenforscherinnen im Konkurrenzfeld Hochschule, z.Zt. wissenschaftliche Mitarbeiterin an der Universität Potsdam im DFG-Forschungsprojekt »Vergeschlechtlichtungsprozesse im Zuge der kommunalen Verwaltungsreform«; Forschungsschwerpunkte: gesellschaftliche Umbrüche (in der Arbeit) und Geschlechterverhältnisse, Organisationstheorien, qualitative Forschungsmethodik, Gleichstellungspolitik

Ute Behning, Dr. phil., geb. 1965, Studium der Politikwissenschaft an der Freien Universität Berlin und der University of California Santa Cruz, danach wissenschaftliche Mitarbeiterin an der Universität Osnabrück und wissenschaftliche Assistentin am Institut für Höhere Studien in Wien, derzeit Leiterin der Forschungsgruppe »European Welfare Politics« am Institut für Höhere Studien in Wien und Gastwissenschaftlerin am Zentrum für Sozialpolitik an der Universität Bremen. Arbeitsschwerpunkte: Europäische Integration, Vergleichende Politikwissenschaft, Policy-Forschung, Gender Studies und Wohlfahrtsforschung.

Silke Bothfeld, Diplom-Politologin, Studium an der FU Berlin und dem IEP Paris, 1997-2002 wissenschaftliche Mitarbeiterin am Wissenschaftszentrum Berlin, Abt. Arbeitsmarktpolitik und Beschäftigung, seit 2002 wissenschaftliche Mitarbeiterin im WSI in der Hans-Böckler- Stiftung und seit Dezember 2003 dort Leiterin des wissenschaftlichen Referats für Arbeitsmarktpolitik. Abschluss der Dissertation im Sommer 2004: »Politikwandel durch Politiklernen? Die Reform des Erziehungsurlaubs im Spannungsfeld arbeitsmarkt-, familien- und gleichstellungspolitischer Zielsetzungen«, weitere Forschungsinteressen: Arbeitsmarktpolitik, Frauenerwerbstätigkeit, vergleichende Politikanalyse.

Regina-Maria Dackweiler, Dr. phil. habil., Professsorin für Politikwissenschaft am Fachbereich Sozialwesen der FH-Bielefeld. Arbeitsschwerpunkte: feministische Gesellschaftsanalyse, nationale und internationale Frauenbewegungspolitik, Gewalt im Geschlechterverhältnis, wohlfahrtsstaatliche Geschlechterpolitik, Arbeit und Geschlecht, Methodologie- und Methodendiskussion.

Irene Dölling, geb. 1942, Studium der Philosophie an der Humboldt-Universität Berlin; Promotion und Habilitation auf dem Gebiet der Kulturwissenschaft; seit 1985 Professorin für Kulturtheorie an der HUB; seit 1994 Inhaberin der Professur für Frauenforschung an der Universität Potsdam. Mitbegründerin des Zentrums für interdisziplinäre Frauenforschung an der HUB (1989). Forschungsschwerpunkte: Analyse von Geschlechterverhältnissen in der DDR bzw. im Transformationsprozess, kulturelle Produktion von Geschlechterbildern, Vergeschlechtlichungsprozesse am Beispiel der Verwaltungsreform.

Christine Färber, Dr. rer. pol., war von 1991-1999 die erste Frauenbeauftragte der Freien Universität Berlin. Drei Jahre war sie Sprecherin der Bundeskonferenz der Frauen- und Gleichstellungsbeauftragten an Hochschulen, fünf Jahre Sprecherin der Landeskonferenz Berlin. Seit 1999 leitet sie ein Unternehmen für Politik- und Organisationsberatung in Potsdam. Sie berät Ministerien, Unternehmen, Verbände, Hochschulen und Parteien in Deutschland, Österreich und der Schweiz, u.a. bei der Einführung von Gender Mainstreaming. Im Jahr 2001 erstellte sie mit dem Wuppertal-Institut eine Expertise »Gender Mainstreaming in der Städtebaupolitik« für das Bundesamt für Bauwesen und Raumordnung.

Heike Kahlert, Dr. rer. soc., Diplom-Soziologin; Wissenschaftliche Assistentin am Lehrstuhl für Allgemeine Soziologie – Makrosoziologie der Universität Rostock, freiberufliche Tätigkeiten als Organisationsberaterin und Supervisorin. Forschungsschwerpunkte: Modernisierung und sozialer Wandel von Wissen, Macht und Identitäten; Soziologie der Bildung und Erziehung; Gleichstellungsbezogene Organisationsentwicklung im Public-Profit-Bereich (Bildungswesen, Verwaltung).

Teresa Kulawik, Associate Prof. Dr. phil. für Gender Studies und Politikwissenschaft am University College of South Stockholm; davor langjährig tätig am Otto-Suhr-Institut für Politikwissenschaft der Freien Universität Berlin; 1993/94 Lars-Hierta-Fellow am Zentrum für Frauenforschung der Universität Stockholm, Herbst 1999 Visiting Scholar am Research Center on Women and Gender an der Columbia University in New York/USA; Frühjahr 2001 Gastprofessorin des Schwedischen Wissenschaftsrates am Institut für Zeitgeschichte am University College of South Stockholm. Arbeitsschwerpunkte: Komparatistik, Theorie und Analyse des Wohlfahrtsstaates, Geschlechterpolitik, Geschichte der Politik, Wissenspolitologie, Biopolitik.

Sabine Lang, Politikwissenschaftlerin, Visiting Associate Professorin an der Henry M. Jackson School of International Studies der University of Washington, Seattle. Studium in Freiburg, New York und Berlin. Lehrtätigkeit unter anderem als Hochschulassistentin in der Abteilung Politik des John F. Kennedy-Instituts der Freien Universität Berlin und an der Universität Leipzig. Arbeitsschwerpunkte: Öffentlichkeit, Medien, Partizipation und Geschlechterpolitik. Aktuelles komparatives Forschungsprojekt zum Thema »Mobilizing Urban Publics« in den USA und der Bundesrepublik.

Monika Mokre ist wissenschaftliche Mitarbeiterin des Instituts für Europäische Integrationsforschung der Österreichischen Akademie der Wissenschaften und Vorsitzende von FOKUS, der Forschungsgesellschaft für kulturökonomische und kulturpolitische Studien. Forschungsschwerpunkte: Gender Studien, Europäische Integration, Demokratietheorie, Kulturpolitik.

Delia Schindler, Diplom-Politologin, wissenschaftliche Mitarbeiterin an der Universität Hamburg im Forschungsprojekt »NEDS – Nachhaltige Entwicklung zwischen Durchsatz und Symbolik«, im interdisziplinären BMBF-Förderschwerpunkt »Sozial-ökologische Forschung«. Arbeitsschwerpunkte: Policy-Analyse, Nachhaltigkeit und Agenda 21-Prozesse, Methoden quantitativer und qualitativer Sozialforschung. Veröffentlichungen zur Frauen- und Geschlechterforschung, Hochschulreformforschung und Nachhaltigkeit.

Birgit Sauer, Dr. phil., Politikwissenschaftlerin, Ao. Univ.-Professorin am Institut für Politikwissenschaft der Universität Wien. Studium der Fächer Politikwissenschaft und Germanistik in Tübingen und der FU Berlin. Promotion 1993 an der FU Berlin, Habilitation 2000 an der Universität Wien. Gastprofessorin an der Kon-Kuk-Universität in Seoul/Korea, an den Universitäten Klagenfurt/Österreich und Mainz/Deutschland. Forschungsschwerpunkte: Politik der Geschlechterverhältnisse, Staats-, Demokratie und Institutionentheorien, Politik und Kultur sowie vergleichende Policy-Forschung.

Barbara Stiegler, Dr. phil., Diplompsychologin, Diplompädagogin, geb. 1948, wissenschaftliche Mitarbeiterin in der Abteilung Arbeit und Sozialpolitik der Friedrich-Ebert-Stiftung. Langjährige Forschungsarbeiten zur Humanisierung der Arbeit und Beteiligung von Beschäftigten, seit 1982 Forschungsarbeiten im Bereich der Frauenforschung: zur Ausbildung von jungen Frauen in männlich dominierten Berufen, zur Frauenförderung in der privaten Wirtschaft, zur Gestaltung qualifizierter Mischarbeitsplätze für Frauen in Schreibdiensten, zur sogenannten weiblichen Qualifikation »soziale Kompetenz«. Seit 1992 wissenschaftliche Politikberatung für Frauen durch die Verknüpfung wissenschaftlicher Ergebnisse der Frauen- und Geschlechterforschung mit politischen Fragestellungen: Erarbeitung von Expertisen, Beratung und Vortragstätigkeit im In- und Ausland. Themen: Frauenarbeit als bezahlte und unbezahlte Arbeit und ihre gesellschaftliche Bedeutung, (Dienstleistungs-pools, Erziehungsgehalt, Qualifikation und Hausarbeit), Materieller Gegenwert von bezahlter Frauenarbeit (Lohndiskriminierung, Armut), Qualifikation durch Arbeit (soziale Kompetenz, Frauenberufe), Zukunft der Frauen(erwerbs-) arbeit im gesellschaftlichen Diskurs (Tele(heim)arbeit, Reservearmee). Seit 1998 verstärkt in Forschung, Konzeptualisierung und Beratung verschiedener Zielgruppen zum Thema Gender Mainstreaming.